DU MÊME AUTEUR

Aux Éditions Gallimard

SEINS, 2006

AUTRES SEINS, 2007

Aux Éditions Julliard

MONTÉE EN PREMIÈRE LIGNE, 1988 (« Pocket », n° 4444)
Grand Prix de l'humour noir, 1988
Prix François Mauriac, 1988
Prix Roland Dorgelès, 1989
Prix de la Société des gens de lettres, 1989
Prix de l'Union des éditeurs de langue française, 1989

COMME DANS UN BERCEAU, 1990

TRIO GULLIVER, 1995

Aux Éditions Marval

FRANZ KAFKA, 1990 ; photographies d'Alain Fleischer

Aux Éditions Denoël

UN MONDE SANS IRIS, 1999

LA VIE M'AFFAME, 2003

Aux Éditions Opales

JE N'EN REVIENS PAS, 2002

BÉLARD ET LOÏSE

JEAN GUERRESCHI

BÉLARD ET LOÏSE

roman

GALLIMARD

Et si vous rencontriez demain le grand amour?
— Je ne pourrais pas l'empêcher.

Thomas Bernhard,
Interview, 11 avril 1979

PREMIÈRE PARTIE

Les corps

1

VIGILE

Un campus de province fin septembre.

Il est tard. La lumière est haute malgré l'heure.

Un homme pousse la porte de l'immense baie vitrée d'un hall dont le mur du fond est frappé de la lettre H. Il est petit, trapu, le cheveu blanc coupé ras, les yeux d'un bleu très clair. Il s'avance jusqu'au bord de la dizaine de marches de faux marbre qui descend sur le parking. S'y arrête.

Cet homme s'appelle Bélard.

Bélard lève la tête. Le ciel est pâle, rougeoyant vers l'ouest. La température, douce pour la saison, en train de fraîchir.

En chemise, il sent ce subtil décrochement de degré. C'est agréable comme une caresse de draps légers au matin, sauf qu'on est le soir. Il y songe fugacement : on dirait qu'il vient, heureux mortel, d'obtenir le droit de vivre un nouveau jour au bout du jour, en dérogeant in extremis à l'obligation d'en passer par la nuit.

Les pieds engagés dans le vide, il inspire lentement.

Il est heureux de vivre. Même pas. Il est heureux d'être là. D'être encore, à l'âge qu'il a, présent au monde. De l'être comme il l'est. Avec ce goût intact des choses et des êtres, la même curiosité conservée de l'enfance pour leur étal. Avec cette énergie en réserve où, parce qu'il est devenu plus économe au fil des ans, il se sent en mesure de puiser indéfiniment.

Avec cette incrédule flottante lucidité.

En treillis et rangers noirs, les vigiles de la société de gardiennage arpentent les couloirs. Ils poussent chaque porte. Secouent celles qui résistent. Annoncent à ceux qu'ils trouvent derrière qu'on va boucler le bâtiment dans dix minutes. On s'étonne. On proteste, pour la forme. Les vigiles ont l'habitude. Ils répètent leur annonce d'un ton égal.

Le plus gradé attend, dans une voiture à gyrophare garée sur le parking du personnel. Il joue nerveusement d'un briquet tempête, qu'il allume et éteint dans un claquement de capuchon métallique, après l'avoir prestement fait tourner entre trois doigts. Il observe d'un air concentré la sortie, dont l'infinie lenteur frise pour lui la provocation, des ultimes étudiants peu enclins à se disperser. Son œil est sans indulgence pour ces jeunes adultes nonchalants, plus favorisés que lui par la naissance ou les rencontres.

Seules les étudiantes conservent quelque grâce à ses yeux. C'est une exemption inavouable et privée dont toutes ne bénéficient pas. Seulement les belles. À défaut les inattendues. Les rares. Les extravagantes.

Celle-ci par exemple. Le chef des vigiles l'observe en train de descendre les marches. Il la regarde intensément.

14

Bélard, amusé, observe le vigile. Ce que faisant, l'idée l'effleure que la chose regardée pourrait lui plaire exactement pour les mêmes raisons. Cette dégaine. Ce déhanchement. Cette taille. Il n'avait pas le sentiment qu'elle fût si grande à l'intérieur. Il y fallait le dehors. Peut-être également la rescousse d'un autre œil du même sexe, un œil moins patient et tranquille que le sien.

Cette rescousse inattendue le décille.

Et c'est au moment où Bélard, pour la première fois, se dit que oui, décidément, cette fille a de belles fesses, que le regard de la jeune femme, franchissant celui du vigile, surprend le sien posé au même endroit.

Bélard, deviné, se fige. À quoi servirait de dénier? Après tout, la beauté d'une croupe n'est pas d'une nature différente de la beauté d'un visage. (Est-ce bien sûr? Pour les autres il ne saurait dire, mais pour lui, pour l'homme Bélard, c'est certain.) Si c'est certain, il ne saurait se dérober. C'est un hommage qui lui a échappé, non une injure. Tant vaut le lui faire savoir.

Le professeur laisse son vieux regard se constituer prisonnier sans résistance. Tandis que son sourire devient aussi benêt que celui d'un enfant pris la main dans le sac, il fait le geste d'offrir ses paumes. Un signe bref d'acceptation et de regret.

Au tour de la jeune femme de sourire. Qu'est-ce qu'il est en train de m'avouer là? Qu'il n'y mettra pas les mains? J'aimerais bien voir qu'il essaie!

Ils sont alertés ensemble de ce qui leur échappe.

Lui, du désir contenu dans le geste de s'en défaire. Elle, du souhait qu'il en aille exactement comme dit la formule censée le repousser.

Sa rébellion la fuit si vite qu'elle craint que Bélard ne le voie.

Bélard le voit aussi distinctement qu'il l'espérait.

2

TOUCHÉ !

C'était hier. Un groupe de travaux dirigés. Les étudiants les préfèrent aux cours magistraux pour un certain nombre de raisons dont la seule qui soit excitante est la proximité physique du professeur.

Bélard se souvient. On approchait de la quatrième heure. Il était en retard sur l'horaire, il allait devoir quémander une demi-heure supplémentaire. En général ils n'aimaient pas ça, surtout le soir. Vrai ou faux, ils évoquaient l'heure du dernier bus. Il les croyait sur parole. Il finissait avec les seuls étudiants qui voulaient bien.

La jeune femme se souvient. On approchait de la quatrième heure. Bélard parlait. Cherchant inlassablement des exemples, reprenant autant de fois qu'il l'estimait nécessaire, c'était usant. Elle l'écoutait pourtant avec attention. Un tel désir de transmettre son désir, elle n'en avait pas rencontré avant le sien, ça la scotchait. Et, tandis qu'il parlait, elle occupait ses doigts avec le mécanisme d'un clic-clac. C'était pure nervosité car elle n'écrivait pas, elle écoutait.

À un moment, le corps du stylo s'est cassé net. Bélard a entendu le clic ! et le ressort l'a frappé en pleine poitrine.

Les tables étaient disposées en arc de cercle. Comme elle était entrée la dernière, elle avait pris la seule chaise libre, la plus proche à droite de Bélard.

Elle ne le regardait pas. Elle regardait ses mains qui parlaient pour lui, qui disaient autre chose que lui, qui étaient comme les mains d'un chef qui orchestre les mots qui sortent d'une bouche. La musique de la bouche de Bélard entrait en elle par l'oreille, et les mains de Bélard en tempéraient le tempo, quand cette saloperie de pointe Bic lui est partie d'entre les doigts, clac!

Ça ne m'a fait aucun mal. J'ai été seulement surpris. Le trajet du ressort a été court. Il est clair qu'elle avait fait cela sans malice ni intention de me toucher, et pourtant c'est ce que j'ai dit « Touché! », en souriant, et ça a donné le signal du rire des autres.

J'aurais pu le manquer. Passer au-dessus ou à côté. Ça les aurait fait rire pareil, mais il n'aurait pas pu dire « Touché! ».

J'ai eu pitié. Je me suis baissé pour chercher le ressort, je l'ai trouvé sous ma chaise et, quand je le lui ai tendu, elle a eu un tel regard de détresse que j'ai regretté d'avoir dit ça, pourquoi je l'ai dit?

Pourquoi a-t-il dit « Touché! »? Ça ne lui a fait aucun mal. Il a été seulement surpris parce que le trajet du ressort a été court, et il a bien vu que j'étais la première ennuyée de l'avoir touché. Alors pourquoi? Est-ce qu'il a voulu dire que je l'avais touché *avant* et avec autre chose que cette putain de pointe Bic?

Je crois que je l'ai dit sans réfléchir. Je l'ai dit pour plaisanter. J'ai dit « Touché! » pour masquer ma surprise. Je l'ai dit en réaction, sur-le-champ, sans penser au double sens que ça pouvait avoir pour la jeune femme à laquelle je l'adressais. Je crois…

Je ne dis pas pour un autre prof que Bélard, mais quand quelqu'un comme Bélard dit « Touché! », on ne peut pas évacuer totalement l'idée qu'il l'a dit pour que j'entende qu'il avait été touché par moi bien avant ce jour. Et plus que le rire des autres (j'en aurais fait autant à leur place), c'est ça qui m'a bouleversée dans le « Touché! », l'hypothèse de ça, qu'elle puisse être vraie…

Je crois, mais je n'en suis pas sûr. J'en suis de moins en moins sûr. Quand j'ai vu l'effet sur elle de mon « Touché! », je me suis demandé pourquoi cet émoi me faisait tellement plaisir. Et même sans répondre à cette question, il suffisait que cet émoi m'ait fait plaisir pour que je sois certain que, d'une manière ou d'une autre, c'est ce que j'avais cherché à provoquer par ce « Touché! ».

Parce qu'un type comme Bélard, qui parle d'inconscient comme s'il était à tu et à toi avec le sien, il ne dit pas « Touché! » sans y penser. Et s'il l'a dit sans y penser, à supposer que ça lui ait échappé, c'est encore pire! Mon Dieu, c'est si évident… Soit il a voulu me faire savoir que je le touchais, soit c'est un lapsus, et il a un désir profond que je le sache. Et à présent, comme il n'a pas manqué d'entendre son lapsus, il le sait aussi pertinemment. Et moi, avec mon acte manqué, je lui ai ouvert la porte. Je lui ai dit mon désir de le toucher la première.

Je pourrais être son père. Son grand-père? Non, quand même pas son grand-père… Peut-être que si. Quel âge a-t-elle? (Il faudra que je vérifie.)

3

COULÉ !

Ils sont à quelques enjambées l'un de l'autre. S'ils les accomplissaient ensemble, ils se rejoindraient avant que les mots de la pensée de se joindre ne se soient mis en ordre pour en formuler le désir à voix haute.

Ils le sentent. Ils sentent à la fois l'oubli des autres qui les gagne, le relief gênant de la situation si elle se prolonge, et qu'il est temps de rompre, de rompre maintenant.

Peut-être parce qu'elle est d'un bois plus tendre, moins coutumière que Bélard à la joute du face-à-face silencieux, la jeune femme rompt la première. Elle recule en traînant les pieds pour protéger le côté pile, et ne le quittant pas des yeux, comme une qui veut briser sans déchoir, elle pointe le doigt vers lui.

« Coulé! » lance-t-elle.

Elle le fait comme une amazone d'antan sa javeline. Elle ne sait pas très bien ce qu'elle lance, ni ce qu'elle vise, ni ce qu'elle défend au juste, ni la sorte de blessure qu'elle peut infliger. Elle le fait par jeu, par association, bêtement. Tu m'as touchée avec ton Touché! eh bien à mon tour je te coule! Elle le fait pour tenter d'annuler le toucher, dont elle

20

est heureuse pourtant, dont elle ne souhaite pas du tout chasser le sentiment d'élection qu'il lui procure depuis hier soir. C'est bête.

C'est bête parce que c'est à double sens comme le Touché! de Bélard.

Elle prend soudain conscience que son « coulé! » peut aussi bien s'entendre au féminin. Du coup, elle s'alarme. Et si Bélard, avec cette oreille bien à lui, l'entendait : Vous m'avez touchée, je mouille ?

La honte, remplaçant l'ardeur, monte aux joues de la jeune femme.

Une nouvelle fois il lui faut rompre. Deux fois de suite, c'est fatigant.

Tournant le dos, elle se lance, à petites foulées, à la poursuite du groupe qui s'effiloche.

Bélard est resté figé au même endroit.

On le dirait frappé. C'est qu'il l'est.

Hier, avec son Touché! il était nu mais, dedans, il se sentait fort. Aujourd'hui, c'est comme si ce dedans où il était nu, on l'avait jeté dehors sans prévenir.

Le nom, qu'il cherchait en vain depuis tout à l'heure, lui revient alors tel un soufflet. Loïse.

Loïse Hesse.

Quant à Loïse, elle se le demande pour la deuxième fois en vingt-quatre heures. Quel âge peut bien avoir Bélard ?

4

BÉLARD

Bélard a soixante-deux ans.

Dans trois ans au plus à compter de l'année universitaire qui commence, il quittera l'université. À moins d'un accident cardiaque ou vasculaire, d'une grande fatigue ou de signes inquiétants de sénilité, il n'aura pas à le choisir. Il sera atteint par la limite d'âge. Encore pourra-t-il, s'il le demande, bénéficier d'un report de la limite ordinaire. Et s'il part, ce sera avec la prérogative, qui n'est celle que de quelques-uns au sein du collège des professeurs, de conserver son titre auquel est associé le label flatteur d'émérite. Tandis que certains se lamenteront demain de la perte de leur splendeur passée – dont l'exercice par excellence est la participation au jury de soutenance de thèse –, lui demeurera habilité, en quelque sorte à vie, vu son âge, à revenir dans le giron de la docte assemblée aussi longtemps que le dernier de ses thésards n'aura pas jugé bon de soutenir. Comme il en a déjà une bonne demi-douzaine sous sa houlette, et qu'il en prendra peut-être trois ou quatre encore cette année, il n'est pas près d'en voir le bout. D'autant que les reports de soutenance sont monnaie courante chez ceux qu'il dirige, en général peu

22

pressés de conclure. C'est un signe distinctif des « bélardiens », ainsi que les autres, qui n'en sont pas, les brocardent.

La seule fonction dont Antoine Bélard devra se séparer est la vice-présidence de l'université. Élu cette année, il n'ira pas au bout de son mandat. De cela, il ne s'émeut guère. La seule chose dont il puisse un jour se sentir privé sont ses cours. Et, parmi ses cours, ceux qu'il donne aux étudiants les plus avancés dans la recherche.

La jeune femme aux belles fesses en fait partie.

Tandis qu'il s'installe dans son véhicule, le doux prénom rôde dans sa tête. Loïse, Loïse, Loïse. Bélard s'en fait le reproche. Néanmoins, à propos de l'accusation, il balance. Vieil ado libidineux? Façon encore de faire le jeune. Vieillard lubrique serait plus juste. Sauf que vieillard, il ne se sent pas.

C'est son problème.

5

LES DEUX ÉCHELLES ET LA *LUSTPUMPE*

Tandis qu'il roule vers son appartement de la banlieue proche du campus, il y songe sans acrimonie. S'il est un défaut qui l'irrite chez lui et qu'il se reconnaît, c'est bien celui-là : il craint d'avouer son âge.

Depuis quel âge l'âge a-t-il commencé à compter pour lui, il ne saurait dire.

Comment ce qui s'égrenait sur l'échelle, au début festive, de la chronologie, a-t-il subrepticement sauté sur une autre échelle, péjorante celle-là, de mesure du temps passé dans l'enveloppe de l'humain, il ne saurait pas l'expliquer mais c'est un fait.

Pourtant lui n'a pas à se plaindre. Il est protégé plus que quiconque par son statut de gardien de la jeunesse. Un gardien n'a pas d'âge, du moins pas un âge qui jure pour son troupeau tant qu'il n'abuse pas de ses prérogatives. Mais la péjoration générale du vieux, il ne cesse de la voir à l'œuvre partout ailleurs. Dans la petite haine quotidienne surtout, dont les lieux d'exercice privilégiés sont l'attente aux caisses des magasins, la promiscuité des transports en commun, la conduite automobile. Toutes ces mises à l'épreuve publiques de l'âge où l'efficacité et la vitesse sont requises à titre de signes distinctifs de la conformité de chacun aux normes de la vie efficace. « Alors, t'avances, vieux débris ? », « Dégage de là, vieille peau ! »

Feu rouge. Point mort.

Bélard abaisse la vitre du côté passager.

L'air est d'une douceur qui l'étreint. Ça ne lui ferait pas meilleur effet qu'une main de femme se posât sur la sienne à cet instant. La main d'une jeune femme ? Pourquoi jeune ? Il n'importe. La main de Loïse ? Il n'a pas regardé les mains de Loïse.

Comment pourrait-il avoir envie d'une main qu'il ne connaît pas ?

Dans la voiture qui la ramène au centre-ville, Loïse se tait. Serrée à l'arrière entre Matthieu et Pièra, elle rêve. Elle voit les mains de Bélard quand il les a reposées sur son bureau après être allé chercher sous sa chaise le fragment de stylo qui l'avait touché. Elle voit ses yeux se plisser de malice en lui tendant le ressort criminel, mais ce sont seulement ses mains qui l'intéressent. (Les yeux clairs l'impressionnent ; c'est une eau où, sauf exception comme tout à l'heure, Loïse évite de plonger les siens.) Les mains de Bélard sont petites et vives, elles ne sont pas tavelées, en sorte qu'on a du mal à leur assigner un âge. On dirait volontiers des mains de peintre, parce qu'elles respectent ce qu'elles touchent, mais ce pourrait être aussi bien des mains de chirurgien, parce qu'elles savent ce qu'elles font, et qu'elles le font vite et bien. Ça lui plaît de rêver à des mains qui savent, des mains qui... des

mains de… sa pensée glisse soudain vers le bas… de gynéco ?
Non, ce n'est pas ça. C'est… les mains de Bélard. Les mains
de Bélard en gynéco. Pourquoi en gynéco ? Parce que en
amant ce n'est pas possible. Pas pensables, les mains de Bélard
en amant. Pas encore, ou pas du tout ?… Elle y pense si fort
qu'elle a l'impression de sentir le poids d'une main réelle sur
son genou.

Elle avance la sienne, les yeux fermés. Elle y croit. C'est
une main. Une main vraie. Quel… elle allait penser bonheur, quand elle reconnaît la main de Matthieu. Elle l'écarte
méchamment.

Loïse : Faut pas te gêner !

Pièra : Qu'est-ce qu'il y a ?

Matthieu : C'est Loïse qui fait sa pucelle… Quand Roman
est là, elle ne fait pas tant de manières…

Loïse : Justement. Roman n'est pas là.

De sa théorie des deux échelles, Bélard parle rarement.
Même avec des collègues du même âge, il se méfie et, le plus
souvent, il s'abstient. Ça soulève des tollés. Il n'y a que les
jeunes finalement pour en convenir. Pour l'éprouver de
l'extérieur, par anticipation en quelque sorte. Ce n'est pas
pour rien. C'est parce que la péjorante accompagne la chronologique depuis le début. À cela près qu'au début de la vie
elle n'intéresse pas grand monde, hormis les périodes trou-
blées de l'histoire où vieux et jeunes se retrouvent dans le
même panier de ceux qui gênent, les bouches à nourrir, les
improductifs, les freins, les inutiles.

Bélard ne démarre pas tout de suite au feu rouge. On le klaxonne.

Informulable et informulée, de ce fait ignorée des belles âmes, l'échelle péjorante pesait vos années non pas à la manière cynique du capital, en capacité à produire ou à faire produire, mais en quantité d'énergie libre, disponible pour le plaisir, bref d'énergie au sens sexuel du terme, motif supplémentaire pour n'en rien vouloir savoir.

Il tourne à droite, rejoint le milieu de la chaussée. Clignotant. Personne en sens inverse. Il accélère.

Et hop!

À compter d'un certain âge, vous étiez amené à découvrir un beau jour que vous aviez changé d'échelle. Que l'échelle sur laquelle vous seriez évalué désormais n'était plus la chronologique mais la sexuelle. Qu'on ferait toujours semblant de se réjouir de vous voir vous accroître d'une année, alors qu'en réalité on supputerait en silence vos chances de maintien ou de perte de votre potentiel libidinal, avec son cortège de menaces pour les autres, la capacité de votre *lustpumpe*, l'étendue de votre pouvoir, souvent inconnu de vous-même, de séduction.

Au passage protégé, il vire sec. Suit une longue ligne droite qui donne envie de dépasser la vitesse permise. Parfois il se l'autorise, parfois pas.

C'est à ça que, homme ou femme, vous découvriez soudain tôt ou tard qu'on vous mesurait depuis toujours. Certains s'y étaient préparés, d'autres non. Quelques-uns, qui croyaient s'y être préparés, ne l'étaient pas, ou pas suffisamment.

Bélard était de ceux-là.

Toute l'étendue de son savoir ne lui était d'aucun secours devant l'abîme de la question de la vieillesse qu'ouvrait devant ses pas le temps qui lui restait à passer dans l'enveloppe de l'humain.

Il avait idée cependant que la réponse, s'il y en avait une, était contenue dans la question.

Il coupe le contact.

Que c'est du côté de l'enveloppe qu'il convenait de chercher.

6

LES CORPS SE DÉFONT

Loïse a posé sa tête sur l'épaule de Pièra. Elle a très envie de le lui demander mais elle n'ose pas. Elle sait que Pièra aime Bélard. Qu'elle l'a aimé du premier jour où il est entré dans cette salle où elle était aussi. Pièra le lui a avoué sous le secret. Jurant que ça ne lui était jamais arrivé auparavant. Même à l'école primaire? Même au catéchisme? Même en classe de philo? Jamais. Elle l'a crue.

C'est très différent pour elle. Elle a aimé souvent des hommes plus âgés. Été l'amante de certains. Depuis Roman, elle s'est assagie. Elle est moins tendue vers la rencontre, moins torturée par le désir de vivre la passion quand elle passe à portée où qu'elle se trouve. Longtemps elle a pensé qu'elle mourrait jeune. Emportée par un amour plus fort que les précédents. (Mais chacun, avant Roman, n'était-il pas plus fort que les précédents?) Qu'elle s'offrirait au diable s'il avait le visage de Jésus. À Jésus s'il avait le visage de son père. Au père de Jésus si Jésus et son père l'exigeaient d'elle. (Elle dit Jésus, mais elle aurait pu dire aussi bien le Che.)

Au sida même, elle se serait offerte avant Roman. Pas pour le premier venu évidemment. Disons si Jésus ou le Che avaient eu le sida. Si vivre sans Jésus ou sans le Che eût été plus male mort que de vivre, de vivre tout court.

D'ailleurs, un temps, ç'avait été son credo. « Plutôt ça que rien. » Elle le rétorquait aux conseils de prudence des amis, aux mises en demeure des éducateurs et des parents. Plutôt ça que rien. C'était avant Roman.

Parfois, cependant, elle avait peur. Que le credo la reprenne. Que l'amour de Roman ne soit pas plus assourdissant que l'appel du credo.

Il n'existait pas pour elle, pour la très jeune femme qu'elle était encore, de peur plus grande, plus profonde, que de retrouver pour Bélard le credo oublié avec Roman. C'est pourquoi il lui fut aisé de poser à Pièra la question qui, autrement, l'eût embarrassée.

« Tu as vu comment Bélard m'a, euh… regardée? »

Les corps se défont. La malédiction du monde est que les corps se défont. Ils se défont bien avant l'heure de leur défaite définitive. Il existe une défaite inscrite dans le corps qui n'attend pas la dernière heure pour se manifester. Promenez-vous sur une plage au mois d'août. Même pas. Attendez que les corps se dévêtent aux premiers beaux jours d'une ville du Nord qui en est privée, vous verrez ce que sont des corps qui se défont.

Ça commence souvent très tôt, cette défaite. On voit des corps d'enfants qui en sont affectés, dont on se dit que les stigmates de la défaite à venir sont déjà là. L'on n'ose pas imaginer l'ampleur de la déroute que ce sera. Si cette plage, cette ville, on s'y rend chaque été, si l'on retrouve les mêmes corps dénudés à intervalle, la déroute des jambes des mères est un présage inquiétant de celle des filles qui aguichent dans leur sillage de mammifères de banquise.

La malédiction de l'enveloppe, Bélard s'en désolait. Mais en silence, sans se plaindre, sans accuser la loi d'entropie. Indifférente à ce qu'elle provoquait de dégâts dans la nature, pourquoi se serait-elle montrée plus clémente envers les hommes ? C'était aux hommes de s'en défendre. De décréter leur intégrité physique d'aussi vitale importance que celle de leur environnement.

Il s'en désolait moins pour lui, que la nature avait épargné plus que ne le méritait une existence dénuée de discipline, que pour l'autre sexe, dont l'enveloppe était moins résistante que la sienne.

Comment se consoler de cela ? Les corps du sexe que vous aimez plus que vous n'aimâtes jamais le vôtre étaient infiniment plus menacés que lui de se défaire. Comment, sinon auprès des corps de ce sexe encore à l'abri de cette plaie ? Et comment y atteindre sans se vouer à une jeunesse qui n'avait d'intouché que l'enveloppe ? Qui ne triomphait de rien que d'être verte, livrée au monde tel un agrume primeur ?

Vieillir n'avait pas donné à Bélard la réponse à ce dilemme. C'était le dilemme de tous les membrés, quoi qu'ils prêchent, quoi qu'ils trafiquent, qu'ils soient ou non fidèles à leur fendue.

Était-il possible d'aimer une chair sans la fougue du désir qui la faisait ployer au temps de sa plasticité juvénile ?

31

Pouvait-on, sans se bercer d'arguties, conserver cette fougue pour une chair lasse ou en déroute?

Nonobstant, à quoi sérieusement la marier, cette fougue, lorsqu'une chair se présentait à elle, porteuse des rondeurs élastiques d'antan mais dépourvue de toute mémoire sensuelle, jamais pelotée ou pénétrée que par des gnomes de son âge, vierge de toute exploitation autre qu'abusive ou perverse?

7

PIÈRA

Loïse a pris la main de Pièra. Elle joue avec les doigts de Pièra comme, enfant, elle jouait avec les doigts de son frère en regardant la télévision.

Pièra la laisse faire.

Elle aime Loïse au moins aussi fort qu'elle aime Bélard et, comme pour Bélard, elle l'a aimée d'emblée et tout entière. C'est ainsi qu'elle aime, Pièra, et elle l'assume. L'amour est une foudre. Il n'y a rien d'autre à faire qu'à s'exposer à lui et à le recevoir, ou à s'en protéger. C'est dehors ou aux abris. Ce qui ne signifie pas qu'être dehors garantisse qu'on sera frappé à coup sûr. Il y a si longtemps qu'elle s'expose sans que l'amour l'ait vraiment frappée. Elle a bien éprouvé quelques secousses au passage de l'éclair d'un regard, il est des mains et des bouches viriles qui lui ont laissé des brûlures sur le ventre. Mais rien qui ressemble à ce qu'elle attend depuis qu'elle est en âge d'attendre de l'homme ce que l'homme donne si chichement...

Elle a pitié. Elle sait la sorte de prière que marmotte Loïse lorsqu'elle use de ses doigts tel un chapelet

« Bien sûr que j'ai vu… tout à l'heure… sur le parking… »

Elle le dit à voix basse afin que, couverte par le bruit du moteur, Matthieu ne puisse l'entendre. Mais c'est Loïse qui ne l'entend pas.

L'œil fixe, elle répond :

« Oui, le vigile… C'est toujours pareil quand je mets ce jean…

— Non, pas le vigile. Bélard…

— Quoi, Bélard?

— Il t'a regardée. »

Elle cesse de manipuler ses doigts.

Pièra aime l'air lunaire que prend le visage de Loïse à l'approche inattendue du bonheur. Ça dure le temps que la pensée de Loïse chemine à rebours jusqu'au regard piégé de Bélard sur le parking. On pourrait la suivre à la trace sur son visage. Puis elle se rembrunit.

« Il a regardé mon cul, oui! Exactement comme le vigile! »

Les doigts de Pièra s'emparent à leur tour des doigts de Loïse.

« Toi et ton cul, vous vivez séparés l'un de l'autre?

— Non, mais tu vois lui, euh… pas lui, quoi!

— Tu sais, je vois bien qu'il mate aussi mes seins des fois, en cours…

— Oui, j'ai vu… et ça te…?

— Ça me plaît vachement. »

Elles rient.

Plus tard. Elles parlent bas. On n'entend pas tout.

« … Non, pas différent. Ça me plaît que Bélard soit un homme.

— Qui te mate pareil? Aussi vissé sur le cul que…?
(Elle désigne Matthieu du menton.)
— Oui… Ce n'est pas ce qui le fait différent.
— Alors quoi…?
— C'est que ses yeux ont faim d'autre chose que de ton…
et de mes… (inaudible).
(Loïse, moqueusement :)
— Ah oui, je vois… de notre âââme! »
Pièra hausse les épaules. Elle hésite à poursuivre, puis :
« Âme, si tu veux. Sauf que la faim de l'âme ne détaille
pas… Elle prend les… (inaudible).
— … J'entends pas!
(Pièra, articulant :)
— Elle-prend-les-seins-et-les-culs-au-passage. »
Rires étouffés des garçons dans l'habitacle.
Un temps.
Puis, pour elle seule :
« Et il arrive qu'elle ne les rende pas. »

8

L'AIMANT, LES PÔLES

Bélard n'a pas d'enfant. Il n'en a jamais désiré. Les enfants sont pour lui aussi remuants, sonores et affectivement dépendants que des caniches. En outre ils vivent plus longtemps et il n'existe pas de moyen légal de les priver de progéniture.

Il a vécu par le passé avec des femmes, séparées ou divorcées, qui trimballaient deux et même trois de ces adipeux braillards appendus à des charmes qu'il désirait assez fort pour prendre les chiots avec la mère. Le comble est qu'il s'est attaché lui-même à quelques-uns. Qui le sollicitent toujours, et dont il reçoit les sollicitations non sans plaisir. Ça le trouble, ces demandes qui le somment d'être le père qu'il n'est pas, et plus encore d'y répondre avec la passion qu'il mettait à honorer leur mère, même quand la passion pour celle-ci était oubliée depuis longtemps.

Le temps est passé si vite qu'il a même eu un de ses anciens chiots en cours une fois. Un chiot femelle. Il a bien essayé de l'orienter vers d'autres études, mais elle a protesté qu'il n'avait aucun droit à faire ça, qu'elle n'allait pas sacrifier sa jeune vie pour le confort d'enseignant de son beau-père.

S'entendre nommer beau-père par cette belle grande fille remontée de l'enfance sans prévenir, ça l'a assis.

« Il a des enfants, tu crois, Bélard ?

— Je ne sais pas... Sans doute...

— Pourquoi sans doute ?

— Et pourquoi des enfants Bélard, hein, pourquoi ?

— Oui, tu as raison... En fait la question est : "Il est marié, Bélard ?"

— Non, même pas... La question est : "Il a une femme, Bélard ?"

— Une femme, tu veux dire une... en ce moment, ou une... attitrée ?

— Attitrée !... Parlons pas de malheur !

— Moi, c'est une en ce moment qui m'embêterait le plus...

— Mais Loïse, qu'est-ce que tu fais de Roman ?

— J'ai pas dit que je voulais épouser Bélard...

— Alors c'est juste comme ça, en passant, pour voir... ?

— Ben oui... Pourquoi pas ?

— Bélard... en passant... ?

— Mm...

— Tu m'écœures, Loïse.

— C'est que t'es bougrement toquée de lui, ma vieille !

— C'est vrai. Pas toi ?

— Moi j'en sais rien... Et si c'est le cas, je n'en veux pas.

— À cause de Roman ?

— De beaucoup plus que Roman... de bien avant..

— Tu as peur ?

« — Ouais, j'ai. Pas toi ?

— Oh non ! Grands dieux non ! Si une telle foudre pouvait tomber sur moi !

— Qui te dit que ce serait une foudre, et pas… je ne sais pas moi… une bonne petite décharge de… (elle fait le geste de mettre deux doigts dans une prise), non… ? »

Silence. Puis, très vite, Pièra :

« Aucun danger qu'on se le dispute un jour. C'est pas le même Bélard qu'on aime. »

De son chiot femelle d'antan, il n'osait pas dire « ma fille », encore moins « ma superbe fille ». Est-ce que les beaux-pères le pouvaient ? Il aurait aimé le savoir. Ne serait-ce que pour décider si le trouble, le grand plaisir troublant qu'il avait éprouvé à la retrouver, buvant ses paroles pendant les semaines où il l'avait eue en cours, était l'émoi d'une sorte d'oncle pas net, ou celui d'un père de base mis en situation d'être jugé par celle qu'il avait torchée, grondée, consolée, bisouillée, endormie d'histoires inventées et de comptines de son cru.

Les beaux-pères *devraient* pouvoir, pensait Bélard. Ça ne devrait pas les chambouler de voir le corps de leur chiot nu sous la douche, de le juger aussi charmant et peut-être plus que celui de leur compagne. Ils devraient se sentir envahis de la même fierté que les pères lorsqu'ils voient leur enfant se dresser et tenir debout la première fois.

(Et quoique le conditionnel l'agaçât, il le croyait. Il voulait le croire.)

La beauté du corps des jeunes femmes n'était pas différente de la beauté de la marche des jeunes femmes. Le désir qu'inspiraient les yeux, les seins, la croupe et les jambes des jeunes femmes n'était pas différent du désir de les voir s'éloigner de nous en emportant leurs yeux, leurs seins, leur croupe et leurs jambes au loin avec elles.

Sans ça comment feraient-elles pour trouver à exercer ce bonheur d'avoir un corps qui aimante l'âme, la leur et celle des autres corps? Comment si pères et beaux-pères n'étaient pas le premier aimant dont le magnétisme oriente toute cette limaille de l'âme?

Et comment si cet aimant n'avait pour propriété de repousser l'aimant dont l'épaule a le même nom?

L'aimant, les pôles, ça l'amusa un moment de jouer avec.

Puis il revint à sa superbe, son chiot femelle à lui. À son regard tendre et amer et désespéré de ne pouvoir être sienne ni par le nom qui repousse l'épaule, ni par la chair qui mange la chair.

Elle était venue, avec son interrogation silencieuse, l'interpeller toute une année sur son désir. Son désir à lui. Le sien ne faisait pas de doute.

Il voyait ses yeux, le regardant par en dessous comme elle savait faire depuis l'enfance, il entendait filtrer leur question lancinante : « Qui tu es toi pour t'autoriser à m'aimer comme seul j'autoriserais mon père si seulement il le voulait? »

Ils lui rappelèrent d'autres yeux qui savaient regarder par en dessous.

Ces yeux avaient un nom qui n'était pas le même que le

sien. Il était donc licite qu'il abandonnât sa limaille à l'attirance de l'épaule du corps au sommet duquel étaient enchâssés ces yeux qui savaient si bien regarder par en dessous.

Du moins ça le rassura de le penser.

9

INTÉRIEUR NUIT (1)
LA FLÈCHE ET LA BALLE DE SQUASH

Les couloirs dans lesquels elle court sont blancs, nets, interminables. Elle entend son souffle dans son dos quand il se rapproche. À un moment elle sent qu'il va l'attraper, elle ouvre la bouche pour crier, mais une volée de marches se présente et le coup de reins qu'elle donne pour les avaler l'arrache aux mains qui se tendaient pour la saisir. Elle va mourir, elle le sait, mais elle ne veut pas mourir de cette façon. Pas en subissant l'outrage d'un désir à elle imposé. Ou peut-être est-ce cela la mort, mourir sous le poids d'un autre corps, mourir des assauts d'un corps dont elle ne veut pas. La course ne s'arrête pas. Elle traverse des salles immenses, blanches et nettes comme les couloirs, descend des étages en sautant les dernières marches, se tord les chevilles sans que la douleur freine son galop effréné. Ce doit être un grand hôpital. Elle remarque que les rares personnes dont elle pourrait solliciter l'assistance s'effacent à son passage ou s'empressent de disparaître quand elle les hèle. À nouveau un escalier. Elle s'y engouffre. Mais cette fois il ne la sauve pas. Il y a trop de marches, il est trop pentu, elle a mal aux jambes, elle a dû s'épuiser à crier en vain. Une première fois, des mains la griffent à la hanche, manqué! Une seconde, des doigts entourent sa cheville, elle hurle, donne un coup de coude en arrière sans regarder, il touche durement un visage, sauvée! Pas pour longtemps. Elle atteint le palier au bord de l'asphyxie, pousse une porte métallique, débouche sur une terrasse grande comme un terrain de foot, piégée! Elle se voit soudain par en dessous, en une sorte de contre-plongée vertigineuse, se trouve fort grande, beaucoup plus grande qu'elle n'est en réalité, elle voit la montée fuselée des jambes sous sa jupe (tiens, n'était-elle pas en jean quand elle courait?), elle a le temps de trouver cette double montée de guiboles affriolante, le temps de se dire qu'avec l'empan dont sont capables des jambes pareilles elle devrait échapper à tous les prédateurs de l'univers, le temps de commencer à s'accuser de n'y mettre pas du sien, et elle se sent happée, saisie aux cheveux, sa tête bascule en arrière, sa taille ploie, elle met un genou à terre, elle crie en fermant les yeux, elle a perdu, elle renonce, elle les rouvre sur le visage de son agresseur (bizarre, il est à l'endroit). C'est un visage qu'elle connaît, une haleine qu'elle reconnaît aussi, des mains qui l'ont souvent touchée, frappée ou caressée selon les circonstances. C'est le visage, l'odeur, les manières de fauve de son beau-père quand il buvait. Quand, ayant bu, il la coursait pour la corriger d'être insolente, elle était toujours insolente quand il buvait. Il ne l'a jamais tripotée, seulement battue. Battue avec méthode et une rage contenue qui, dans le déchaînement, promettait de plus grands déchaînements encore. Mais cette fois, c'est différent. Cette fois il attire son visage, les cheveux ramassés dans son poing comme une touffe d'herbes châtain clair, et il pousse sa langue entre ses lèvres. Elle serre les dents, mais une main s'insinue entre ses cuisses et elle ouvre la bouche de guerre lasse. À présent il est dedans, dedans elle, partout. (Partout? Non. Si.) Elle étouffe. Elle commence à jouir aussi. C'est comme si on la noyait pendant l'orgasme dans un liquide de vidange. Le plaisir et le déplaisir se partagent son corps comme deux tigres l'antilope que, vivante, ils dépècent. Elle sait le ravage que chacun fait d'elle, la part que prend chacun à la défaire, la volupté de l'arrachage du morceau de chair d'elle que le goût de chacun s'attribue. Les mains sur son corps sont les mains épaisses de son beau-père, la langue est celle de Roman, le sexe aussi est de Roman, elle le reconnaît à ses vibrations et à son rythme, mais les yeux tout près de ses yeux, et la bouche qui nargue sa bouche, et le sourire qu'elle a quand elle se recule pour contempler sur son visage l'œuvre des mains, du sexe et de la langue (mais alors la langue n'est pas non plus celle de Roman, et le sexe lui-même...) sont ceux de Bélard. (Mais non! Les mains de Bélard sont petites et fines, elles doivent être douces, vives, insaisissables comme des tanches...) Elles le sont. Elle s'entend crier quelque chose. Elle se redresse d'un coup de reins en sanglotant.

« Chuuut! Ce n'est rien. Tu as seulement rêvé, ma Loïse... », dit Pièra.

« Je ne peux pas croire que j'aie dit ça... Tu es sûre que j'ai dit ça?

— Mm...

— J'aurais pas pu dire "Pas moi!"? C'est presque pareil...

— Non, chérie, tu l'as dit très distinctement...

43

— J'ai dit "Prends-moi!" à Bélard... Tu te rends compte ? Je suis folle, non ? Il est temps que Roman revienne...

— Oui. Je crois qu'il est temps. »

Elle n'arrive pas à se rendormir. Le fait que Loïse ronfle doucement n'est pas ce qui l'en empêche. C'est l'évidence toute fraîche que Bélard soit entré si vite, si profond, dans les pensées amoureuses de Loïse. Si Loïse ressent pour Bélard un sentiment fort, Roman ne sera pas un obstacle très longtemps. Elle-même, qu'on dit belle et rapide, et elle l'est en effet, une vraie flèche, ne saurait lutter contre ce mélange détonant de longues jambes, de seins ronds et de désirs véloces comme des balles de squash...

Faut-il qu'elle soit entichée pour qu'elle n'ait rien vu venir ! Il y a si longtemps qu'elle aime Bélard, si longtemps que Loïse le sait, et elle en fait si peu mystère, qu'elle a fini par se considérer comme son épouse morganatique.

Bélard sourit. Bélard sourit toujours quand elle entre dans son champ de vision. En cours, il la cherche du regard. En fait, il cherche à vérifier s'il est compris, à mesurer l'effet de ses paroles sur l'un ou l'autre de ses auditeurs. Aussi a-t-elle appris à faire voler sa main sur la page afin d'être toujours la tête qui se redresse la première. Ah si Bélard-le-grand savait la jouissance qu'il procure à Pièra-la-petite lorsqu'il se lance dans ces improvisations infinies dont il a le secret, où sa pensée file, subordonnée après subordonnée, telle une navette volante ! Splendeur de ces apnées au cours desquelles ses congénères se débattent, protestent, perdent pied, alors qu'elle joue à retarder le moment d'y mettre fin ! Merveilleux sourire de Bélard quand elle sort enfin la tête de l'eau ! Est-il possible de croire qu'il ne se réjouisse pas de l'adoration qu'il y lit?

Elle ne s'est jamais demandé si elle était aimée en retour. Jamais avant cette nuit. Il suffisait que le sourire de Bélard l'attende au sortir de l'apnée. Que le sourire bélardien soit réjoui. Que la frimousse de Pièra-la-petite réjouisse les yeux bleu pâle de Bélard-le-grand. Seulement la frimousse? Non, pas seulement. Certain jour de printemps où elle avait mis ses seins en valeur…

Sauf que, depuis peu, le mariage morganatique battait de l'aile.

Il en existait une, et pas des moindres, une de sang royal qui, si elle se levait et prétendait à prendre sa place, la prendrait. Pourquoi? Parce que Pièra ne lutterait pas. Parce que la flèche vise le cœur, le cœur d'un seul, et qu'elle le manque ou le gagne, alors que la balle de squash surprend, déconcerte, fait prisonnier de ses rebonds l'occupant de la cage dont elle-même est prisonnière. La balle ne sait pas ce qu'elle veut, elle veut ce que veut la flèche et tout le reste. Tandis que ce que la balle obtient sans le viser et par surprise, la flèche n'en veut pas.

Mais, par-delà ces raisons de balistique amoureuse, il y avait cette conviction statique, en forme d'espoir déraisonnable : l'amour de Pièra-la-petite supposait que Bélard-le-grand ne consommerait pas cet amour à lui voué. Ou plus tard. Ou dans un monde où Bélard-le-grand n'aurait plus les droits ni les devoirs d'un maître. Ou sur une planète où l'érotique se serait émancipée de la différence d'âge la plus extrême. Ou sur une île où les filles pourraient faire l'amour avec leur père, leur oncle, leur frère, leur beau-père, et leur donner des enfants.

C'était si loin, si contingent tout ça, d'une émancipation si contraire aux licences de l'amour ordinaire, que le temps que les paramètres soient réunis, Bélard serait devenu trop vieux, plus aussi bandant, plus bandant du tout.

À moins...

À moins que...

Ses pensées s'effilochent comme une brume.

Elle sombre dans l'épaisseur ouatée du mystère de cet « à moins » qui, peut-être, change tout.

10

ATTENTE

D'habitude, quand Bélard entre en cours, ils sont là.

Il aime cette plongée au cœur, cette arrivée dans le bruit et l'indifférence provisoire à sa personne. Elles lui laissent le temps de se faire une place parmi eux, ni pareille à la leur ni tout à fait étrangère à leur territoire que, parfois, il faut conquérir. Ça se fait en douce. Il écarte une table, repousse une bouteille d'eau, déplace une sacoche béante, ou lui restitue ostensiblement son contenu jusqu'à ce que la propriétaire se précipite en bredouillant des excuses de pure forme.

C'est un moment unique et bref, où l'opportunité lui est donnée de les regarder comme il ne les regardera plus par la suite. Qu'il peut faire durer, mais point éternellement, car ils se savent vus de cet œil-là. Le même qu'ils poseront sur lui dès lors qu'il les oubliera pour enfourcher le destrier de son discours. Ça ne veut pas dire qu'il ne les voit plus quand il parle, au contraire : il continue à les lire à l'abri de sa gesticulation mentale, ils se méfient moins de laisser paraître leur fatigue, leur chagrin, l'énamoration dont, souvent, l'objet est là, tout à côté, ça se voit, qui soupire pour un autre amour que celui qui coule vers lui, qui pianote son impatience

47

d'étreindre et d'être étreint, qui rêve d'autres frissons que ceux dont l'énamouré pourrait lui faire l'aumône avec ses yeux de merlan frit, ça l'attendrit Bélard cette cruauté du désir à l'état natif.

Parfois, il arrive avant eux. C'est un autre plaisir qu'il en espère. Un enseignement plutôt qu'un plaisir. Arriver avant permet de les voir venir l'un après l'autre. Surgiraient-ils en groupe compact, le fait d'entrer sous son regard les ferait éclater en autant de monades que de soucis d'être assis au bon endroit, ou à côté de qui ils souhaitent.

Il les voit venir. J'ai envie, j'ai pas envie, je viens parce que c'est vous, je m'emmerde déjà. Il les ausculte au passage. Telle pression, telle dépression, tel nirvana. Il relève les différences, les physiques et les morales, les grossières comme les subtiles. Changé de look, de petit ami, de boucles d'oreilles, couché tard, perdu sa superbe, ses lentilles, son portable, venu à vélo. Parfois il hésite. Il s'est décidé à coucher avec? Avec lui ou avec elle? Ce teint blafard, ce sont ses règles? Ce décolleté, pour moi ou pour la cantonade?

Aujourd'hui, Bélard est arrivé avant.
Aujourd'hui n'est pas un jour comme les autres.
Aujourd'hui est le lendemain d'hier.
Aujourd'hui, il attend Loïse.

D'habitude, Loïse arrive tôt. Loïse arrive tôt parce qu'elle arrive avec Pièra, et que Pièra ne voudrait pas manquer une miette de la présence de Bélard. Mais ce matin, prétextant une envie subite de brioche, elle a bifurqué vers la cafétéria du campus. Pièra l'a compris. Loïse ne voulait pas faire son entrée en cours avec elle.

Ça pourrait vexer Pièra, ce n'est pas le cas.

La curiosité de voir la réaction de Bélard l'emporte sur sa jalousie de Loïse.

Les cours de méthode de Bélard ont fait sa célébrité, on s'y bouscule.

Sa carrière a été fulgurante. Les livres qu'il a commis très vite et très tôt ont assis sa notoriété locale, leur traduction en sabir international a fait le reste. Boostée par son relookage dans la langue des maîtres du monde, sa prose a atteint d'un bond la capitale. Si bien que Bélard a longtemps été un cas à peu près unique de turbo-prof inversé, montant sa science de province au lieu de l'y faire descendre, chemin ordinairement suivi dans l'Hexagone par la manne intellectuelle, quand il en tombe.

Sous ses airs de plébiscité qui n'en peut mais, Bélard connaît la chanson.

Pour faire fortune, à l'université, il faut faire école. Pour faire école, il faut faire nid. Pour faire nid, il faut faire concept. Au singulier, car il suffit d'un. D'un pour commencer, mais beaucoup finissent avec cet un-là.

C'est misère de voir toutes ces promesses qui se fanent à peine écloses parce que les fruits se donnent en même temps que les fleurs, parfois même avant elles. Ça n'engage pas à prendre le risque de briser la branche où l'on se hisse en cherchant plus haut, plus loin, plus perché que le rameau dont on s'est attribué la fourche.

En outre, mieux vaut être coucou que de perdre du temps à bâtir soi-même son nid. Elle n'est pas regardante à la ponte, dame université. Elle gratifie plus volontiers la fesse furtive que la fesse ouvrière. Trouver le nid d'un autre est pour elle une activité de recherche à part entière, la seule qui permette de consacrer ses miches à des cajoleries autrement rentables que la couvaison.

Pondu, le concept universitaire fait le ménage. Il sait d'instinct que sa survie dépend de sa capacité à virer les concepts déjà en place. Faut être vraiment aussi con qu'une rousserolle effarvate ou une bergeronnette grise pour se laisser déposséder de ses œufs par un parasite.

Certains l'ont compris très tôt : l'université est une réserve de bergeronnettes.

Bélard, lui, s'est contenté de garder son nid.

Dans les salles du rez-de-chaussée, il fait sombre à toute heure du fait de la proximité d'un bois de pins. Bélard est debout sur l'estrade. Regardant au loin, il se voit reflété dans la vitre. Rajuste sa veste de lin noir. Essaie de la boutonner sur le ventre, y renonce. Si son âge le chagrine, son image, elle, ne lui plaît pas, et depuis beaucoup plus longtemps. Ce cou de bœuf. Cette bedaine. Ces poignées d'amour. Il s'y est habitué, comme à sa petite taille, mais il ne s'y résout pas.

Aujourd'hui, il n'a pas hâte de commencer. Il a comme une attente en forme de petite faim sans objet à l'estomac, et une sorte de brouillard de bonheur tranquille dans la tête. C'est dû probablement à la conjonction rare de deux facteurs, une présence et une absence, celles de deux êtres qui lui sont chers : une étudiante qu'il aime dans son public ; une autre, dont il désire la venue, qui se fait attendre.

C'est savoureux.

11

ENTRÉE DE LOÏSE

Loïse est entrée.

Elle est entrée pile au moment où Bélard, levant le nez de papiers qu'il ne consulte qu'au début et pratiquement plus du tout par la suite, ouvrait la bouche pour commencer, tant pis, ce serait sans elle : « Nous nous sommes quittés la dernière fois sur... »

(Il attaquait toujours ainsi d'un cours à l'autre, comme s'il reprenait le fil d'une seule longue phrase interrompue.)

Pièra a compris que Loïse venait d'entrer parce que la bouche de Bélard est restée ouverte sur le mot « sur ».

C'est étonnant ce qu'un être humain qui n'a ni nageoires ni branchies peut faire d'un espace banal rien qu'en y entrant. On dirait que le corps de Loïse s'ouvre un passage dans une grande masse d'eau. Que ses jambes et ses hanches luttent contre la résistance d'un fluide pour arriver à se frayer un chemin jusqu'à la table où est Pièra. Rien qu'en entrant elle a transformé la salle 113 en aquarium.

« Excusez-moi ! » souffle la sirène en se posant. La brioche entamée répand des miettes, les genoux cognent, on a mal à sa place, on est gêné pour elle.

Elle, visiblement, ne s'émeut pas. Elle est elle, Loïse, et le tourbillon qu'elle déplace. C'est une loi de nature, point barre. Elle le fait sentir, et on le sent.

Bélard a un moment de flottement. Il parlait dans le cubage d'air habituel, et voilà qu'il lui faut poursuivre dans un milieu devenu liquide. Pièra ressent le trouble de Bélard. Elle s'interroge. Va-t-il se mettre à nager avec elle ou saura-t-il se reprendre, avoir le bon réflexe, la révolte pulmonaire des profs, tous, qu'elle sache, des aérobies ?

Pièra rassemble les miettes, restreint son propre espace pour faire de la place au désordre loïsien. Elle fait vite, sans sourire. Un stylo tombe, deux. Elle les ramasse la première.

Bélard comprend qu'elle œuvre moins pour Loïse que pour le sortir, lui, de l'embarras.

Il a le réflexe aérobie.

« Nous nous sommes quittés la dernière fois sur l'évocation de cette vieille maladie de l'âme humaine que j'ai baptisée *le désir de mariage qui fait rotule...* »

12

UNE LEÇON DE BÉLARD

Des blocs de nescience articulés par un désir de mariage qui fait rotule est la formule complète.

Le désir de mariage est cette envie irrépressible du genre humain de mettre ensemble deux bouts de réponse dans l'espoir que la même question les réunit. L'espoir, c'est la rotule. Laïcisation de l'idée de l'omnivoyance divine, elle titille avec autant de vigueur les neurones des savants que les rares synapses des poivrots. « J'en connais une petite tranche d'un côté, je n'y connais presque rien de l'autre : tartinons le presque rien sur la petite tranche et nous trancherons en grand du Rien comme du Tout ! »

Les brèves de comptoir savaient condenser mieux qu'aucun discours savant cette nostalgie du collage des antipodes. « Le coup de canon tiré aux Amériques fait dévier le vol du papillon dans les îles de la Sonde, quelle foutaise ! » citait Bélard sans même marquer la virgule entre l'énoncé et le commentaire.

S'il sentait que son public prisait l'anathème, il en rajoutait. « C'est de l'angoisse de pochetron qui flocule ! » Pour peu qu'il semble en redemander, il en remettait une couche. « C'est du brouet de taiseuses qui doutent de leur foi ! »

Du brouet de taiseuses... Il avait dit ça une fois, Bélard, au temps de son imprudente jeunesse. Tombé dans l'oreille affûtée d'un fils d'évêque, le double contrepet était remonté jusqu'aux sacristies proches du saint siège, ça lui avait valu un rappel du président-pontife de l'époque, Popaul combien déjà ? il avait oublié.

C'était avant que l'aura de la chose imprimée dans le latin des Amériques ne lui vaille une impunité quasi illimitée.

La sexuelle exceptée, ça va de soi.

Bélard n'est pas frileux. Il n'a pas besoin de la religion de la science pour penser. Il peut supporter de ne pas comprendre. D'être vide. D'être seul. De se sentir bête, terriblement démuni et mortel. Et malheureux d'en avoir conscience.

Mais il a la foi.

La foi de ceux qui n'ont pas la foi ordinaire. La foi ordinaire est la foi en un monde meilleur mais plus tard, ou la foi en un autre monde, lui aussi infiniment meilleur mais encore plus tard. Ce sont deux manières de bercer l'irréparable, à présent que maman n'est plus là pour consoler l'inconsolable douleur d'être tombé dans un monde sans justice ni pardon.

La foi de Bélard est minimale. Un brin de foi. Une brindille. On ne ferait pas un feu durable avec elle, il le sait. Il croit seulement qu'on peut en tirer un éclairage fugace, ou même, il arrive à y croire les jours de grande liesse, une de ces étincelles dont on dit qu'elle met le feu aux poudres.

C'est à peine s'il croit, Bélard. Il croit en le hasard, c'est-à-dire en rien du tout, en presque rien.

54

Juste à ça : qu'il y a des trous qui ne seront jamais comblés.

« J'ai foi en les trous ! » dit-il souvent, l'œil coquin, sachant l'effet que ça produira. Ça fait partie de son cinéma qu'il se reprenne aussitôt. « Même pas, car on pourrait croire que c'est une foi bouche-trou, que je n'ai foi au trou que juste le temps de le remplir, à moins que je ne préfère faire théorie de leur collection, ce qui revient au bouche-trou... Ce n'est pas ça. J'ai foi que, quelles que soient l'intelligence, la finesse et la rage que nous mettions à tenter de boucher les trous de notre compréhension des êtres et des choses, il y aura un reste. »

Là, il prend un peu de temps avant d'ajouter, l'air faussement contrit :

« Voilà mon seul article de foi : *je crois qu'il y aura un reste.* »

L'homme de la brindille de foi de Bélard s'appelle Cournot.

Pour expliquer à ses étudiants ce qu'est une hypothèse, Bélard part chaque année de la définition du hasard donnée par Antoine Augustin Cournot, philosophe, mathématicien et économiste français du milieu du XIXᵉ siècle.

Le hasard, dit en substance Cournot, est la rencontre de deux séries causales indépendantes.

Bélard connaît son public. Il répète la définition de Cournot.

Une première fois, lentement et en articulant. Une deuxième, d'une voix grave et forte, comme il sait faire, et en scandant. Il attend un moment que les mimiques de souffrance et les murmures de protestation se lassent, puis il l'explique. Il l'explique en l'illustrant par un exemple qui fait son petit effet.

C'est l'exemple de la tuile qui tombe par hasard sur une tête.

Pour l'illustrer, il en choisit un ou une dans le public, qui endossera le rôle du passant, et un ou une qui aura le rôle du frein ou de l'obstacle.

Cette année, Bélard a choisi de distribuer les rôles entre les deux femmes qui l'émeuvent. Il n'a pas trop réfléchi. Il a donné le premier rôle à la plus aimée des deux, sans songer que celle qui était la plus aimée était aussi celle qui, dans son apologue, était destinée à mourir.

Seul l'a guidé le fait que ce serait d'elle qu'il parlerait le plus longtemps, avec laquelle, si elle s'accordait à lui, il pourrait jouer la comédie de l'amour en public avec la bénédiction de celui-ci.

Sauf celle de Pièra, évidemment.

On ne peut pas tout avoir.

13

UNE LEÇON DE BÉLARD, SUITE

« Si… voyons… Mlle Hesse (l'intéressée hausse les sourcils) n'y voit pas d'inconvénient, elle sera, pour les besoins de la démonstration, l'une des deux séries causales. (Loïse fait la moue.) Merci d'accepter aussi spontanément. Donc, disons que ce matin-là Mlle Hesse, qui est déjà en retard pour aller prendre son bus, cumule les maladresses. Elle a perdu du temps à nettoyer les papiers sur lesquels elle a renversé son café, cherché longuement son portable qui était finalement resté dans la salle de bains, laissé tomber plusieurs fois ses clés au moment de partir parce qu'elle avait les bras chargés de cours et d'autres bricoles indispensables à la survie d'une jeune femme en milieu urbain. (Le visage de Loïse s'éclaire peu à peu.)

« Bon. Abandonnons un instant la série causale que nous baptiserons Hesse, si vous permettez, et préoccupons-nous d'une autre série de causes qui s'est enclenchée à quelques pâtés de maisons depuis des mois, voire des années, c'est-à-dire depuis qu'une tuile du toit d'un certain immeuble d'une certaine rue proche du domicile de Mlle Hesse, mais que Mlle Hesse n'emprunte jamais, cette tuile a commencé à migrer vers le bord du toit, aidée dans sa lente migration par les bourrasques, les déluges, les tempêtes, ainsi que par les vibrations dues au passage des poids lourds, aux compresseurs et autres marteaux pneumatiques. Bref, notre tuile lambda est plantée là, ce beau matin, le même qui a vu Mlle Hesse se mettre en retard avec la malchance qu'on sait, elle est en équilibre instable sur le bord de la dalle où elle a été conduite par la longue série de causes glissantes, si je puis dire, qui l'affectent. Elle balance, notre tuile, dans l'attente de la pichenette qui la délivrera de son hésitation à basculer dans le vide ou à rester encore deux petites minutes, ou une demi-douzaine d'heures, sur le bord du toit...

« Revenons à la série Hesse. (Loïse commence à regarder Bélard de cet air par en dessous qui le trouble tant. Ça l'encourage à continuer.) Mlle Hesse fonce sur le trottoir de la rue... de la rue... (il interroge Loïse du regard)... de la rue du Pont-de-la-Mousque, merci. Or, alors que Mlle Hesse, qui a ses habitudes, emprunte toujours le trottoir de droite, elle est obligée aujourd'hui de changer de trottoir à cause d'un échafaudage, puis d'un camion de déménagement, et, pour finir, une excavation qui court le long de la chaussée de la rue du Pont-de-la-Mousque depuis la rupture d'une canalisation d'eau cette nuit l'amène à préférer prendre la rue... (il tourne à nouveau vers Loïse le bleu regard qu'elle attend et redoute)... la rue... (il a l'air d'insister, il faut qu'elle trouve)... voyons mademoiselle Hesse, quelle rue voulez-vous prendre ? nous sommes suspendus à vos lèvres... (le con !, il faut en finir, n'importe laquelle fera l'affaire, elle en voit bien une qui débouche à main droite mais elle ne lit pas le nom, c'est la rue... la rue... merde ! trop tard, elle l'a dit : la rue Dieu)...

la rue Dieu, vous êtes sûre? (il rit comme si c'était lui qui lui avait fait une blague, elle est furieuse, et les autres imbéciles qui font chorus), ça existe vraiment, la rue Dieu?

— Dieu, j'en sais rien, mais la rue oui.

— Je veux dire, vous ne l'avez pas inventé pour les besoins de euh... de Cournot?

— De Cour-not! Je ne connaissais même pas son nom avant que vous en parliez! Je n'ai dit la rue Dieu que pour... pour, euh... que pour vous!

(Il y a un brouhaha. Il recouvre telle ou telle partie de la réponse de Loïse selon l'endroit d'où celle-ci est perçue. Bélard entend seulement la fin, « que pour vous », et ça lui fait plaisir. Pièra, elle, en saisit un peu plus; elle entend : « Je n'ai... Dieu que pour vous », et ça la désole.)

« Maintenant, poursuit Loïse, l'air grincheux, si vous en voulez une autre...

— Non, je vous remercie... C'est parfait, la rue Dieu. Ça ne pouvait pas mieux tomber...

(Bélard réclame le silence. Le temps qu'il l'obtienne, ils se regardent longuement. Elle finit par esquisser un sourire. Il comprend qu'elle lui pardonne, qu'elle lui pardonnera d'autres fois, qu'il est déjà pardonné de toutes leurs incompréhensions à venir, il veut le croire. Il poursuit.)

« Puisqu'on parle de tomber... voilà que la rue où Mlle Hesse s'engage du fait de l'obstacle des travaux, voilà que cette rue, qui est donc la rue Dieu, rue dans laquelle Mlle Hesse ne passe jamais, se trouve être la certaine rue où est sis le certain immeuble au sommet duquel se trouve la certaine tuile en état d'équilibre instable sur la dalle située à l'aplomb du trottoir de la rue Dieu.

« Eh bien, convenez que Mlle Hesse pourrait encore la traverser, cette rue Dieu, aussi rapidement qu'elle a arpenté la rue du Pont-de-la-Mousque! Sauf que le portable de Mlle Hesse se met à annoncer l'arrivée d'un message précisément à la verticale du... quel âge avez-vous mademoiselle Fanty?... (il le sait très bien, râle Pièra in petto, toutefois elle répond)... merci, donc du numéro 27 de la rue Dieu. C'est Mlle Fanty qui s'inquiète de ne pas voir Mlle Hesse arriver en cours. (Rires divers.) Et comme Mlle Hesse a, ainsi que vous savez, les bras encombrés, elle s'arrête pour lire le texto.

(Silence. Bélard prépare sa chute. Il laisse l'auditoire dans l'attente, jusqu'à ce qu'un petit malin lance la plaisanterie habituelle, qu'il croit inédite. Ça marche chaque année à l'identique avec d'infimes variantes. Aujourd'hui, ce sera, il s'amuse parfois à parier, voyons... Gaëtan Picon? Perdu. C'est Matthieu Bénézet.)

— Qu'est-ce qu'il dit le texto, on peut savoir?

— Vous demanderez ça tout à l'heure à Mlle Hesse, si elle veut bien. Ou plutôt à Mlle Fanty, parce que je crains que Mlle Hesse ne soit malheureusement pas en mesure de vous répondre.

(Ainsi rétorque-t-il, presque invariablement lui aussi, d'une année sur l'autre.)

« Car, je continue : surgit un pigeon. Un pigeon, ultime avatar volant de la série causale glissante (il mime chaque adjectif) où est engagée la tuile faîtière, se pose, en battant vigoureusement des ailes, juste à côté de notre tuile hésitante. En sorte que... que... monsieur Bénézet?... (Matthieu émet un bruit de chute sifflante entre les dents), eh bien oui, en sorte que notre tuile tombe. Et qu'elle tombe non pas devant les pieds, non pas sur les talons, mais pile sur le crâne de Mlle Hesse !

« C'est là, devant le résultat, catastrophique certes pour l'existence de Mlle Hesse, mais seulement inattendu pour ce qui est de la destination d'une tuile banale, c'est devant le résultat de la rencontre des deux séries de causes qui ont mis en présence le crâne tendre, aux pensées uniques, de Mlle Hesse, avec la terre cuite, aux pouvoirs tranchant et contondant décuplés par l'accélération de la chute libre, d'une tuile commune et sans intentions cachées dans son argile, c'est devant l'intersection inattendue, imprévisible, de deux séries causales qui n'ont rien à voir l'une avec l'autre, du moins à les considérer comme je l'ai fait, que nous devons nous déterminer, et nous déterminer ab-so-lu-ment (il insiste toujours sur absolument).

« Nous devons dire… ce que faisant nous nous engageons très avant dans notre dire… nous devons dire si, oui ou non, nous considérons ces séries de causes comme indépendantes.

(Ici une pause. Bélard éprouve le besoin de prendre quelqu'un ou quelqu'une à témoin de ce qui va suivre. Aujourd'hui ce sera Estelle, la fille de son collègue Eyquem Pineau, la plus âgée de son auditoire.)

« Si vous dites oui, elles le sont…, eh bien la rencontre de la tuile de la rue Dieu avec le crâne de Mlle Hesse demeurera, si dramatique soit-elle, le fait du hasard.

(Estelle papillote en guise d'approbation.)

« Dans le cas contraire, c'est-à-dire si vous croyez que cet enchaînement de petites causes est, d'une manière ou d'une autre, chimique, mécanique, pneumatique, métaphysique, que sais-je encore ?.. dépendante de la série des petites

61

causes qui, freinant ou accélérant la marche de Mlle Hesse, l'a conduite à se trouver au temps T, à l'endroit E, pile à la verticale de la trajectoire de la tuile, si vous croyez cela, la rencontre devient prévisible, et si la rencontre est prévisible, elle ne l'est pas que pour ce temps et pour ce lieu, elle l'est de toujours et pour tous les autres lieux, en sorte qu'on peut dire que, de toute éternité, il était écrit, prévu, attendu que le crâne de Mlle Hesse rencontrerait la tuile de la rue Dieu!

(Silence. Bélard reprend, un ton plus bas, comme s'il leur confiait un grand secret.)

« Si vous croyez, un tant soit peu, que les deux séries ne vont pas sans quelque mystérieuse connexion entre elles, eh bien bonjour et bienvenue dans le monde de Monsieur Leibniz!

« Leibniz… Mais si, vous connaissez! Je suis sûr que vous le connaissez sans savoir que vous le connaissez…

« *Tout corps se ressent de tout ce qui se fait dans l'univers…*
« Non? Ça ne vous dit rien?

(Il dit la suite de mémoire :)

« *… tellement que celui qui voit tout pourrait lire dans chacun ce qui se fait partout et même ce qui s'est fait ou se fera; en remarquant, dans le présent, ce qui est éloigné tant selon les temps que selon les lieux…*

(Il la répète plus lentement pour ceux qui la prennent en note.)

« La phrase, déjà fort belle, finit par une formule choc tirée du *Thesaurus* d'Hippocrate. Je vous la donne en grec (il le fait en fixant Loïse) :

« *sumpnoa panta,*

« ce que Leibniz traduit joliment par :

(Loïse le regarde par en dessous.)
« *Tout est conspirant.*
(Elle se trouble.)
« N'est-ce pas que c'est beau, mademoiselle Hesse ? »
(Elle rosit.)

Loïse : Mlle Hesse, Mlle Hesse… il n'a que mon nom à la bouche ! On dirait qu'il s'en délecte, qu'il s'en empiffre ! C'est gênant à la fin, surtout devant les autres. Je sens la réprobation de Pièra contre mon bras gauche, aussi compacte qu'un bloc de marbre.

Pièra : Moi je suis la duègne de cette conne de dix-neuf ans ! Son faire-valoir. L'expéditrice du texto fatal. Celle dont Bélard se sert pour sa démonstration, l'adjointe de la tuile, la stupide de service. Meurtrière même pas par intention, alors que je voudrais bien, moi, ça me plairait de l'arrêter pile où il faut, sur la croix marquée au sol à la craie sur indication du doigt divin… Et allez, zou ! envoyez la tuile ! Envoyez une palette de tuiles, c'est plus sûr ! Exit la grande et belle Loïse à son Bélard ! « Le crâne tendre, aux pensées uniques de Mlle Hesse », non mais je rêve !

Loïse : Il a parlé de mon crâne, comment il a dit déjà ? Le crâne tendre… aux pensées légères… non, pas légères… aux pensées… non, pas douces non plus, ce serait gonflé. Pièra doit le savoir, elle, je parie.

Pièra : Mlle Fanty, ça fait quoi comme effet à côté de Mlle Hesse ? Ça fait l'effet d'une soubrette ! Alors que ce devrait être elle, la soubrette, cette morveuse ! Il n'a pas honte, Bélard. Quel âge a-t-il donc, lui ? Il a au moins trente ou quarante ans de plus qu'elle... Non, pas quarante quand même... Mais qu'est-ce que j'ai à penser en termes d'âge? C'est minable... Il a entre cinquante et cinquante-cinq, disons... On n'en parle plus!

Loïse : La bouche pleine de mon nom... ça glisse, ça glisse, je ne peux pas l'arrêter, c'est comme la tuile, j'ai beau serrer les cuisses, rien à faire. Il a réellement la bouche pleine de moi, Bélard. C'est ça, son plaisir. Le plaisir qu'il prend à dire mon nom, qu'il prend en public, tandis que le public, hormis Pièra, n'y voit goutte. C'est monstrueux d'être cunnilinctée comme ça, en public, mais quel délice! Faut que j'arrête avant que je mouille ma chaise. Penser à autre chose, peux pas, si, tu peux! Penser à l'hypothèse, la série, l'indépendance des séries... C'est si bon d'être dans sa bouche! La bouche de Bélard... Il faut que j'entende ce que dit sa bouche, que j'oublie qu'il a une bouche, que j'oublie jusqu'à l'existence du mot bouche...

14

TOUT EST CONTRARIÉ

D'habitude, il s'arrête là.

Ça peut suffire pour passer à la définition de l'hypothèse.

Mais parfois, entraîné par son élan, Bélard fait du zèle.

Comme si Leibniz ne suffisait pas, que 1714 fût trop éloigné de cette jeunesse pourtant aussi gourmande de conspiration que ses ancêtres, aussi désireuse de conspirer elle-même,
il fait appel aux premières séquences d'un feuilleton télé des
années 60, *Belphégor*.

Dans *Belphégor*, un vieux petit bonhomme moustachu,
l'œil pétillant de malice sous son béret, soutient, coupures de
presse à l'appui, que tout événement est susceptible d'être
mis en relation avec tout autre, si étrangers et distants soient-
ils en apparence : pluie de sang à Messine, roues lumineuses
dans le ciel d'Écosse, marques de ventouses sur l'Everest,
pluie de grenouilles à Bornéo…

Il se garde bien toutefois d'expliquer quelle parenté se
cache sous l'apparence, et surtout quelle intuition personnelle préside à leur rassemblement. C'est au petit bonheur
que notre champion de la coïncidence rassemble ses

morceaux choisis dans des boîtes de conserve, boîtes qu'il sertit avant de les enterrer, dans le but, confie-t-il, de les soustraire à un désastre nucléaire, renvoyant ainsi le sens de sa collecte à la lecture de l'avenir.

Le jeune journaliste qu'il essaie de convaincre a raison de demeurer dubitatif. Car toute sa science se résume à baptiser « des faits! des faits! des faits! » chacun des tirages de sa pioche planétaire.

Au début, Bélard projetait quelques minutes du feuilleton. Puis, un jour d'étourderie, il n'avait eu d'autre choix que d'improviser le dialogue. Ç'avait été un tel succès qu'il ne se privait plus depuis de ce court intermède théâtral.

Fallait avoir vu Bélard, les grandes années de son règne enseignant, jouer, devant son public, le délirant dialogue des débuts de *Belphégor*...

« *Vous vous promenez en mer. Vous voyez une île. Vous dites : C'est une île! Eh bien non, je regrette, ça n'est pas une île... Enlevez l'eau, et vous verrez que votre île est reliée à la terre ferme!*

— *Et pour vous les coïncidences sont des îles.*

— *Exactement! Enlevez l'eau, vous verrez!*

— *C'est pas un point de vue très scientifique...*

— *Mais qu'est-ce que c'est, la science? Des faits! Mais moi aussi j'en ai des faits! Tenez, j'en ai 25 000 dans cette armoire!*

— *Comment ça?*

— *Attendez...* »

Une hypothèse, arguait Bélard, était un abus du même ordre que la conviction délirante du vieux bonhomme leibnizien de *Belphégor*.

À la différence près que cet abus n'était que la première étape d'un raisonnement par l'absurde qui consistait à dire : Il n'y a pas de hasard, tout se tient, tout est conspirant…, et à démontrer que, si l'on n'avait pas les moyens de prouver ces séduisantes propositions, il fallait rendre le dernier mot au hasard.

« Ainsi Cournot vainc! triomphait Bélard. Cournot vainc parce que le hasard triomphe de la conspiration. La conspiration échoue la plupart du temps. »

À cet endroit du commentaire, il en existait toujours un pour poser la question de l'amour.

« Mais monsieur, quand deux êtres se rencontrent, quand même…

— Ils se rencontrent par hasard.

— Vous voulez dire que rien ne conspirait.

— Mm…

— Que rien ne conspire… *jamais?*

— Jamais.

— C'est triste.

— Pourquoi triste? Est-ce que ce serait moins triste si la conspiration aboutissait à séparer les amants? Vous n'envisagez que des conspirations qui vont dans le sens de votre désir… Mais le monde de M. Leibniz fonctionne selon un principe, le principe du meilleur, qui n'est pas forcément meilleur pour vous, mais pour un bien envisagé comme étant le bien préférable de l'ensemble, lequel exige peut-être le sacrifice du vôtre... C'est redoutable, vous savez, de s'en remettre à la sagesse de Dieu quand il s'agit des désordres de l'amour !

(Ça fait un moment qu'emporté par son sujet, et parce qu'il sait que deux femmes au moins dans cette assemblée savent qu'il parle aussi de lui et de l'une d'elles, Bélard n'ose plus regarder Loïse. Loïse l'a remarqué. Elle cherche le regard de Bélard. Ne l'obtenant pas, elle se trémousse.)

« Mieux vaudrait, selon moi, transformer la citation d'Hippocrate en *"Le monde soupire, tout est soupirant"*, on serait plus près de la vie. Et la vie, comme vous savez, est rarement complice des soupirants... Elle les réunit au compte-gouttes. Eh bien la science ne réussit pas mieux avec les séries que l'amour avec les êtres !

— Au fond, la formule du vivant n'est pas tellement que tout conspire ou que tout soupire, mais que tout est contrarié...

— *"Tout est contrarié"*, oui, ce pourrait être ça, mademoiselle Fanty.

— Et faire une hypothèse c'est comme parier sur un couple, dire : leur union triomphera de ce qui la contrarie.

— Mm...

— Étant connu ce qui la contrarie.

— Mm...

— On s'en fout finalement que ce soit du fait de M. Leibniz ou du fait de M. Cournot... Non ?

— On s'en fout, mademoiselle Fanty. »

15

L'*IPƆTETIKODEDYKTIF*

Ça les allumait, les étudiants, cette conception soupirante de la science. Même frappée du préfixe « anti », ils ne cessaient d'en entendre monter vers eux le soupir mélancolique.

Les séries causales sont des rétives. Des fois ça les rendait fous de ne tomber que sur des réfractaires de l'appariement, des récalcitrantes du conjungo. Ils y passaient des heures à se convaincre qu'ils pouvaient les marier, les pacser, les coller quand même. Ils s'invitaient à des soirées de « méthode », comme d'autres à des nuits gothiques aux Catacombes.

L'*ipɔtetikodedyktif* était le mot de passe. Ils s'en gaussaient, mais à lui se reconnaissaient frappés du même virus, rongés de la même passion et du même mal. Tant qu'ils étaient sous la coupe de Bélard, tant que le désir de Bélard les démangeait, tant qu'ils voulaient prendre à Bélard cette lumière, l'*ipɔtetikodedyktif* était leur torture et leur Graal.

Bélard s'en amusait. Il avait coutume de dire que quand ils oublieraient le hiéroglyphe pour entendre chanter l'octosyllabe, ils seraient addicts à la recherche.

Addicte, Pièra l'était avant de rencontrer Bélard.

Mais, depuis Bélard, la cartographie des terres arpentées était donnée avec le transparent d'une carte de Tendre.

Loïse allait le devenir, elle le sentait.

Addicte de lui ou à cause de lui, c'était pareil encore.

Elle lui en voulait de ça.

De sentir qu'elle avait envie de chercher pour aller d'abord, et peut-être seulement, à sa recherche.

Qu'il ait fait d'elle une série causale.

Une série causale malheureuse, dont l'existence n'avait d'autre sens désormais que d'aspirer à la rencontre.

Sachant que la rencontre est une tuile.

Que toute rencontre est une tuile.

Mais que la rencontre avec Bélard serait bien pis : un carnage.

Un magnifique, scandaleux, délectable, enivrant carnage.

Et pas seulement à cause de Roman.

16

ROMAN

Roman est revenu. « Les testicules pleins, le cerveau tout empli d'images neuves », dit Loïse pour excuser son ardeur. Pièra n'est pas dupe. Qu'elle use de salacités de poète-soldat pour la convaincre qu'elle se plie aux exigences de Roman ne la trompe pas. Elle les entend qui jasent et qui rient jusqu'à ce que le flot des paroles de Roman, au début coupé de cris aigus, laisse bientôt toute la place à une musique de femme fututée.

Sa plainte toutefois n'est pas vaine. Pièra l'entend déplacée. Elle dit que le retour de Roman, s'il amène celui des joies vénériennes, complique la rêverie d'un bonheur possible – qui est déjà en soi un bonheur – en compagnie de Bélard.
Loïse craint que Roman, même s'il n'en devine pas l'origine, perçoive l'ubiquité de sa rêverie. La rage qu'il met à la défaire sous lui l'inquiète, elle est nouvelle. Si forte que, parfois, le plaisir bascule dans la souffrance en quelques assauts de trop. Il a toujours été très avide de son corps, très constamment désireux de lui. Elle peut même dire qu'il le lui a fait aimer. Elle s'est mise à aimer la violence que ce corps est

capable d'éveiller, la fureur qu'il déclenche paresseusement, sans avoir rien d'autre à faire qu'à apparaître sous une chemise – un rien trop courte ou transparente, et c'est fait!

Mais aujourd'hui que son cœur saute contre la poitrine humide de l'un, tandis qu'elle ne peut s'empêcher d'ouïr le sang de ce jeune cœur battre dans la cage thoracique d'un autre, une vieille cage désirable encore étrangère à ses doux seins mouillés de la sueur du premier, elle découvre la solitude des déesses.

Ça ne lui est jamais arrivé jusque-là dans ses transports avec Roman : elle se retient de se mouvoir. De peur qu'une cambrure puisse être interprétée comme une invite à la pénétrer plus avant, elle s'abstient. Ça n'est pas souvent, c'est quelques fois. Quand l'idée de la main fraîche de Bélard vient se glisser entre leurs ventres tel un vent coulis.

Et, bien que cette idée parasite n'ait encore aucune incidence sur son envie d'accueillir Roman en elle, bien qu'elle s'ouvre à lui aussi allégrement que par le passé, Loïse vit déjà cette retenue comme une trahison.

17

LA VAGUE SCÉLÉRATE

S'il existe une chose que Bélard a apprise avec l'âge, c'est que l'embarras du choix, en amour, est un symptôme. Un indice de grande jeunesse hormonale, comme l'acné ou les érections intempestives. Car les êtres ne sont pas des objets entre lesquels on hésite comme entre deux voitures auxquelles on va marier sa libido pour quelques kilomètres de vie l'un dans l'autre. Il s'appuie même sur cette évidence pour trancher. Quand, d'aventure, il balance entre deux êtres, il sait qu'aucun de ces deux êtres n'est le bon.

Entre Pièra et Loïse, Bélard ne balance pas. C'est pour lui une source de satisfaction et de paix que de pouvoir jouir de l'une et de l'autre parce qu'il n'a à se déterminer, à titre de partenaire, pour aucune des deux. La pédagogie le suppose, la morale commune l'exige : professeur ne deviendra pas amant d'un ou d'une de ses élèves.

Le bruit courait toutefois que certains, certaines – il courait plus souvent à propos de certains que de certaines –, n'hésitaient pas à puiser chaque année dans ce cheptel de poulains et de pouliches à l'âge maintenu constamment vert du fait du renouvellement par le bas et de la fuite des plus âgés par le haut.

Les séminaires bruissaient des colportages de la vie tribale endogamique réelle ou supposée des maîtres de conférences et des professeurs. On donnait des noms. On les échangeait.

Le nom de Bélard n'avait jamais circulé dans ce cercle-là. En revanche, on le citait souvent dans le cercle, tout aussi restreint mais plus licite, de ceux dont on eût souhaité, ou dont on n'eût pas été étonné, qu'ils passent dans le premier.

Est-ce qu'elle continuerait longtemps ses tête-à-tête avec lui, par-dessus la mer moutonnante de la tête des autres ? Est-ce qu'il continuerait longtemps à s'adresser à elle en la désignant aux autres comme la seule, l'unique – elle aurait bien aimé que sa phrase s'arrêtât là, mais il fallait hélas ajouter encore, pour l'heure, ces deux mots : – *qui l'écoutât* ?

Elle était la seule en effet qui, au sortir d'une digression particulièrement longue et débridée, fût capable de lui tendre le fil au point où il l'avait lâché. Cette prouesse lui avait valu l'élection flatteuse de Bélard. S'entendre nommer ainsi devant les autres avait emballé son cœur : « Eh bien je peux dire qu'il y en a au moins *une* qui m'écoute dans cette salle ! »

Depuis, l'emballement s'était calmé. Il arrivait, quand elle se remémorait la magique formule, qu'elle la ponctuât d'un « le salaud ! ». Est-ce qu'elle était destinée à demeurer une *au moins une* ?

Une exception, ça confirme la règle, et elle voulait être l'exception qui dérange la règle. Qui la dérange si bien qu'elle

74

la dérègle. Qui la dérègle si bien que l'exception fût son seul recours.

Combien de temps devrait-elle attendre avant qu'il l'appelle enfin par son prénom, et non plus par son nom de famille précédé de la désuète qualité de damoiselle : « Mademoiselle Fanty », quelle horreur !

Par son prénom, mais doucement, avec la voix qu'il devait avoir quand il appelait une de ses amantes à la peau encore chaude de ses caresses, l'appelait d'une voix d'amant : Pièra..., elle l'imaginait un peu essoufflée après l'acte : Pièra..., mais pas à cause de l'âge, seulement parce qu'elle était sûre qu'il était un fougueux amant malgré son âge : Pièra...

On ne citait pas le nom de Bélard parce que Bélard s'était abstenu.

Il s'était abstenu toute sa vie. Abstenu, non pas de toucher à des étudiantes, mais de le faire in situ. On n'est pas étudiante à vie, se défendait-il, ou alors toutes les femmes le sont, et ça n'a pas plus de sens de dire « J'ai été l'amant d'une étudiante » que de dire qu'on l'est exclusivement de femmes mariées ou de mères de deux enfants à un âge où toutes le sont, ou presque toutes.

Des années après qu'elles avaient quitté l'université, quelques-unes se souvenaient des cours de Bélard. Au hasard d'un rangement, elles tombaient sur des vieux cours, écrits de la drôle d'écriture qu'elles avaient alors, et là tout revenait ensemble, dans l'ordre : l'odeur de la salle, les rires et les blagues des copines, le timbre de la voix de Bélard, le dessin dans l'espace de ses mains vives. Ses mains, presque toujours, leur revenaient. Elles en parlaient entre elles, se doutant bien que chacune comprenait autant que l'autre à quel usage leur évocation eût désiré les voir servir.

Alors, pas tout de suite mais quand l'opportunité se présentait, et elles avaient un vrai génie pour la provoquer, elles se renseignaient discrètement. S'il exerçait encore, s'il avait changé, s'il était toujours aussi passionné, passionnant, aussi sexy. C'était souvent par le biais d'une amie qu'elles reprenaient contact. Une telle m'a parlé de vous, elle se souvient, vous voyez qui c'est? oui? elle aimerait vous revoir, je suis sûre, ça vous ferait plaisir aussi? je ne sais pas où j'ai fourré son numéro, ah le voilà, vous avez un stylo? Elles savaient y faire. Et pas la moindre jalousie. Moi, ça va, j'ai mon mec, si elle peut arriver à ses fins avec lui pourquoi pas, ce serait drôle...

Ainsi en avait-il revu plusieurs. Été l'amant de quelques-unes. Peu. On les compterait sur les doigts de la main, disait-il comme pour s'excuser quand ça venait sur le tapis avec des femmes. D'une seule main, précisait-il. Elles ne le croyaient pas, multipliaient par deux, divisaient par le chiffre supposé des années de Bélard à l'université. Ce n'était pas excessif, en effet, mais quand même, il était chaud Bélard, et quel menteur!

Pourtant il disait vrai.

Des seins comme les siens, elle s'en passerait. Depuis l'époque où ils se sont mis à excéder en volume la comparaison avec ceux des fillettes de son âge, elle a dû s'en accommoder non sans mal. D'autant que le thorax qui les supporte est resté menu, il paraît que c'est une complexion morphologique qui a la faveur des hommes.

Sous les tee-shirts moulants, les chemisiers de soie noire ou perle dont elle laisse ouverts un ou deux boutons, à trois c'est comme si elle touillait les glaçons de son whisky avec son stérilet, elle règne. Elle règne un peu plus sur les hommes d'un certain âge que sur les jeunes, qu'elle impressionne, et à peine un peu plus sur eux que sur les femmes, qu'elle agresse. Les hommes seuls l'intéressent, et avec eux c'est comme elle veut quand elle veut, il n'en manque jamais un pour le lui dire.

À vingt-sept ans, ce devrait être une femme comblée. Elle ne l'est pas.

Car il n'y a qu'un homme au monde dont le regard sur ses seins la remue, la chagrine ou l'exalte, c'est Bélard.

Bélard ne balance pas. Depuis le regard échangé entre eux l'autre soir, sur le parking, sa limaille désirante est tout entière aimantée par Loïse. Comme c'est étrange! Une étudiante callipyge happe un malheureux regard de désir, lequel s'attire un regard de reproche, lequel délivre un regard d'abandon qui, à son tour, provoque un regard de désir, mais heureux celui-là.

Et l'on oublie tout ce qui faisait le charme de la vie érotiquement calme et douce d'avant. Les jambes de Julie, les yeux d'Estelle, les seins de Pièra, oubliés! Ils sont d'avant le regard. D'avant les effets de vague de la rencontre de leurs regards. La vague d'exception du regard livré à Loïse. La vague d'exception du regard absous de Bélard.

Il a passé l'âge de craindre son désir. Ça le rend imprévisible en amour, et dangereux, y compris pour lui-même. Cela il le sait et il l'accepte.

Ce qu'il ne sait pas encore, parce que l'âge ne peut pas donner aussi l'antidote de l'âge, est le genre de vague scélérate qui peut résulter du concours de ces vagues d'exception.

18

INTÉRIEUR NUIT (2)

D'UN DÉSIR QUI NE TRAVAILLE PAS POUR UN AUTRE

Allongée le long du corps de Roman, Loïse rêvasse dans le noir. Une main glissée haut entre les jambes, l'autre posée sur le sein droit, elle résiste à l'envie de se faire jouir. Du moins c'est ce qu'elle croit. Un sexologue dirait qu'elle se masturbe déjà. Mais elle le fait si négligemment qu'elle peut penser ne pas le faire. Elle ne procéderait pas avec moins de distraction si elle épluchait une pomme.

Roman s'agite dans son sommeil. Une main s'égare, trouve sa hanche. Elle la soulève, l'écarte, la repose délicatement.

Elle a envie. Là, tout de suite, elle a envie. L'envie habituelle.

Mais c'est plus compliqué, plus exigeant que d'habitude.

Parce que l'envie pourrait être comblée sur-le-champ, elle ne le sait que trop.

Elle ne sait pas en revanche si elle a envie réellement. Réellement envie.

Elle *aurait bien* envie serait le terme et la conjugaison justes pour l'envie qu'elle éprouve en ce moment.

Qu'est devenue la Loïse qui montait au coït aussi légère que la petite fille Loïse quand elle grimpait aux arbres à la saison des bigarreaux, des reines-claudes et des figues? On n'aurait pas pu la retenir de grimper, celle-là, et elle aimait que Roman ne se fît pas prier pour répondre à son envie.

Qu'il fût son arbre, qu'il fût l'arbre qui portât tous les fruits de la terre qu'elle aimait, lui convenait tellement jusqu'ici. Pourquoi changer? Pourquoi se compliquer la vie?

Elle *aurait bien* envie…

Qu'est-ce qu'elle en a à foutre, c'est le cas de le dire, de ce conditionnel adverbialement arrondi?

C'est, se dit-elle, le désir de Bélard qui creuse le lit du désir de Roman, voilà tout. Eh bien non! Si c'était vrai, ce serait simple. Ce serait comme dans la vie, quand les Bélard sont des Allouf ou des Kevin. Ceux-là, oui, il arrive qu'ils agrandissent le lit d'un désir dont Roman viendra emplir de son corps et de son sexe le soudain élargissement.

Y a pas de mal à ça.

Tant que Roman l'emplit, tant qu'il est présent, attentif aux débordements de lit, tant qu'il se prête à les combler, il la comble. Qu'a-t-elle besoin d'autre?

C'est bien cela qui la trouble. Elle a besoin d'autre. Depuis le regard de Bélard elle a besoin d'autre.

(Besoin d'autre! De quel autre? Ça l'énerve, ces trucs d'intello.)

Au demeurant, qu'est-ce qu'elle sait de Bélard?

Elle ne sait rien de Bélard.

Tout ce qu'elle sait de Roman, alors qu'elle ne sait rien de Bélard!

Ni les mains, ni la bouche, ni l'odeur, ni le sexe. Rien.

Il faut, en conséquence, qu'elle se résigne à accepter de

laisser le problème de son désir se poser sans aucun rapport avec Roman.

Ce qu'elle éprouve, c'est un désir autre que celui de Roman, un désir inconnu d'elle jusqu'à Bélard.

En outre c'est un désir qui, cette fois, ne turbine pas pour un autre, un désir qui ne travaille pas pour Roman.

Elle a du mal à se l'avouer tellement c'est bête.

Ce qu'elle éprouve, c'est du désir pour Bélard, point.

19

LES BUFFLONS

Loïse fit le premier pas.

Elle demanda à Bélard par écrit s'il l'accepterait dans son équipe.

Par écrit parce qu'elle avait peur de se démonter en face à face, de piquer un fard, de bégayer, ou que sa voix ne se brisât dans l'émotion. Et par Internet, parce qu'elle craignait de faire des fautes d'orthographe et, en outre, qu'il eût des connaissances en graphologie.

Elle le cacha à Pièra. Ce n'était pas la démarche ordinaire, qui consistait à proposer des axes de recherche, une méthode, des partenaires et un outil d'analyse, à partir desquels le collège des professeurs, et pas seulement l'un d'entre eux, constituerait les équipes pour l'année. Mais elle ne voulait pas courir le risque d'être recrutée dans une autre que celle que dirigerait Bélard. Quant au danger inverse, celui d'être écartée d'emblée pour cause de procédure illicite, sans compter l'incroyable culot qu'elle manifestait à se déclarer ainsi, elle en acceptait l'augure.

Maligne, elle obligeait Bélard. Devant une telle proposition, il devrait faire plus que de répondre. Il devrait se déterminer à tricher. S'il désirait l'avoir avec lui autant qu'elle le voulait elle-même, il n'y avait qu'un seul moyen : cacher l'existence de sa démarche et imposer le choix qu'il ferait d'elle à ses collègues. S'il ne la désirait que mollement, il lui suffisait de laisser faire. Elle savait en intéresser un ou deux, et même plaire à quelques autres. Pas besoin de faire état de sa candidature.

Finalement, sa démarche était sans risque. Un quitte ou double qui l'informerait très vite des sentiments de Bélard.

Désormais la balle était dans son camp.

Au moment de rédiger le courriel, Loïse buta sur le mot « prendre ». L'expression « voulez-vous me prendre » la troubla si fort qu'elle pensa d'abord la changer en « voulez-vous m'accepter ». L'impression que le désir était trop transparent sous cette forme, qu'il était impossible de la lire sans marquer un arrêt entre le verbe et la subordonnée. « Voulez-vous me prendre » était obscène, sans conteste.

Puis elle se dit que c'était exactement cela qu'elle voulait de Bélard. Qu'il la prenne sur son bureau ou dans son équipe, qu'est-ce que ça changeait ? Quand même… Est-ce qu'elle accepterait qu'il la prît dans, c'est-à-dire *devant* son équipe ? Elle n'hésita pas longtemps avant de répondre oui. Mieux, l'idée l'excita si bien qu'elle imagina y associer Roman, Pièra, d'autres encore. C'est ce qui la décida.

L'obscénité de la formule n'apparut nullement à Bélard. Plutôt vit-il dans cette inhabituelle demande une précipitation à le rencontrer ou, s'il l'acceptait dans son équipe, à le fréquenter, dont le but était inverse : instaurer entre eux une relation de travail qui viderait le trouble actuel de toute possibilité de développement.

S'il devait l'entendre ex abrupto, c'était comme une invite à passer de ses fesses à sa tête. Et si la formule n'exigeait pas qu'il renonce à quoi que ce soit de son corps, elle supposait qu'il accepte que ce soit dans un cadre excluant l'usage de celui-ci.

L'ouverture amoureuse de Loïse eut l'effet d'un index touchant la corne d'un escargot. Se reprochant déjà de tentaculer, Bélard se rétracta telle une cagouille coupable. Le malentendu, toutefois, était fécond. Il autorisait chacun à essayer d'autres ouvertures.

Ils ne s'en privèrent pas.

Pièra fut choisie aussi sans qu'elle fît rien. Elle l'annonça à Loïse. Loïse dit seulement « Ah oui ? C'est bien », sans s'étonner davantage. Il fallut que Pièra l'interroge pour qu'elle se dévoile à son tour. « Moi aussi », dit-elle sobrement. La sobriété n'était pas dans ses habitudes. Pièra devina un secret qui la concernait. Un secret qui la touchait et dont elle n'était pas la confidente ne pouvait référer qu'à Bélard. Elle comprit que ces deux-là avaient déjà pris langue dans son dos. Elle ne se trompait pas.

Depuis le courriel de Loïse, ils échangeaient des messages presque quotidiennement. Bélard avait répondu le jour même. Il prenait acte avec plaisir de sa demande et il ferait ce qu'il pourrait pour l'intégrer à son équipe, mais il ne s'engagerait pas sans l'avis des autres membres du collège, avis dont il n'y avait pas lieu de craindre qu'il s'opposât à une demande aussi précocement déclarée. Précocement était la seule référence à la précipitation de Loïse.

Avant même que la décision n'intervînt, ils conversaient sur le Net comme des collègues qui auraient déjà bourlingué ensemble sur l'océan des connaissances.

Loïse, qui sortait beaucoup, pointait pour Bélard les sons nouveaux, les films aux plans surprenants, les expos qui valaient le détour. Bélard, qui sortait peu mais lisait beaucoup, et qui avait été cinéphile dans sa jeunesse, faisait l'effort de se déplacer. C'était pour lui comme d'étudier la copie et de la lui rendre corrigée. Elle ne le lui dit que plus tard, ça l'irritait et la fascinait cette aisance qu'il avait à stigmatiser la « vieille indécence de la nouveauté » dans ce qu'elle voyait, elle, pour la première fois, avec étonnement et enthousiasme. À l'en croire – et elle était forcée par ses références à l'en croire –, la « vieille indécence » était partout. Elle résistait tant bien que mal. Suggérait qu'il avait peut-être jugé un peu vite. Il ne disait pas toujours non. Peu à peu, elle se laissa séduire par l'ironie cruelle de l'expression.

Elle lut Mallarmé.

Il revit un film de Lars von Trier.

On était loin de la tâche qui les avait réunis. On s'en éloignait au fil des jours. Mais l'orbe du familier croissait à vue d'œil.

Pièra ne fut pas la seule à l'apercevoir.

Roman le vit aussi.

Il l'interrogea. Elle répondit sans aucune gêne.

Elle fit comme il sied aux questions réputées gênantes des enfants, elle répondit à la question seulement. Ni plus ni moins. S'il désirait savoir s'ils s'aimaient, il n'avait qu'à le demander sous cette forme directe. Là encore, elle répondrait. Sans mentir. Mais elle le ferait au sens étroit. Elle dirait quoi ? Elle dirait qu'elle ne savait pas, que c'était une drôle de question, qu'elle n'avait pas lieu de se poser. Elle ajouterait peut-être « pour l'instant ». Ça dépendrait du ton de Roman. Si l'inquisition de la question l'avait énervée ou pas, du moment où il la poserait, avant l'amour, loin après, c'était selon qu'elle voudrait le faire souffrir un peu, beaucoup ou pas du tout.

Roman ne la posa pas.

Un jour néanmoins, Bélard crut de son devoir de ramener leur correspondance sur le travail. L'interrogea sur l'état de sa recherche. Est-ce qu'elle avançait, malgré toutes ces sorties et ces lectures dont il savait bien qu'elles l'occupaient ? Il s'inquiétait. C'était faux, mais il se sentit tenu de le lui laisser entendre. Elle fit semblant de le croire pour le plaisir de le rassurer. S'engagea à lui donner des gages de son travail avant les fêtes de fin d'année qui approchaient. Bélard s'en félicita.

À Noël, il n'avait rien reçu. Prétextant des vœux de circonstance, il la relança. Motus.

Bélard passa un Noël maussade, un premier de l'an qui le déprima.

Tout ce qu'il entreprit durant ce congé, il le mena distraitement. Seul le dossier que lui avait confié Pièra mobilisa son attention. Lui fit, le temps de la lecture, oublier Loïse. C'était parfait, comme toujours. Si Loïse était exceptionnelle par l'exquisité du mélange d'esprit et de charme lumineux du corps que la nature avait réussi en brassant les chromosomes de madame et de monsieur Hesse lors d'une coïtation de janvier, comment fallait-il alors caractériser le shaker de finesse, d'intelligence et de beauté qu'avaient secoué avec succès sieur et dame Fanty lors d'une fornication de prairial ou de messidor huit ans plus tôt ?

Lisant les mots de Pièra, il pensait au corps de Pièra. Ça ne le distrayait pas de sa lecture, au contraire, ça l'agrémentait, la relançait. C'étaient des mots choisis avec soin, toujours justes, avec une préférence pour le plus étrange, le plus précieux et le plus rare. La perfection lexicale, quand il la rencontrait, le rendait curieux du corps qui avait puisé à ce lexique. Rarement un tel corps l'avait déçu, celui de Pièra moins qu'aucun autre. Ce que faisant, il nota qu'il en connaissait infiniment plus à propos du corps de Pièra – sans compter que son imagination vagabondait beaucoup plus librement – qu'à propos du corps de Loïse. Ça ne manqua pas de le surprendre.

Ç'aurait peut-être pu le troubler si l'e-mail si longtemps espéré n'était arrivé le 6 janvier.

De : Loïse Hesse <hesslo@ beresina.com>
À : Antoine Bélard <belant@ tuttiquanti.fr>
Objet : Bilan de la recherche

Le vieux cœur de Bélard se remit à battre comme en décembre.

Il se retint de lire un instant afin de laisser monter au plus haut la crête de la déferlante de plaisir, et il se lança. Il en va avec les messages comme avec les vagues qu'on attend trop. Le même risque de *shore break* les menace.

Celui-ci se brisa tout net sur la formule de l'adresse.

Le familier « Monsieur Bélard », pondération du cérémonieux « Monsieur le Professeur » du début, s'était, par la grâce de la trêve des confiseurs, mué en un désinvolte « Bonjour Monsieur ».

Bien qu'elle fût conforme au style des épistolières de ce siècle, cette attaque de sa part le déçut. Suivaient les formules d'usage, travail famille santé, la trilogie pompée aux cartes de vœux des parents, puis venaient les excuses, « toutes bidon » eût-elle dit elle-même si elle avait eu à en juger de semblables. Il suffisait de traduire « peu avancé » par rien fichu, « grande fatigue » par beaucoup trop bu, « beaucoup dormi » par beaucoup baisé, et l'on avait une idée à peu près exacte des occupations de Loïse durant cette parenthèse hivernale. Et lui, tout ce temps, avait attendu en vain.

Jusque-là, cependant, pas une faute d'orthographe.

Elle avait sauté une ligne, puis :

« Donc, pour en revenir à nos bufflons… »

20

CLINAMEN

Dans le système d'Épicure, le clinamen est une déviation spontanée qui permet aux atomes, lesquels chutent parallèlement dans le vide en vertu de leur poids et d'une vitesse égale, de se rencontrer et de s'agglomérer. Cette déviation n'a pas besoin d'être importante, il suffit d'une légère *ekklisis*, déclinaison. « Sans cette déclinaison, tous, comme gouttes de pluie, tomberaient de haut en bas dans le vide infini. Entre eux nulle rencontre, nul choc possible. La nature n'aurait donc jamais rien créé », commentera plus tard Lucrèce. Ainsi les mondes se font-ils et se défont-ils par une pichenette subtile du hasard. Tout commence par une fluxion, l'amorce d'un mouvement tourbillonnaire, et tout finit également par lui. La petite catastrophe qui précipite la création d'un monde se reproduira sans cesse jusqu'à la catastrophe finale, pas plus bénéfique ni maléfique que la première, qui verra la disparition de ce monde-là.

Les bufflons furent le clinamen. Ils furent le nom de l'atome qui allait précipiter la catastrophe de la rencontre de Bélard et de Loïse. Sans les bufflons de la formule de Loïse Hesse, la relation de Bélard et de Loïse, même devenue plus étroite du fait de leur rapprochement, serait restée comme le voyage infini et parallèle des atomes chutant, pareils à des gouttes de pluie, dans un vide sentimental, sans l'espoir d'une rencontre. Mais aussi sans le danger de déclencher, par la seule petite déviation de l'un d'entre eux, le tourbillon dont sortirait la magnifique catastrophe qu'est la création d'un monde pour l'amour lorsqu'il nous apparaît à sa naissance. Comme nous nous extasions alors! Comme nous le célébrons!

Comme nous le pleurons aussi quand il s'abîme, qu'il s'effondre, qu'il se délite! Nous le pleurons comme s'il avait été là depuis toujours et qu'il dût demeurer pareil à lui-même pour l'éternité. Devant l'irréparable de cette fin, nous protestons, nous jurons, nous souhaiterions même si c'était possible que ce monde n'eût pas existé.

Nous ne savons pas ce que nous voulons.

« Pour en revenir à nos bufflons, disait Loïse, j'ai avancé à petits pas... », et elle décrivait l'état de sa recherche.

Bélard répondit le jour même. Il ne le fit pas sur le fond, dans la mesure où il n'apercevait pas de progrès notable en celui-ci. Il se concentra sur le seul atome de la pensée de Loïse qui lui semblait neuf. Et le seul atome de la pensée de Loïse qui lui semblait neuf, mieux que neuf, une trouvaille en forme d'avance coquine, telle une main dont elle eût tendu les doigts à baiser (ce n'était pas qu'une image car il y avait véritablement de la peau et de l'appeau en cette avance), le seul atome neuf était le mot « bufflons ».

Il joua là-dessus, comme un musicien énonce le thème

d'une vieille rengaine du folklore, avant de le décliner de toutes les manières possibles.

D'abord, il décida que le thème tiendrait en 7 syllabes.

Re-ve-nons-à-nos-buf-flons.

Puis, s'appropriant l'image bovine, Bélard commença par la lui retourner.

« À petits pas, dites-vous. Sont-ce des pas de bufflonne ? »

C'était taquin. Manière d'introduire le thème. Toujours en 7 syllabes, et interrogativement.

Après, il donna libre cours à sa fantaisie. Une fantaisie conditionnée par la facture du courriel. Ça donnait quelque chose d'essoufflé. Des phrases courtes. Des subordonnées qui se suivent de près, pareilles à des vêtements qui sèchent sur la même corde. Ça se mariait comme les couleurs quand on étend la lessive au fur et à mesure qu'elle sort de la machine. Parfois bien, parfois mal. Tout ça subsumé sous la syntaxe platement communicante de l'e-mail. La ligne qui s'évade à droite selon l'humeur, la ponctuation paresseuse, l'alinéa hasardeux.

… La formule est plaisante, je ne la connaissais pas.
S'agit-il d'une invention propre à Loïse Hesse ?
Ou bien alors serait-ce une locale variation,
connue partout sauf ici, de la banale expression :
revenons à nos moutons ?
Quoi qu'il en soit j'ai aimé.
Elle a, oui, illuminé de sa trouvaille un début d'année
pour moi morose.
J'aimerais vous demander de pouvoir l'utiliser de temps en temps dans mes cours où vous savez que j'erre et que je me disperse, et plus souvent qu'à mon tour. À moins que, jalousement, vous n'usiez d'un copyright…

91

Des bufflons chez les moutons! Si en fac d'une paire
nous faisions le commerce, mon Dieu quelle pagaille
à nous deux nous mettrions!
L'animal est méritant. Pour l'heure vous feriez bien
de mettre vos petits pas dans les siens,
c'est tout un art.
Et de ce mot de bufflons, qui me plaît, n'hésitez pas
à vous resservir. Bélard.

Quand elle reçut cet e-mail, Loïse fut dans l'embarras.

Il répondait sur la forme, non sur le fond. En même temps c'était une ouverture, une invitation à jouer. Mais jusqu'à quel point jouer? Et jouer de quoi? Elle ne savait qu'en penser.

Bien que la démarche l'ennuyât, et qu'elle se fût promis tantôt de la laisser à l'écart, elle le fit lire à Pièra.

Pièra ne montra pas sa déconvenue. Elle demanda seulement à Loïse d'où lui était venue l'idée de remplacer moutons par bufflons. Loïse se troubla. Évoqua une anecdote. C'était au cours de son voyage en Sicile, avec Roman, l'été dernier. L'auto-stoppeur qu'ils avaient pris en voiture, du côté de Reggio, essayait de les initier, eux, Français, toujours si fiers de leurs trois cent cinquante et quelques variétés de fromages, à la cinquantaine de fromages italiens aux noms chantants : pecorino, gorgonzola, parmigiano reggiano, mozzarella... La conversation s'était un peu passionnée autour de ce dernier. Pourquoi disait-il mozzarella *di bufala*? Eh bien parce qu'il était fait au lait de *bufala*, évidemment! De buffle? Ils avaient ri. Si, si, la femelle du buffle, ça existe. Pas croyable, vous êtes sûr? Certain, comment dites-vous en français? la bufflesse? la bufflonne? Ils ne le savaient pas. Ils découvraient au fin fond de l'Italie la mozzarella au lait de bufflonne. Ça lui était resté à cause de l'étonnement, peut-être aussi à cause de la magie du mot associée à la beauté du détroit de Messine.

« Oui, mais pourquoi bufflons?

— Chais pas. Parce que ça sonnait mieux que bufflonne…

— Et pourquoi "Revenons à nos bufflons"?

— Ah, mais qu'est-ce que tu veux me faire dire?

— Je ne veux rien te faire dire.

— Que ça venait à la place de "Revenons à cet endroit et à cette époque où j'ai été si heureuse avec Roman que j'ai pensé, oui, que je pourrais avoir un enfant de lui, être la bufflonne de son bufflon…"? C'est ça?

— Ben, euh…

— Je t'ai pas montré l'e-mail de Bélard pour que tu m'instruises sur Roman!

— D'accord.

— Alors? À part bufflons?

— À part bufflons, dont tu lui as fait cadeau, il t'a fait cadeau en retour d'une (elle compte) trentaine d'heptasyllabes…

— Quoi?

— Très exactement (elle hésite, recompte, matérialisant les hémistiches avec le doigt), si je compte Bélard dans le vers "à vous resservir. Bélard", et il le faut pour que ça rime avec "dans les siens, c'est tout un art", il t'a fait cadeau de 35 heptasyllabes.

— Des vers!

— Eh oui, des vers! Tous ou presque tous de 7 syllabes, ça dépend comment on compte les pieds.

— Des vers...

— Pas tous de même qualité, il faut dire. Il a dû faire ça vite. Par exemple euh... regarde, là... il a fait rimer copyright avec pagaille, c'est pas terrible, dans pagaille on n'entend pas le « t » de la finale [Rajt] de copyright...

— Mm...

— Faut reconnaître que trouver une rime à copyright dans la langue française, c'est coton! J'en connais, et des meilleurs comme Queneau, qui se seraient pas emmerdés avec ça. Ils auraient fait rimer right avec rite, comme on prononcerait si on ne connaissait pas l'anglais, voilà tout!

— J'en reviens pas...

— De quoi, tu ne *reviens* pas?

— Ah zut, Pièra! Ça suffit!

(Pièra sourit. Un silence, puis :)

— Je me demande pourquoi 35... »

21

NOTRE CHÈRE EXPRESSION

Elle décida de ne plus se confier à Pièra.

Désormais, sur le chemin d'une rencontre avec Bélard, elle était seule.

Aussi seule, dans l'éventualité de la rencontre avec un homme, elle ne l'avait jamais été. Toujours, elle en parlait. À une femme, à un autre homme. Mais, alors que depuis qu'elle vivait avec Roman elle l'avait tenu informé des moindres avances dont elle était l'objet, fût-ce d'un regard un peu appuyé dans la rue, elle ne se décida pas à lui parler du virage qu'étaient en train de prendre ses relations épistolaires avec Bélard.

Eût-elle évoqué le ton de son dernier courriel, Roman lui eût probablement demandé en réponse à quoi Bélard s'était autorisé un tel poème. Impossible de nier que le « revenons à nos bufflons » fût autre chose qu'une ouverture. Car Roman ne pouvait pas ignorer qu'elle n'employait cette expression que dans l'intimité. Allusion, incompréhensible pour les autres, à leur lune de miel sicilienne.

Et voilà que, pour la première fois depuis Reggio di Calabria, elle la sortait de l'enveloppe de leur jeune merveilleux amour, pour l'expédier à un vieux prof dont elle aimait seulement… les mains.

Ça la conduisit à penser. À ce qu'elle aimait réellement chez Bélard. Les mains seulement? Ou bien autre chose et bien plus que les mains seules, et quoi d'autre? À ce qu'elle était capable de risquer en fonction de la réponse qu'elle ferait à cette question.

Le sentiment qu'elle commençait à peine à penser.

Et ce sentiment était l'enveloppe d'un autre, plus clair, scintillant et froid à la fois, qui était qu'elle commençait à vivre. Qu'elle commençait tout juste à vivre.

Il était temps, c'est tout ce qu'elle aurait su dire si on le lui avait demandé, mais elle était seule et personne ne lui demandait rien. Toutefois si quelqu'un avait réussi à pénétrer cette enveloppe de lumière froide, et à lire directement dans sa tête le message qui venait de s'y briser comme un miroir, il eût pu déchiffrer ceci : il était temps pour elle qu'elle cessât de penser avec son sexe.

C'est à la fin de la troisième *Lettre de ménage* qu'Artaud intime cet ordre à une femme. Il y avait des années qu'en son for intérieur Loïse se dressait contre cet ordre. Elle l'avait rejeté dès qu'elle l'avait lu et avant même de le comprendre, parce qu'elle en ressentait le danger et la grande violence dans son corps. Elle l'avait lu l'année du bac. (Ça ne dira quelque chose sur l'état de grande jeunesse dans lequel elle était venue se cogner à lui, qu'à ceux qui, comme Piéra et Roman – et Bélard, s'il avait lu la fiche qu'il leur avait fait remplir l'an dernier – savaient que Loïse avait eu le bac à quatorze ans.) La plus jeune bachelière de France, avaient claironné les

96

journaux à l'époque. Depuis d'autres l'avaient rejointe au parnasse des petits surdoués qui font la une, ça avait mis une sourdine aux trompettes locales de la renommée.

« L'une des plus jeunes bachelières *tripotées* de France », corrigeait-elle parfois dans l'intimité. Ça éberluait ceux qui entendaient vraiment la phrase entière. Pour ceux-là, elle acceptait parfois d'aller plus loin. Elle prenait plaisir, quand ils étaient parents d'enfants petits, à les paniquer avec la théorie selon laquelle les prématurations exceptionnelles s'expliquaient par des séductions ou des traumas exceptionnellement précoces eux aussi.

« Mon drame, commentait-elle, fut d'être grande et formée trop tôt. À douze ans, j'avais le choix entre le sexe des garçons de terminale dans la cave, ou les mains des adultes dans ma culotte. J'ai choisi les mains contre les sexes. Ce n'est pas qu'elles faisaient moins mal ni qu'elles allaient moins loin dans mon ventre, c'est que parmi les adultes j'avais plus le choix. Ils étaient plus craintifs, plus doux avec moi, et j'avais en outre sur eux cet incroyable avantage de pouvoir leur faire peur en les menaçant de parler. »

Elle ne racontait jamais cela sans que les larmes ne remontent. « J'ai compris que je pouvais échapper aux mains dans la culotte ou sur les seins en grandissant. En grandissant autrement, d'une manière qu'ils seraient obligés d'admirer sans pouvoir la salir. J'ai grandi à toute vitesse pour fuir les mains. »

C'est pourquoi l'ordre donné à la femme de cesser de penser avec son sexe, quand elle l'avait lu chez Artaud, elle l'avait farouchement repoussé. Parce qu'elle l'entendait comme un Cesse de grandir avec ton sexe, qui n'était que la contraction d'un Cesse de nous refuser ton sexe sous prétexte que tu penses...

Elle n'avait pas su l'entendre autrement jusqu'à Bélard.

Jusqu'à cette phrase de Bélard, entendue l'an passé, qui l'avait arrachée à la torpeur dans laquelle elle traversait d'ordinaire les heures de cours, elle ne se souvenait plus du tout du contexte, mais les digressions étaient si nombreuses avec Bélard... : « ... et c'est pourquoi il nous faut croire, nous, modernes, quoi que ça nous coûte, que nous pensons avec notre sexe. »

Quel réveil en fanfare ç'avait été pour la plus jeune tripotée de France! Et la suite, qu'elle connaissait par cœur. « N'est-ce pas l'évidence que ce qui nous fait le plus puissamment, le plus constamment penser, c'est l'envahissement de nos membres et de notre esprit par ce divin poison qui, chez nous qui ne sommes pas des dieux, est ravageur, dont la chimie nous préoccupe plus que l'alchimie, le pouvoir de faire plus que la passion de défaire, obnubilés que nous sommes par la jouissance, comment l'obtenir, comment la procurer, comment la procurer pour l'obtenir, tous ces comment, tous ces points G, toute cette panoplie masturbatoire à l'usage de la rencontre, cet hermaphrodisme fondamental dont il est si difficile de se défaire... » Là, elle avait oublié quelques digressions sur le coït, puis après son traditionnel appel à la cantonade, Voyons où en étais-je? – sauf que cette fois c'est elle qui avait coiffé Pièra sur le poteau –, il était revenu à son sujet le temps d'ajouter cette phrase, qui l'avait bouleversée :

« On ne pense bien, on ne pense vraiment, que poussé

par l'urgence d'échapper à la destruction du sexe, du sien comme de celui qui se prête à être détruit par nous dans l'amour. »

Ce jour-là, elle avait levé les yeux. Sorti la tête du sable fin de sa langueur, et levé les yeux de son gribouillage pour le regarder. Avec le sentiment étrange de voir un homme pour la première fois de sa vie, ou alors c'était si loin, elle était une toute petite fille et les hommes n'étaient que des clones plus ou moins déglingués de papa…

Pièra avait dû l'aimer le même jour, elle en aurait mis la main au feu.

Pas elle. Elle ne l'avait pas aimé ce jour-là. Seulement regardé. Regardé et vu. Vu comme elle n'avait vu aucun autre homme avant lui. Y compris Roman. Mais Roman, il est vrai, n'était pas encore un homme. Pas assez vieux pour ça. Pas assez meurtri. Pas suffisamment à la colle avec la vie pour se laisser entrapercevoir nu.

C'est pourquoi le regard de Bélard surpris posé sur ses fesses, l'autre soir, ne l'avait pas choquée, ainsi qu'elle feignait de le montrer devant Pièra.

Et l'idiote qui lui avait fait la leçon !

Comme si elle ne savait pas qu'il y a un regard qui prend et un regard qui laisse. Et que c'est à celui-là qu'on peut vouloir donner. Des fois, pas toujours. Au seul qui accepte cette loi.

Ce regard malheureux d'être surpris, et il ne pouvait être autre que malheureux, l'avait troublée.

Parce qu'elle croyait à son malheur.

Parce que son malheur à elle était parent du sien.

Parce que leurs malheurs, malgré la différence des âges,

non, plutôt l'inverse, *à cause* de l'énormité de la distance temporelle qui les séparait, leurs malheurs singuliers s'étaient rejoints.

À cause de ce bond inouï, elle tremblait.

Sous le titre conquérant « Un petit pas pour vous, un grand pas pour Loïse », elle lui adressa le travail de toute une nuit.

Plusieurs fois, au cours de celle-ci, Roman chercha son corps à tâtons. Son absence finit par l'éveiller tout à fait. Il se leva. Sa voix rauque de sommeil et les vives répliques énervées de Loïse réveillèrent Pièra. Elle se leva à son tour.

« Je vous ai tous invités à venir m'aider et je ne m'en souviens plus ? J'ai peut-être aussi invité les voisins, rassurez-moi ! » dit-elle, les yeux rougis.

Elle avait beaucoup fumé. Pièra toussa. L'effort de la toux agita sa gorge sous la liquette collante. Loïse en suivit le mouvement, Roman aussi, ce que Loïse aperçut.

« Bon, je ne vous retiens pas, merci de votre visite », conclut-elle, et elle se désintéressa de leur présence.

Sensible au progrès de la recherche de Loïse, et à la rapidité de sa réponse, Bélard accusa réception le jour même. Ajouta ce Nota Bene :

J'ai utilisé en cours la formule du retour à la route
principale dont je vous dois la chute animalière,
cela sans provoquer le moindre écarquillement
notable auprès d'un auditoire qui note pourtant
jusqu'aux hum-hum… Enhardi, j'envisage d'élargir

la famille aux mouflons, et pourquoi pas aux trublions,
aux tromblons, aux guéridons et aux melons ?

En cette pochade charmante sur le son « on » dont elle avait donné le *la*, Loïse lut l'envie de Bélard de s'isoler avec elle sur une île.

Privée de l'aide de Pièra, elle ne chercha pas d'autre sens au message, préférant la vélocité dont lui-même faisait preuve, et qu'il apprécierait en retour, comme un oui à son invite au voyage.

Le même jour, Loïse adressait à Bélard un courriel sans la moindre nécessité, au prétexte qu'elle avait quelques points de détail à approfondir. Dans le Post-Scriptum qui répondait à son Nota Bene, et par lequel, sachant qu'elle avait niché là sa réponse, il commença la lecture, il trouva d'entrée ce qu'il appellerait plus tard, quand il en reparlerait, le billet d'embarquement.

Je sens une pointe de déception dans l'anecdote
de l'utilisation, passée inaperçue, de notre chère expression.
En ce qui concerne l'élargissement dont vous parlez,
je crois nécessaire de garder à l'esprit l'idée
d'un rassemblement d'êtres, avec une préférence
pour les vivants.
C'est pourquoi j'approuve sans réserve les mouflons
et les trublions.
Tromblons, dont on peut arguer qu'il s'agit du joueur,
non de l'instrument,
me semble aussi envisageable.
Quant à savoir s'il y a un être du melon, je me tâte.
Par contre, veto sur les guéridons.

Bélard lut et relut plusieurs fois la première phrase. La reprenant du début pour le plaisir de venir buter sur ces trois mots.

Notre, chère, expression.

Les relisant, il les espaçait mentalement pour mieux les lire, les savourer.

Notre chère expression, elle avait osé!

Même pas vingt printemps et déjà une telle maîtrise des parfums du jardin d'Éden! Jamais il n'avait rencontré si précoce expérience de l'ouverture des mots. Elles étaient déjà rares celles qui, ayant vécu, savaient les utiliser comme des fleurs! Mais qu'il en existât pour puiser au vocabulaire comme dans un puits de phéromones, et utiliser chaque mot du côté de sa pointe, voilà bien ce qu'il croyait exclu pour le temps présent.

Elle avait signé de son nom entier, à la différence des fois précédentes où elle se contentait des initiales.

Il y lut le cachet et le paraphe d'une prévôté d'amour.

Pour lui, qui était libre et vieux, et pire encore que vieux, plein des ardeurs d'une jeunesse qui avait beaucoup de mal à tenir dans l'enveloppe d'un vieux, les bagages de l'exil auquel elle l'invitait sans retour – sans retour pour lui – étaient prêts depuis longtemps.

Pour elle, qui était très jeune et malgré cela pas libre encore de vivre sans Roman, qui n'était libre que d'aimer, qui ne désirait rien d'autre que d'offrir de sa jeunesse ce qu'aucun Roman – on hésite devant la majuscule – n'aurait imaginé possible d'y voir fleurir encore et encore, le goût d'essayer tous les printemps et les étés en un seul automne, qui n'était pas le sien et dont elle reviendrait seule, était sur le point de l'emporter sur l'ennui d'un hiver où le roman – on hésite devant la minuscule – de sa jeunesse serait conservé intact à jamais.

22

DE COMBIEN VOTRE TAILLE
ACCROÎTRAIT LEUR EXTASE

Elle n'en pouvait plus d'attendre l'éclair de sa réponse. Il se débattait contre la glu savoureuse de son appel. Elle se tendit des talons jusqu'aux seins vers la foudre qu'elle espérait. Il craignit le déchaînement de sa passion. Elle l'appela sur elle. Il eut peur qu'elle ne la détruise. Elle convoqua les dieux du Net. Il invoqua le Dieu perdu à majuscule de l'enfance. Elle se promit que plus jamais. Il jura ses grands dieux qu'il ne. Elle s'en voulut d'avoir osé. Il se dit que lui d'abord n'aurait pas dû. Elle aurait voulu pouvoir boulotter cette toile qui était un piège pour l'araignée. Il sentit que ne pas répondre à la vitesse de l'électron qu'elle avait choisie était déjà une réponse. Elle se souvint que l'araignée tissant sa toile obéit à la pression de glandes auxquelles elle ne peut résister. Il sut quand le moment de venir se prendre à la glu désirable était passé. Elle se rappela la localisation anatomique de ces glandes. Il connut l'amertume de voir s'abîmer devant lui la promesse en temps réel. Elle eut envie de n'importe quoi de lui à cet endroit d'elle. Il songea un instant être englouti. Elle crut devenir folle. Il accepta l'idée de la perdre en ce monde pour la retrouver en un autre dont il était sûr qu'il n'existe pas. Elle comprit l'instant d'après que folle la femme qui se protège du risque d'éprouver ce plaisir fou. Il l'écrivit. Elle aspira à l'amère volupté d'être le cloaque du seul dont elle craignait plus les mots que la queue. Il était comme un fauve en cage. Elle pleura d'excitation.

Extrait du journal de Loïse, mardi.

« Si l'on me sommait d'expliquer pourquoi Bélard alors que Roman, si l'on me mettait à la question, et ce n'est pas une périphrase car la question de pourquoi Bélard alors que Roman me torture, je ne trouverais que cela à répondre avant qu'on m'arrache la langue, j'en pèse chaque mot comme une qui va se taire à jamais. C'est quelqu'un dont je pourrais dire, je ne peux pas l'exprimer autrement, c'est énorme de penser ça pour une très jeune femme, j'en ai conscience, et non seulement énorme mais incompréhensible si l'on songe que cette jeune femme s'est soumise très tôt, et s'est prêtée souvent par la suite, y compris avec Roman quand il l'exige, et il l'exige souvent, à satisfaire les hommes par cette entrée que les femmes ont en commun avec leur sexe, dire : c'est le seul homme auquel je pourrais demander comme une faveur qu'il m'ouvrît en public devant l'assemblée des autres hommes, ou en secret dans les chiottes sordides d'un hôtel, qu'il m'ouvrît sans me préparer par des caresses ou des paroles, et qu'il le fît en passant par le cul. »

Elle avait ajouté d'une autre encre, en notant l'heure mais pas la date :

« J'écris cela aujourd'hui parce que je me suis déjà ouverte pour lui et que son silence m'est plus douloureux à vivre que mille sodomies (j'exagère, je ne sais pas ce que sont mille sodomies ; je sais toutefois qu'elles me déchireraient moins sûrement que l'attente de la main de Bélard sur moi). »

Dessous, à la même encre :
« J'ai écrit sur alors que je pensais en. Si j'avais eu le courage d'écrire en, je crois que je me serais évanouie. »

Extraits du journal de Bélard, mardi.
« Je la désire sans presque rien savoir de son corps.
« Ça ne m'est arrivé qu'une fois avec (le nom est difficile à déchiffrer ; on peut lire Inès ou Irène ou encore Agnès), je l'ai aimée tout entière, comme on aime un bébé, sans se préoccuper de savoir s'il est beau ou s'il est banal, ou même laid, car on l'aime sans le comparer à aucun autre, et c'est quand j'ai pris conscience que je l'aimais que je l'ai regardée comme une femme, et je me souviens que je me suis dit ceci, qui m'a étonné, parce que j'aurais dû le voir avant, et ravi, parce que je découvrais qu'ils étaient beaux : celle que j'aimais avait des seins !
« Je ne sais rien d'un corps qu'elle ne me montre pas et que, pas plus, je ne cherche à deviner.
« Bien sûr il entre dans mon intérêt pour elle des éléments corporels tels que le regard, encore que le regard ne soit comparable ni aux jambes ni aux seins, et son regard ne m'attire que parce qu'il m'élit, parce qu'il m'a élu. Mais le regard de

Pièra m'a élu depuis beaucoup plus longtemps que le sien, et il m'attire et m'émeut également, alors quoi?

« Alors ce qui, dans son attraction, est irréductible à toute autre attraction par une femme jusqu'ici.

« Il n'y a pas long à chercher pour trouver que c'est son mètre quatre-vingts. »

Sur une page séparée agrafée à la page précédente, sans indication de jour ni d'heure, un acrostiche en alexandrins sur le nom de Loïse :

Hautement m'excite cette question, rien qu'
En pensant au trajet que mes doigts devraient faire
Si, depuis vos pieds lointains, ils remontaient au
Sexe : de combien votre taille accroîtrait leur
Extase à parcourir tant de peau vôtre nue ?

23

LES CHAMPS MAGNÉTIQUES

Il fut faible. Il l'invita.
Elle fut paresseuse. Elle accourut.

Quand il lui ouvrit, sa taille, qu'il attendait, le surprit une fois encore. Elle avait troqué le jean étroit contre une jupe courte et des bottes. Impulsion du dernier moment, qui l'avait mise en retard et ajouté au capharnaüm de sa chambre, elle avait décidé de montrer ses jambes. Entre le bord de la jupe et le haut des bottes, résidait le plus risqué de l'anatomie des membres inférieurs d'une femme, le genou. Elle le risqua. Souvent mollet est bien tourné et cuisse pleine de promesses, mais genou cagneux ou brassicourt. Le sien était parfait. Cependant comme il faisait froid, elle mit des collants de la même couleur noire que les bottes. La perfection des genoux de Loïse, il devrait se contenter de la deviner. Et alors qu'elle avait écarté le rouge à lèvres pour cause d'improbable baiser fougueux, elle ne songea pas un seul instant, tandis qu'elle sautillait en soutien-gorge et en culotte sur une jambe, s'efforçant d'extirper l'autre du jean, que Bélard pourrait vouloir l'éplucher avant de lui écarter les genoux.

Il était prévu qu'elle restât une heure, elle resta l'après-midi. Ils parlèrent de tout sauf du travail qui justifiait le rendez-vous. Elle, ça surprit Bélard, lui raconta ses rêves des jours précédents. (Elle évita ceux où il était.) Lui se lança dans un discours à propos du corps qui le surprit le tout premier, mais qui enchanta Loïse parce que, sur le corps, elle en connaissait une tranche, mais pas la tranche que détaillait Bélard.

Loïse exhibait son jeune sexe et l'appétit tout neuf de ce sexe épatant. Elle s'en ouvrait à travers les épaisseurs de voiles de ses rêves, comme une fille qui fait confiance aux fanfreluches pour désigner en le masquant ce qu'elle désire montrer au plus vite.

Bélard voulait qu'elle sache combien sa faim d'elle excédait le désir d'un corps dont on ne fait qu'une bouchée. Plus difficile à suggérer que l'appétit, il utilisait tous les détours que lui permettait l'étendue de sa culture, et ces détours, parfois aussi grands que la faim qu'ils illustraient, rassuraient Loïse. Il était vraiment possédé de la faim qu'il disait, elle le croyait, et cette faim aiguisait son propre appétit, dont Roman, qui en constituait l'ordinaire, n'avait qu'une idée approximative.

Il profita qu'elle se lève pour lui demander sa taille exacte. Elle rit. On vous la demande souvent? Chaque fois que je candidate comme hôtesse. Elle la lui donna. En pouces, pour le taquiner. Il calcula plus vite que prévu. Quatre-vingt-un! s'étonna-t-il. Quatre-vingts, dit-elle.

Elle lui tournait le dos à demi, la main droite caressant du bout des doigts les alignements de livres qui tapissaient trois des quatre murs. Et vous avez lu tout ça? Ce fut à son tour de rire. On vous le demande souvent, fit-elle en écho, mais sur le mode affirmatif. Il dit Oui, surtout les jeunes enfants. Elle rosit. En rajouta pour écarter le trouble qui la gagnait. Tout? fit-elle, l'accompagnant du geste d'englober la pièce du sol au plafond. *Vraiment* tout-tout? *Presque* tout, concéda-t-il. Il en est que j'ai seulement survolés, mais d'autres que j'ai lus plusieurs fois et que je relirai encore certainement. Vous ne me croyez pas? Mm… moui, dit-elle. Elle sentit que ce doute feint l'amusait. Est-ce qu'il n'y en aurait pas un, un tout petit, vous voyez (elle fit le geste de diminuer l'épaisseur entre le pouce et l'index), quelque part par là, que vous auriez oublié de lire par hasard?

Il se leva à son tour.

Ils se trouvèrent soudainement tout près, trop proches l'un de l'autre.

Loïse l'éprouva la première. Je suis trop près de lui, se dit-elle, je sens la rétraction de sa zone intime, mais je ne peux faire autrement que de rester là.

Elle ne bougea donc pas.

Elle était comme un véhicule dont on a mal réparti une charge trop haute pour son équilibre, et qui peut verser à tout instant dans le fossé. Il y avait ce risque-là. Que Loïse vînt verser sur lui parce que c'était trop. Trop quoi? Trop. Trop de sentiment à la fois. Trop de dénivellation du sentiment. Une cataracte d'émois tombant sur les épaules d'une trop jeune trop frêle trop grande jeune fille.

Bélard non plus ne bougeait pas.

Mais pour Bélard, c'était l'inverse. Trop, pour lui, était la norme en amour. Et il craignait que Loïse ne versât en ce fossé uniquement parce qu'il l'avait aimantée avec ce trop.

Il était si près d'elle qu'il voyait le duvet de ses phalanges.

Elle était si proche de lui qu'elle serra la main sur l'étagère pour ne pas verser.

S'il me touche, je crie, pensa Loïse.

S'il ne me touche pas, je hurle, pensa-t-elle l'instant d'après.

Si je la touchais, songeait Bélard, elle ne me repousserait pas.

De cela il était sûr.

Puis il le pensa au futur simple. Si je la touche, je l'aurai dans les bras toute la vie.

De cela aussi il était sûr.

24

LES CHAMPS MAGNÉTIQUES, SUITE

Elle demanda à utiliser les toilettes.

Il lui indiqua l'endroit précisément. Mais il le fit sans se déplacer en sorte qu'elle se trompa. Fit « Oups ! » une première fois, puis « Je crois que » une seconde, et elle trouva.

Elle n'avait pas complètement tiré derrière elle la porte de la pièce qu'elle venait de quitter, en sorte que Bélard l'entendit vider sa vessie avec ce bruit caractéristique que fait l'urine d'une femme quand elle passe ses petites lèvres.

Telle est la musique intime de son quotidien, pensa-t-il. Elle est venue me la faire entendre. J'aimerais qu'elle rythme ma vie, le jour, la nuit. Je crois que j'aimerais pareillement les autres bruits de son corps quand il se vide, qu'il s'oublie, qu'il se lâche, toute cette fanfare de la tripe du moment qu'elle provient d'elle. À l'hymne de l'amour, on n'y peut retrancher une note seulement parce que c'est une note qui pète !

Loïse, tandis qu'elle vidait sa vessie, cherchait des traces de l'homme Bélard dans l'intimité. Elle était habituée à ce partage de l'odeur, de la rognure d'ongle, du poil pubien avec Roman. C'était de sa part une source de moqueries plus ou moins acerbes et parfois d'explosions de colère, qui n'affectaient jamais néanmoins le désir qu'elle avait de lui, ou guère plus de temps qu'il ne fallait à l'odeur pour se dissiper.

Elle eut beau, écartant la culotte des genoux, indaguer autour de ses chevilles et plus loin encore, le long des plinthes où ils se rassemblent quand le ménage est fait en vitesse, elle ne trouva pas un seul poil tire-bouchonné à ramener, à titre de trophée ou de preuve de l'universelle négligence des hommes, des w.-c. d'Antoine Bélard.

Il offrit le café.

Les doigts et la bouche occupés, ils se regardèrent en silence longuement.

Bélard jouait à se remémorer le mouvement que Loïse avait fait lorsqu'elle lui avait tourné le dos afin de s'aller déculotter hors de sa vue. Cette rotation des épaules autour du pivot des hanches, tellement banale chez toute femme qui tourne sur elle-même en se relevant, il la trouvait sublime chez elle. Il la répétait dans l'espoir enfantin qu'à force la magie en sortirait, comme la formule du parfum du pétale qu'on frotte entre ses paumes.

Le corps de Loïse appelait, il ne savait trop par quelle céleste mécanique il appelait mais sa taille y était pour quelque chose — et outre la longueur gracile de ses membres, son indolence générale et ce reste d'emprunt qui demeurait malgré l'élégance de ses gestes —, le corps de Loïse appelait le dépliement et l'ouverture.

113

Le dépliement avant l'ouverture.

Après, il le replierait pour le rouvrir.

Et ainsi jusqu'à ce qu'il se lasse.

Il ne se lasserait pas.

(Ou plutôt : son espérance de vie ne lui laisserait pas le temps de se lasser.)

Loïse, plus audacieuse, jouait à imaginer Bélard nu au fond du siège de cuir souple et profond où il sirotait en l'observant. Elle l'y avait disposé tel un bouddha. Elle n'avait pas eu à lui faire violence ni à batailler contre ses vêtements. Il avait été nu dès qu'elle avait désiré qu'il en fût ainsi, c'était si simple de déshabiller un homme par la pensée! On croit que les femmes, surtout les jeunes, n'y songent pas. Erreur grossière : elles y pensent tout le temps.

Néanmoins, elle était nerveuse. Aussi apeurée qu'une étudiante de médecine, à cause de la crainte du dégoût que la découverte de l'anatomie d'un homme vieux peut inspirer. Elle voyait tous les plis, tous les replis. Elle imaginait la texture de la peau au passage de la main, sa réaction au pincement, à la torsion, à la caresse, le goût qu'elle avait quand on y passait la langue, sa résistance, sa couleur, son jus quand on y imprimait les dents. Elle inventait des saveurs aux reins, au scrotum, aux aisselles, des moiteurs aux jarrets, des brûlures à la salive et au sperme. Et malgré tout, elle se désespérait parce qu'elle savait qu'elle se trompait, que ce serait pire ou meilleur, et qu'elle en oubliait certainement.

Bref, elle voulait l'ouvrir aussi.

Le déplier n'était pas nécessaire. On ne déplie pas un vieux. De peur qu'il ne casse à l'endroit du pli.

Mais l'ouvrir, quelle volupté!

Toutes les vieilleries ont une fragrance qui, à avoisiner la pourriture prochaine, vous en distillent une quintessence de bonheur durable pour les sinus et pour le palais.

Faut pas déplier, faut plonger les mains, enfouir le nez et mordre dedans à belles dents.

C'est valable pour les nippes comme pour la viande.

Bélard, il ne s'en douta pas une seconde, affolait chez Loïse une faim de ce qui, en lui, lui faisait horreur.

L'eût-il su, il n'aurait rien pu en dire.

Car, de sa vie, il n'avait encore jamais rencontré si jeune faim de lui.

25

LES CHAMPS MAGNÉTIQUES, FIN

Ça l'effraya.

Non que la chose fût possible, mais qu'elle advînt si tard.

Au soir de son existence, quand le deuil est déjà avancé de la sorte d'amour qui ne saurait advenir sur cette terre. Or de terre, il n'y en avait pas d'autre, même lointaine, même difficile d'accès, où un tel amour pût vous attendre.

Loïse, si proche du centre de Bélard, ne devina pas cette frayeur.

Elle n'aurait pas pu la comprendre au demeurant. L'amour d'une jeunesse pour un barbon n'était-il pas du seul ressort de la jeunesse? Loïse y croyait dur comme fer. Le barbon avait cet avantage pour les jeunes femmes qu'il n'avait pas à prendre l'initiative, ou que, s'il la prenait, elle n'était en aucun cas décisive, avec ce confort supplémentaire qu'à la différence des hommes jeunes, il ne pouvait pas se permettre d'insister.

Bélard ne possédait pas cette assurance de Loïse.

Il n'avait jamais été sûr de lui en amour. Bien que l'affection des femmes ne lui ait pas manqué, il s'étonnait à chaque nouvelle rencontre comme à la première que lui, Bélard, fût assez aimable pour qu'on l'aimât. Quant à pouvoir déclencher la passion chez une femme très belle, et quoique cela fût quelquefois arrivé (il jugeait que c'était par accident), il n'y croyait tout simplement pas.

En quoi il était beaucoup plus jeune que ne le laissait supposer son expérience, et infiniment plus que ne l'indiquait l'état civil.

Le danger pour une femme à fréquenter Bélard venait précisément de ce côté. Son charme était celui de l'enfant, étonné toujours d'être aimé pour ce qu'il sait bien qu'il n'est pas, et malgré les méchancetés qu'il se connaît.

C'était un charme vénéneux, auquel, si on succombait, on ne survivait pas sans séquelles. Celles qui l'avaient aimé passionnément pensaient encore à lui en le haïssant de n'être pas là à les tourmenter de ses yeux bleus ou gris ou gris-bleu – même la couleur exacte de ses yeux les tourmentait. Leur contemplation ironique leur manquait.

Elles n'avaient pas retrouvé chez un autre homme l'illusion du bonheur d'être comprises marié à un tel mépris de leurs petites vanités physiques et morales si importantes à considérer. Pas d'autre bleu ou gris ou gris-bleu qui allât aussi direct à leur âme en dédaignant leurs charmes, ou qui s'intéressât direct à leurs charmes en contournant si bien leur balisage prétentieux.

Le danger pour un homme à approcher Loïse tenait au charme de la conviction opposée. À cette assurance incroyable

117

qu'aucun exemplaire de leur sexe ne méritait que, se donnant à lui comme elle savait pouvoir se donner, elle livrât à un maladroit, un égoïste, un bousilleur, la merveille qu'elle avait conscience d'incarner, et dont elle se savait comptable à la fois devant les hommes et devant les dieux.

Elle se donnait pourtant. Mais c'était à défaut de s'immoler. Hommes la prenaient. Mais nul, la prenant, n'avait su encore la retourner comme peau de lapin ni, une fois écorchée vive, la fendre de la base au sommet, et qu'elle se vît ouverte dans l'ahurissement de ses yeux.

Ils se contentaient de la remplir, alors qu'elle attendait qu'on l'asséchât.

Et, quoiqu'elle n'eût pas vingt ans, elle commençait à geler cette attente à l'intérieur afin de ne pas crier, de se jeter sur les hommes et de les mordre à la jugulaire.

Ainsi arrivait-il qu'elle prenne à son tour. Il fallait que l'impulsion fût forte, l'occasion belle, le mâle arrogant, trois conditions difficiles à réunir, c'est pourquoi ça ne lui était pas arrivé souvent. Difficile d'expliquer la sorte de piège narcissique que lui tendait l'homme avec ce dédain d'elle, réel ou affecté, mais ça marchait. Il faisait se lever un vent subit de colère qui enflait très vite, soulevait sa jupe telle la patte d'un chat joueur, et la question, balayant toute mesure, la griffait haut entre les cuisses : Pour qui il se prend celui-là de ne pas vouloir me prendre? Alors elle prenait le sexe de ce foutriquet dans sa chatte pour bien montrer (à qui? elle ne cherchait pas à le savoir) qu'elle pouvait prendre elle aussi, et griffer, et ne pas garder, que baiser était un verbe à la forme active pour les filles aussi.

118

Roman? Mais Roman était comme son frère incestueux.

Ça fonctionnait. L'amour et le sexe de Roman faisaient correctement leur office d'être des digues et des vannes, dont le jeu sert à moduler le débit du fleuve Désir, lequel prend sa source aux annapurnas d'Attente et se jette dans la mer des Hommes-sans-Mère.

De temps en temps, il y avait une fonte des neiges dans sa tête, qui lui faisait prendre des centicubes pour des hectolitres à l'arrivée dans son delta. Elle le disait à Roman, lequel ne demandait pas mieux que d'y croire, ça faisait le bonheur de tout le monde.

Ça pouvait durer toute la vie.

Loïse s'y préparait.

26

MEU AMOR

Aux oreilles ourlées pour le compliment, la surprise vient par la musique. C'est ainsi que Bélard la surprit.

« Je voudrais vous faire écouter quelque chose, annonça-t-il. C'est très court, moins de trois minutes, vous voulez bien ? » Elle voulait.

Le nom qu'il annonça ne lui disait rien.

Excepté Luz Casal, dit-il, aucune autre voix de femme ne l'avait saisi d'emblée comme celle-là. On racontait que cette Portugaise, à peine plus âgée que ses étudiantes, était venue au fado par hasard. Qu'elle faisait des études de communication lorsqu'il lui avait été donné d'entendre, pour la première fois, le chant d'Amália Rodrigues. « Comme quoi, il ne faut désespérer de rien… », commenta Bélard tandis qu'il positionnait le cd.

Elle prit la pique pour elle.

Lui fit une moue de reproche.

Elle avait retrouvé son regard par en dessous.

Le premier couplet était une question.

De que túnel de que árvore, De quel tunnel, de quel arbre…

La question se répétait, douce mais insistante, convoquant d'étranges et inquiétants témoins.

De que zero de remorso, De quel néant du remords, *De que rasura do vento,* De quelle fracture du vent, *De que núpcias de mármore,* De quelles noces de marbre…

Vers quoi convergeait cette question lancinante, elle ne le devinait pas encore. Mais elle comprenait que c'était l'interrogation même de Bélard à propos d'elle.

Lui attendait son jugement.

Elle le suspendit dans l'attente de la clôture.

Quand celle-ci arriva, il lui demanda, c'était un peu tard, si elle comprenait le portugais.

(Elle le comprenait. Mais, devinant sa crainte, elle fit signe que non.)

De que fresta de que pórtico Saíste neste momento?

De quelle fente de quel portique es-tu sortie à l'instant?

Il m'aime, pensa-t-elle comme une évidence.

Elle eut envie de le dire à voix haute, mais il était là, il le savait, et ça ne se dit pas à voix haute. Ça peut se chanter dans les rues, se crier sous les voûtes un soir d'ivresse, mais ça ne se dit pas en la présence de l'*érôn*, de l'aimant, surtout à la troisième personne. À la seconde non plus, ça ne se dit pas. L'évidence d'être aimée, quand elle flocule ou qu'elle tombe à vos pieds, Loïse découvrait qu'elle se doit taire.

Elle la tut.

Mais l'effort de la taire l'assourdit au point qu'elle n'entendit rien de la suite. Elle voyait les petites barres des unités de temps défiler à l'économie sur l'écran à cristaux liquides de la chaîne, mais elle n'entendait pas les paroles, seulement le rythme des guitares basses et le son aigu des cordes pincées.

Elle sortit de sa surdité à 2:32.

C'était la reprise de deux vers.

Deux vers du troisième couplet, qui était aussi le dernier.

Deux fois deux vers déchirants, en lesquels elle lut l'annonce de ce qui l'attendait si elle ne quittait pas au plus vite ce lieu encombré de livres, empli de la musique si jeune, si proche d'elle, et pour cela si dangereuse, d'un homme vieux qui pouvait être son père, peut-être même son grand-père, et dont l'envie d'être l'amante la possédait déjà, mais c'était trop tard, déjà trop tard, bien heureux qu'elle résistât à l'envie de se lever et de venir l'embrasser à pleine bouche.

Não és de nenhum sossego, Tu n'es d'aucun repos, se plaignait l'amante à l'amant. *Vives no gume do ser,* Tu vis sur la lame de l'être.

« Quelle belle voix! dit Loïse, pour couper court à l'émotion.

— N'est-ce pas? » répondit Bélard bêtement.

Déjà le morceau suivant commençait.

Bélard saisit la télécommande. Ses doigts hésitèrent un peu trop entre les touches pour empêcher que les premiers mots, répétés clairement, n'emplissent la pièce.

Meu amor… Meu amor.

Que n'avait-il débuté par celui-là! songea Loïse.

Même sans comprendre le portugais…, craignit Bélard.

Et il retira le cd.

Silence.

Ils évitèrent un long moment de se regarder.

DÉPART DE LOÏSE

Plus tard, elle demanda la permission de fumer.

Une dernière, négocia-t-elle.

Bélard compta machinalement les mégots. Elle le vit. Anticipa son calcul. Je sais, ça fait huit. Neuf, corrigea Bélard. De toute façon, c'est trop, convint-elle.

Il alla ouvrir la porte-fenêtre.

Loïse eut froid. Se pelotonna dans ses propres bras. (Elle avait l'espoir de le fléchir. Il n'en fut rien.)

Pourtant il subissait aussi, c'était visible. Elle l'aima d'avoir froid pour son plaisir. (Elle le fit durer un peu.) Puis elle eut pitié à son tour.

Il sourit lorsqu'elle tapota le bout de la cigarette dans le cendrier pour l'éteindre. Il en restait autant à fumer que de mégot.

« Quel gaspillage ! railla-t-il.

— Je ne vous le fais pas dire. »

L'excuse de la cigarette épuisée, elle se leva.

Mais Bélard parla, et elle se rassit.

Quand elle se décida, il faisait nuit. Les immeubles proches avaient éclairé leurs façades. Elle enfila son manteau, s'approcha de la baie vitrée en contournant le bureau encombré de Bélard. Si à cet instant il lui avait demandé de rester, elle aurait envoyé balader le manteau, Roman, et ses résolutions de toujours, de jamais. Il ne le lui demanda pas. Mais elle le sentit approcher dans son dos. Elle eut encore l'infime espoir qu'il la toucherait. Quel que fût le désir qu'il en avait, il ne le fit pas. On voyait scintiller les fenêtres à travers les feuillages mollement secoués par le vent.

Sur le palier, à nouveau, elle hésita.

Il la regardait, appuyé au chambranle, un sourire flottant sur les lèvres. Elle le trouva énigmatique, alors qu'il était seulement indécis.

Le temps s'effilochait, telle une maille de laine blanche qui, s'accrochant à un clou, refuse de dévier d'un pouce son trajet.

Loïse sentit se nouer dans son ventre la certitude qu'elle pourrait rester là à attendre un geste de cet homme tout le restant de sa vie. Cet homme ne se lasserait pas plus de la regarder en silence qu'elle de se dandiner pour lui sans émettre aucun son.

Il la trouva belle d'une beauté hors du temps, hors de prix. Et pourtant belle à dévorer. À dévorer entièrement, des orteils à la nuque, en laissant juste vivre le devant du visage, afin qu'elle pût voir l'ampleur du carnage courir sur elle, et qu'elle approuvât jusqu'au bout d'en être l'objet.

Elle pivotait des hanches autour de l'axe de ses jambes, les mains cherchant une contenance, ne la trouvant pas, ainsi font les fillettes qui ne savent ni rester ni partir.

Bélard dit : Bon eh bien je.

Loïse : Oui d'accord.

Bélard : Vous n'oublierez pas de me.

Loïse : Non c'est promis.

Et à peine avait-elle dit C'est promis qu'elle sentit que le moment était venu. Que c'était à elle de commander au destin. Qu'elle avait ce pouvoir. Le pouvoir, avec cet homme-là d'ouvrir une porte. Qu'il l'attendait. Que cela ne se reproduirait plus, du moins avec lui, plus jamais. (Elle perçut tout cela en même temps.)

Elle dit : J'attends que vous m'écriviez.

— Ah oui, vraiment ? dit Bélard.

— Oui. J'espère une lettre de vous.

C'était dit. Elle avait osé dire cela à Bélard. Je vous attends. Désormais, il n'y avait plus rien à faire qu'attendre.

Tandis qu'elle écoutait l'ascenseur monter vers elle, elle tendit l'oreille du côté de la porte de Bélard, espérant qu'il ne l'avait pas refermée tout de suite.

Bélard demeura derrière jusqu'à ce qu'il entendît le bruit de métal caractéristique de son arrêt.

28

CHUT !

De : Antoine Bélard <belant@ tuttiquanti.fr>
À : Hesse Loïse <hesso@ beresina.com>
Envoyé : mardi 11 mars 00:50
Objet : Chut!

Chère L.H.,
Tout ce que je pourrais dire est comme un bébé point encore prêt à affronter le jour.

Le jour lui-même n'est pas né à la lumière dont il a besoin pour accueillir le dire aux membres comme collés par le sommeil d'une existence qui précéda celle-ci.

Ce n'est pas que le dire craigne de se dire (il craint, certes, mais en cette crainte il saurait trouver force s'il fallait), c'est plutôt que doivent sonner juste les mots qui ne se disent qu'une fois, car ils touchent au cœur.

Manquer à l'attente serait du même danger que manquer l'organe qui connaît sans les yeux ni les mains.

Les yeux se contenteront de briller plus, les mains de s'occuper à combler le vide qui sépare leurs paumes de celles qu'elles prendraient volontiers dans les leurs sans attendre.

Tout est déjà su néanmoins.

Cette certitude console de l'absence de l'être retenu de venir aussi vite et fort qu'il voudrait aussi.

A.B.

La chaleur monta aux joues de Loïse quand elle en prit connaissance le matin du 12. Personne ne lui avait jamais écrit de telles choses. Personne ne lui avait encore parlé avec ces mots. Elle n'eût pas été capable de trouver les mêmes, mais ces mots étaient les siens, elle ne le savait pas jusqu'à Bélard.

Elle les relut plusieurs fois. Elle les relut en se cachant de Roman quand il approchait d'elle, intrigué par le bonheur qu'elle dégageait et dont il connaissait bien les effets visibles, ce sourire flottant surtout.

Elle désirait lui répondre tout de suite. Ce n'était pas possible. L'après-midi il avait cours. Elle passerait à la fac pour le voir. Non. Se débrouiller pour le rencontrer par hasard. Non, non. S'il devait l'ignorer à cause de la présence d'un collègue ou d'autres étudiants, ce serait pire que de ne pas le voir. S'il s'avançait malgré tout vers elle en public, elle serait changée en statue si ce n'était en pivoine. En outre, elle ne saurait rivaliser en lui écrivant. Il fallait trouver à le surprendre.

Elle trouva.

Elle lui avait longuement parlé d'une pièce dans laquelle elle avait tenu un petit rôle l'an dernier. Bélard s'était montré amusé par l'idée de l'auteur, disparu depuis, de faire parler tour à tour les quelque 180 pensionnaires, souvent parents, victimes ou amants les uns des autres, d'un même cimetière.

Eh bien voilà. Elle lui offrirait *La Mastication des morts*. Elle répondrait à son Chut! par un petit mot, qu'elle glisserait dans le livre, et elle déposerait le tout soigneusement emballé sur son bureau. Mais il fallait absolument que ce fût aujourd'hui.

Tandis qu'elle regonflait les pneus de son vélo, elle songeait à la dédicace. N'avaient-ils pas débattu du titre? Oui, bien sûr. Il avait tiqué sur « mastication ». Lui en préférant un autre, plus conforme selon lui à la rumination dont il s'agissait. Un terme ancien. Qui remontait à Rabelais, mais qui avait aussi un sens théologique. Man… manduquer, c'est ça. L'ennuyeux, c'est qu'elle n'était pas certaine de l'orthographe du substantif. Manducation, ça prend un « c » ou bien un « q » comme le verbe à l'infinitif? Elle se le demanda tout le temps qu'elle mit à remonter une rue en slalomant entre deux rangées de voitures. Pour un peu, elle l'eût demandé à l'un ou l'autre des conducteurs qu'elle dépassait et qui avaient la vitre ouverte. L'idée l'amusa un instant, mais elle renonça. Elle abandonna aussi celle de faire un saut au rayon dictionnaires de la première librairie qui s'offrait.

Elle ne trouva que la ressource paresseuse d'écrire sa dédicace au crayon. Ainsi pourrait-il la corriger, ou la gommer entièrement – ou seulement l'astérisque.

(Elle était sûre qu'il n'en ferait rien. Mais l'écrire au crayon était se mettre en posture d'être effacée par lui. C'était une position littéralement, oui, sexuelle. Comme de se mettre à genoux et de lui livrer son q. Elle savait qu'il saurait l'entendre.)

« Chut?

Alors je me tais.

Pour l'instant.

Bonne manduquation*.

L.H.

* C'est peut-être un c mais je préfère le q, sans sous-entendu. »

LES CULS ET LA LANGUE

Le sous-entendu fut évidemment ce que Bélard entendit dès qu'il le lut. L'écriture était haute et belle. Le choix du crayon l'étonna. Elle avait à peine appuyé comme pour faire oublier sa personne derrière le geste, et qu'il ne retînt que celui-ci. Il accomplissait en outre son office, qui était de faire passer le jeu de mots pour une légèreté, laquelle s'offrait à être effacée, c'était malin.

Il lui répondit le soir même en commençant par un reproche.

« Ai-je dû vous faire souffrir, il faut le croire, pour que vous me rendiez si cruelle votre absence, surtout quand vous vous dérobez en laissant la trace la plus légère qui soit de vous. »

Il lui disait avoir annulé un voyage, et lui proposait de la revoir le samedi afin de l'aider à rattraper un retard dont il se rendait aussi responsable qu'elle depuis, disait-il, qu'il avait mis la musique au programme de leurs rencontres de travail.

Il ne la remerciait du livre qu'à la fin. Il y précisait ceci :

« Question manducation, je le regrette pour celles qui le q

préfèrent, mais c'est le verbe seul qui l'autorise. Ainsi vont les culs dans la langue, et non l'inverse. »

(Le « et non l'inverse » était osé. Pour en alléger l'obscénité, il avait cru bon d'ajouter, c'était à propos de la langue :)

« N'est-ce pas celle de Rabelais ? »

JEUNE, VIEUX

Les deux jours qui les séparaient de leurs retrouvailles passèrent comme un été écrasant.

Un été, parce que la joie d'avoir un corps qui existait pour aller au-devant d'un autre corps les soulevait au-dessus de la condition ordinaire de ceux-ci. Il importait peu que Loïse eût quelqu'un dans son lit, ni que Bélard y dormît seul. Car ils partageaient dorénavant l'excitation de savoir que le corps de chacun pouvait exister et être désigné par l'autre aussi crûment qu'un corps peut l'être, à savoir par son cul, ça n'était pas rien. L'écart des générations y ajoutait sa chaleur spécifique, comme issue d'une accumulation de saisons aux fortunes solaires inégales.

Un été écrasant, parce que ces deux jours leur semblaient ne pas passer. Aucune tâche n'était assez prenante pour les distraire de leur attente, laquelle leur paraissait du coup aussi infinie qu'une journée d'école à un enfant de maternelle.

Ils souffrirent les mêmes affres.

Et bien qu'ils sussent, à la différence des enfants, que le moment du bonheur d'être ensemble ne manquerait pas de revenir, ils frémissaient de la même archaïque angoisse que la chronologie puisse être fatale à leur amour, que le temps, frappé d'immobilisme par des dieux hostiles, puisse soudain cesser de s'écouler – qu'il s'écoulât avec cette lenteur insupportable n'était-il pas déjà un signe que les dieux ne les aimaient pas autant qu'ils s'aimaient eux-mêmes ? – et, c'est cela qu'ils craignaient en réalité, qu'ils ne retrouvent pas au bout du compte la même hauteur, la même intensité de vibration de l'amour qu'au moment où ils s'étaient quittés.

Vint toutefois le samedi.

Pas plus qu'à la précédente rencontre, ils ne purent s'empêcher d'oublier au plus vite ce qui les réunissait.

Elle avait amené « sa » musique. Il lui en fit reproche. Mais quelle satisfaction pour lui qu'elle l'allégeât du poids de la décision, contraire à l'éthique professorale, de repousser le travail après le plaisir !

Plaisir est un grand mot.

Ils jouissaient de s'être retrouvés, ce plaisir-là suffisait.

La musique apportée par Loïse, à peine s'ils l'écoutèrent, préférant chacun la musique des mots de l'autre, elle cessa sans qu'ils l'entendissent.

Le temps soudain caracolait, tandis qu'inflexibles les heures dégringolaient sur l'horloge frontale du magnétoscope.

Ils s'étonnèrent. Soupçonnèrent les chiffres de malice.

Accusèrent le jour de tomber plus tôt, les frondaisons de faire accroire à la nuit.

Allons, il faisait encore clair ! Encore un peu.

Un peu de quoi ? Un peu de parlote supplémentaire.

132

Un peu de silence, un peu de rien.
Ils aimèrent ce rien à la folie.

Puis, indéniablement, vint la nuit.
La nuit vient toujours, c'est la sanction.
À nouveau Loïse se leva, se rassit.
C'était différent de la première fois. D'abord parce qu'il y avait eu la première fois. Ensuite parce qu'ils savaient l'accord des esprits animaux, que cet accord était écrit, accepté, nommé l'accord des culs.

Elle se leva, ne se rassit pas. Réclama le blouson dont il l'avait débarrassée à l'entrée. Il l'avait mis avec ses affaires, dans l'espoir secret qu'elles en prendraient le parfum et le conserveraient quelque temps.

Bélard se dit qu'elle allait partir, qu'il la perdait, qu'il allait la perdre ainsi chaque fois qu'elle viendrait, jusqu'à ce que cette fois soit la dernière, et qu'il ne le devinerait peut-être pas.

Il fut triste, amer, désarmé, tout cela ensemble et furieusement.

Loïse enfila son blouson sans un mot.
Elle était jeune, il était vieux.
Sans le savoir, ils eurent cette pensée en même temps.

31

LE LAIT DES MAINS

Dans l'entrée, elle tendit la main.

Il la prit. Elle ne la retira pas.

Surpris, Bélard hésita. Il ne l'eût pas gardée contre son gré, mais l'idée de la repousser lui fut insupportable. Il trouva la ressource de tourner la paume vers le haut et d'ouvrir les doigts. L'oiseau s'échapperait s'il le décidait, et quand il l'aurait décidé. En attendant il pouvait demeurer là tout le temps qu'il voudrait. Toute la vie? Toute la vie. Dans tous les cas la vie, pour lui, serait plus courte que celle de l'oiseau…

Loïse se dit Je suis folle, mais elle avança quand même la main. La saignée du poignet gauche de Bélard était douce. Elle glissa deux doigts sous la chemise, c'était chaud. Elle pensa une fois encore Je suis folle, puis elle cessa de le penser. Bélard ne boutonnait pas les manches de ses chemises, et les phalanges de Loïse avançaient sans rencontrer d'autre résistance que celle du tissu qui bouffait sur l'avant-bras.

Bélard se dit Il faut que je parle maintenant, mais aucun mot ne vint. Le moment des paroles à la place des actes était passé.

Franchie du bout des doigts la frontière de l'intimité de Bélard, Loïse ne pensait plus. Bien qu'elle fût droite sur ses jambes, le dépassant d'une tête, il lui semblait avoir ployé le genou et être sortie de soi d'au moins un pas en avant de sa poitrine. Et, dans cette zone nouvelle, qui n'était déjà plus elle mais pas encore Bélard, elle sentait circuler sa substance. Comme si, sa volonté l'ayant précédée d'un bond intrépide hors de son orbe, sa substance se devait de la rattraper en migrant au plus vite vers les extrémités tactiles d'elle-même.

Si on lui avait demandé où elle se sentait être en ce moment, elle eût pu répondre qu'elle était rassemblée dans la pulpe des doigts de sa main droite.

Elle pensait Bélard avec sa pulpe, elle avançait. Jusqu'où la laisserait-il aller?

Elle, en tout cas, était partie pour ne plus s'arrêter. Ses gestes puisaient désormais à la corbeille des actes de la chambre. Bientôt, s'il la laissait faire, elle déboutonnerait sa chemise, l'extirperait du pantalon, puis elle dégraferait sa ceinture.

Ce n'était pas qu'elle le désirât, c'était dans l'ordre.

Soudain, il se décida. Ses mains devinrent actives à leur tour. Intrépides, gourmandes de la peau cachée de Loïse.

Sa chemise avait des boutons au poignet. Il eût tôt fait d'ouvrir la voie et de combler son retard en caresses.

Dès lors, la volonté de Loïse céda le pas à la volonté de Bélard. Elle s'en remettait à ses mains. Seraient-elles parties à l'assaut de son corsage, ainsi que procèdent souvent les

mains des hommes, elle les eût laissé faire. Mais elles ne désiraient pas partir à l'assaut. Elles désiraient se garder pour les
caresses.

Et, parmi toutes les caresses imaginables, elles n'arrivaient
pas à imaginer de caresses destinées à une autre partie du
corps plus désirable à caresser que des mains.

Ainsi firent-ils.

On aurait dit qu'ils se lavaient les mains l'un l'autre, les
mains de chacun prises tour à tour dans le savon tiède des
mains de l'autre, s'y laissant glisser et tourner voluptueusement.

Bélard regardait, incrédule, les mains fines et petites, eu
égard à sa taille, de Loïse. Et quoique le rapprochement fût
impensable, il pensa que laisser fondre ses mains dans d'autres
mains ne lui était pas arrivé depuis le creuset des grandes
mains calleuses de grand-père, ayant trouvé le subterfuge de
savonner ses petites mains dans les siennes, en cette époque
lointaine de l'enfance où l'on répugne au lavage cent fois
exigé de ces extrémités fureteuses. Il avait oublié ce plaisir.

Loïse aussi avait oublié ce plaisir. C'était un plaisir plus
récent, différent de celui de Bélard en cela que laisser fondre
ses mains au lait des mains de maman était une récompense
recherchée. Elle pensa : Il a les mains aussi petites et douces,
aussi mystérieusement contenantes que celles de maman.
Puis : Ce ne sont pas des mains de vieux.

Bélard : Comment ai-je pu ignorer ce plaisir avec d'autres
femmes jusqu'à Loïse ? Pourquoi ai-je dû attendre qu'il me
soit redonné par une enfant ?

32

SECOND DÉPART DE LOÏSE

« Je dois partir, dit Loïse, il le faut!
— Partez, dit Bélard.
— Je n'arrive pas à partir!
— Alors restez.
— Ce n'est pas possible, vous savez bien!
— Non, je ne sais pas, je ne sais rien…
— Je n'ai pas *envie* de partir.
— Je n'ai pas envie non plus que vous partiez.
— Je suis déjà très en retard…
— Vous attendez de moi que je vous mette dehors?
— Non. Ne me mettez pas dehors. Je vais partir.
— Je ne pourrais pas vous mettre dehors.
— J'espère bien!
— Que puis-je faire d'autre que de vous demander de rester?
— Dites-moi de partir…
— Non.
— Si vous voulez me revoir, dites-moi de partir.
— Je veux vous revoir…
— Dites-le!

— Je veux vous revoir.

— Non, pas ça… partir.

— Je ne vous dirai pas de partir. Je ne peux pas vous demander de partir alors que je souhaite plus que tout que vous restiez!

— Aidez-moi, je vous en prie! Si vous voulez me revoir…

— Est-ce que vous me menacez de ne plus vous revoir?

— Je ne peux pas imaginer de ne pas vous revoir.

(Ses yeux s'embuèrent. Elle n'avait pas lâché ses mains.)

— Alors… s'il le faut… pour nous revoir…

— Il le faut.

— Partez, Loïse Hesse! Partez parce que vous le voulez.

— Vous savez bien que je ne le veux pas.

— Partez parce qu'"on" vous attend.

— Oui.

(Il désengagea ses mains d'entre les siennes, lentement.)

« Il faut que vous m'autorisiez, vous comprenez?

— Non. Mais je vous autorise… On ne m'a jamais demandé ça!

— "On"? taquina-t-elle à son tour.

— …

— C'est pour que je souffre un peu plus que vous?

(Il secoua la tête, les yeux baissés.)

« Dites-moi!

— Non. Cessons cela. C'est vous qui partez et moi qui reste…

(Il n'avait pas osé dire "qui partez vers un autre", mais elle l'entendit. Il ajouta :)

« … seul.

— Je sais, dit-elle.

— Je vous attendrai, dit-il.

— Oui.

— Je commence déjà à vous attendre.

— Embrassez-moi…

(C'était une prière. Bélard prit l'ovale du visage de Loïse dans ses paumes. Elle abaissa les paupières. Choisissant une paume, elle y déposa le poids de sa tête. Puis, les paupières toujours closes, elle dit, un ton plus bas, c'était un ordre :)

« Embrassez-moi!

(Bélard l'embrassa sur le front.)

« Pas comme ça! dit-elle furieuse.

— Ce sera comme ça aujourd'hui », dit-il, soudain rembruni.

Sur le pas de la porte, elle se ravisa. Reprit ses mains. Il retrouva la fraîcheur de ses avant-bras, leur adorable ligne de fuite, leur minceur. C'était une sensation exquise. Elle lui sembla nouvelle, alors qu'il venait à peine d'en quitter une qui, en toute logique, eût dû lui ressembler beaucoup. Ce renouvellement immédiat de la sensation le bouleversa. Un mélange de joie verticale et de crainte larvée. Si les seuls bras de Loïse Hesse étaient une telle source, quel inépuisable torrent devait l'attendre entre ses jambes! Et quelle serait l'étendue du malheur si elle retirait les uns et les autres!

Le pressentiment de la catastrophe qu'était la rencontre de Loïse s'insinua en Bélard tandis qu'il en savourait le miel.

Pour l'heure, il n'en mesurait pas toute l'étendue.

Afin que dure la prison de caresses où les mains de Loïse gardaient la sienne, il empêcha longtemps avec l'autre la fermeture de l'ascenseur.

Plus le temps passait sur ce seuil contrariant, plus Loïse désirait Bélard. Plus elle touchait de sa peau, plus elle en voulait toucher. Eût-il esquissé le geste d'un homme qui veut faire l'amour dans un ascenseur, elle eût ôté sa culotte sur-le-champ. (Elle ne savait pas encore qu'il eût préféré qu'elle la gardât.)

À l'inverse, plus le temps passait, plus Bélard se résignait à ce qu'elle partît. Scandé par la fermeture automatique de la porte, le sentiment d'une fin imminente s'imposait à lui. Il souhaita que cela s'achevât vite.

Quand il délivra enfin le mécanisme, Loïse eut l'impression d'un arrachement, Bélard d'une délivrance.

Étrange descente vers le bas du corps de l'aimée.

Leurs yeux ne le virent pas, mais la tête de Loïse passa devant les pieds de Bélard, puis elle continua à descendre ainsi à la verticale, passant les étages comme si elle s'enfonçait dans un puits de mine.

Aucun des deux n'eût imaginé que, de la même manière, elle plongerait un jour dans les enfers.

Ni que le décompte du temps de l'amour avait commencé là, sans qu'ils eussent échangé un seul baiser.

33

INTÉRIEUR NUIT (3)
LA PEAU RETOURNÉE ET LE PILON

Bélard rêva.

Il était à Paris, au quartier Latin. Au débouché d'une rue sur le boulevard Saint-Germain, à la hauteur d'Odéon. Il marchait sur le trottoir de gauche, dans la direction de Cluny, il y avait foule. Soudain, venant en sens inverse, il aperçoit Loïse. Elle marche sur le même trottoir, légèrement à sa droite, côté chaussée. Elle avance dans sa direction au milieu de la foule, vêtue d'une veste trois quarts en peau retournée qu'il ne lui a jamais vue et qui n'est pas dans son style, encore moins dans ses idées (il n'imagine pas que Loïse puisse porter une telle peau), et il s'en fait la réflexion. Dans le même temps, il en infère qu'il fait froid bien que la lumière soit claire (il ne ressent nullement le froid), ce doit être un mois de janvier ou de février. Il aperçoit Loïse une fraction de seconde avant qu'elle ne l'aperçoive à son tour. Sans doute devaient-ils avoir rendez-vous, car elle ne manifeste pas de surprise. Ils sont tout de suite l'un devant l'autre, sans parole ni baiser, rien que dans la satisfaction intense et réciproque de s'être trouvés.

Ainsi prenait fin le rêve abruptement.

Loïse rêva.

Elle était en cours, dans une salle du rez-de-chaussée, avec Bélard. Bélard s'était arrêté de parler afin de laisser à Pièra le temps de quitter l'estrade où elle se trouvait avec lui. Elle avait dû faire un exposé, mais ça clochait. Ça clochait parce qu'elle revenait à sa place sans se presser en reboutonnant son chemisier, les joues rouges, l'œil fixe, dénué de la moindre expression. Or, tandis qu'elle prenait conscience de ce désordre, la voix de Bélard appelait son nom : Loïse Hesse! Elle ne devait pas bouger assez vite car l'appel se répétait, plus fort : Loïse Hesse! Qu'est-ce que je devais faire que j'ai oublié de faire? Un exposé? Je ne m'en souviens même pas. Je n'ai rien préparé du tout. Je vais être ridicule. Je vais le fâcher. Loïse Hesse! Je vais le fâcher plus encore si je n'obtempère pas. Pièra, en passant, se frotte contre elle, qu'est-ce qui lui prend? Elle a un air mauvais, elle lui dit quelque chose qu'elle entend mal, ou peut-être qu'elle l'entend trop bien, elle lui dit : À ton tour de faire la pute, Joséphine! Joséphine? Elle entend Joséphine mais elle le voit écrit *Josefine*, comme le prénom de cette fillette des faubourgs de Vienne, *Josefine Mutzenbacher*, de la même écriture enluminée qu'on trouve sur la couverture du livre éponyme où, devenue une prostituée adulte, elle narre par le menu les initiations sexuelles et les abus de toutes sortes qu'elle a subis à un âge extraordinairement précoce. Et tandis qu'elle se fait la remarque qu'elle a lu elle-même ces horreurs beaucoup trop jeune, elle entend la voix de Bélard qui l'appelle toujours plus fort avec, de-ci de-là, des petits rires de complaisance qui fusent. Loïse Hesse! Loïse se lève. Elle n'a plus de jambes. Elle sait ce qui l'attend mais ce sont des mots. Les choses qui l'attendent, elle ne les sait pas. Bélard la regarde approcher avec ces yeux d'un bleu pâle qui sont comme deux petits lacs d'acier dans la peau mate de son visage. Il n'est pas du tout excité, plutôt distant. Seuls son souffle un peu court, et les gouttelettes de sueur qui perlent à travers ses cheveux ras, indiquent une agitation récente dont la violence se peut juger au tremblement qui affecte encore ses doigts. Puis tout va très vite. Elle est entre ses genoux, tournée vers le reste de la classe, les mains posées sur le pupitre, un livre ouvert entre ses mains. Lisez! ordonne la voix de Bélard dans son dos. Il y a un passage surligné au stabilo. Elle ouvre la bouche pour lire la première phrase, mais pas un son n'en sort parce que la main de Bélard vient de se glisser sous sa jupe. Elle atteint aussitôt ce qu'elle veut, sans s'attarder sur les rondeurs de ses cuisses, comme font les mains des hommes lorsqu'ils sont aimants, même rien qu'un peu, surtout la première fois. (Loïse se le demande aussitôt, c'est aussi fulgurant que l'assaut de la main : Est-ce que Bélard m'aime? Est-ce qu'il faut que je sois traitée comme une fille pour qu'il m'aime?) Et, tandis qu'elle s'interroge, la main poursuit son travail sans se préoccuper que ça lui plaise ou non. (Ça lui plaît.) Lisez! répète Bélard. Il le dit d'une voix très douce, qui contraste avec la rudesse de la main qui s'affaire. Elle n'a qu'une envie, c'est de plier les jarrets et de se laisser basculer contre lui en arrière, ou alors de se retourner et de lui faire face, mais non, elle comprend sans qu'il ait à le formuler qu'il désire qu'elle garde la position tournée vers les autres, qu'elle donne le change en lisant, et qu'elle le fasse sans plier les jambes dont elle a une envie aussi forte et pressante que d'aller pisser. Il commence lui-même à lire les premiers mots

143

tel un instituteur apprenant à lire à des tout-petits. *Il était penché en avant comme pour mieux surveiller… surveiller…* Mlle Hesse?… elle s'entend finir la phrase en chevrotant… *ce que je lisais.* – Mais non, voyons, *ce que j'é-cri-vais.* Continuez! – *Une de ses mains était posée grande ouverte sur la table…* – Bien! dit la voix, tandis que la main s'égare sur ses reins. (Elle voudrait qu'elle reste où elle est. Mais, soudain, elle se le demande : où est donc passée l'autre main?) Eh bien lisez! dit la voix comme si elle répondait à la question. *Cela aussi je le compris et, me penchant davantage sur la table, je lui mis mes seins dans la main.* Ce que lisant, elle fait. Ce que faisant, elle ne lit plus. Lui : Lisez, quand vous voulez…! Il a rapproché le buste de son dos. Elle sent à la fois la chaleur de son haleine contre sa joue, la brûlure de ses doigts et le contact timide, affolant de timidité, de son sexe érigé à l'entrée du sien. Lisez! gronde la voix. Loïse regarde la salle. Elle se sent mourir de plaisir et de honte mêlés. La salle est une batterie d'yeux qui pointe sur elle en silence. Elle cherche ceux de Pièra. Ils n'y sont pas. Elle cherche Roman. Roman est loin, là-bas, sur le parvis de la bibliothèque, en compagnie de Matthieu. Elle l'aperçoit par la fenêtre, depuis l'estrade où elle est en train de s'empaler sur Bélard, elle l'entend, alors qu'il est trop loin pour être entendu, qui cause et qui cause à son habitude, elle entend distinctement de quoi il parle, elle voit qu'il s'exalte tout en parlant, elle sent qu'il devrait cesser de parler et l'écouter elle, qui est en train d'être détruite, démâtée, chavirée par un autre homme, et qui va bientôt couler à pic comme elle coule déjà de plaisir, mais alors que se forme en elle l'idée de le reprocher à Roman surgit avec force l'idée inverse, l'idée que si elle était à portée de voix de

Roman elle ne voudrait pas être entendue de lui, car ce qu'elle fait ici, contrevenant à l'ordre de Bélard de lire tout haut et de rester droite, elle le fait parce qu'elle en a envie, il faudrait la tuer pour qu'elle y renonce. Elle n'en peut plus d'obéir, elle n'en peut plus d'attendre, elle est trop petite pour une telle épreuve, il faut qu'il se décide, c'est lui l'homme, mais il ne se décide pas. Loïse sent les muscles de ses cuisses durcir comme du bois, ses mollets sautiller comme sous l'effet d'un courant électrique. Les yeux de la classe entière la regardent. Il ne faut pas qu'ils devinent, il ne faut surtout pas qu'ils voient ce qu'elle est en train de lire, qui est aussi ce que Bélard et elle sont en train de faire, et qui est... là sa vue se brouille, les mots se chevauchent, elle reconstruit le sens péniblement... *que je pus... je servis... donc aussi bien... de mortier à son pilon.* « De mortier à son pilon », elle n'a jamais lu un condensé de l'acte aussi terre à terre, ça la choque. C'est la chose ou les mots qui la choquent, elle ne saurait dire, ça la surprend en tout cas, c'est d'un autre siècle, et c'est pourtant ce qu'elle désire faire dans l'instant et au plus vite. Or, c'est impossible – *impossible* aussi est dans le texte, juste au-dessous de *mortier* –, une vraie torture, que de se retenir de s'asseoir sur une verge déjà mouillée de vous, dont vous sentez chaque pulsation de l'envie d'entrer battre contre vos lèvres. Arrive un moment où plus rien ne peut être sauvé, ni l'âme ni le corps, ni les enfants ni les vieillards, ni les plantes ni les animaux, et alors le ciel se met à basculer lentement sur la terre comme si on s'évanouissait au ralenti et, serait-on certaine de s'empaler sur une pique et d'en mourir, on plie quand même les genoux parce que la douleur qui vient sera de toute façon moins grande que celle qu'on quitte. La punition ne se fait pas attendre. Elle sent ses seins empoignés, ses cheveux tirés en arrière, son anus visité par un doigt en même temps qu'un autre, ou deux, ou trois, entrent avec la verge. (Il a combien de doigts qui œuvrent ensemble?) Loïse ronronne telle une chatte. Elle est pleine et satisfaite comme jamais : l'homme qu'elle craint et vénère le plus au monde est en elle.

Mais alors qu'il commence à aller et venir, quelque chose s'emploie à la distraire du plaisir qu'elle trouve d'ordinaire à ce genre de va-et-vient. Elle est couchée sur le dos, alors que si Bélard la coïtait elle devrait être assise sur ses jambes, ou, à la rigueur, pliée en deux sur le bureau et sur le ventre.

Et puis… et puis ce n'est pas Bélard qui va et qui vient. Ce n'est pas le membre de Bélard, qu'elle ne connaît pas. Celui-là elle le connaît. Elle fait un effort énorme pour soulever les paupières. On les dirait cousues par le sommeil. Mais avant même qu'elle n'ouvre les yeux, elle sait qui, en ce moment, pèse sur elle et lui fait l'amour.

Elle le laisse prendre son plaisir.

Plus tard, c'était avant que le réveil sonne, elle était tournée sur le côté droit, il se colla à elle par-derrière. Est-ce qu'il a compris? se demanda-t-elle. Et, à nouveau, parce que ça lui plaisait aussi mais pas seulement, elle le laissa faire.

À un moment, il était au-dessus d'elle, elle s'accrocha des deux mains à ses avant-bras.

Ce n'étaient pas ceux de Bélard.

Et bien qu'elle aimât Roman, les bras musclés de Roman et ce que lui faisait Roman excellemment, elle le regretta.

34

LE VIEUX QUI AIMAIT LES ROMAN D'AMOUR

L'intense satisfaction que Loïse et lui eussent rendez-vous dans son rêve ne se dissipa pas avec le réveil. Elle dura le temps où il déjeuna, se rasa, prit une douche, et même après qu'il se fut assis à son bureau.

C'est à ce moment-là seulement qu'il se posa la question. D'où venait-il de ce pas décidé quand il déboucha à Odéon ? Il venait du carrefour de Buci. Certes, mais par quelle rue ? Il avait oublié.

Quelle importance le nom de la rue ?

C'était une rue très courte, un trognon de rue. Il n'évoquait rien en lui sinon la vitrine rétro du restaurant Le Procope que, bien avant qu'elle fût connue, Jessica Lange avait, entre autres lieux parisiens, fréquenté assidûment (elle y avait peut-être été serveuse).

Comme c'est contrariant un inconscient ! D'habitude, on le convoque pour retrouver un visage perdu, un corps chéri, une bouleversante sensation, et il se fait prier, il résiste, il se débine comme un lâche et un ingrat ; alors qu'il est si simple, pour lui qui n'oublie rien, de nous faire plaisir avec ce peu, on ne lui demande pas le Pérou ! Tandis que là, c'était

147

l'inverse : il insistait avec le nom de Buci, alors qu'on ne lui demandait rien...

Bélard se résigna à consulter un plan de Paris. Il le fit pour se débarrasser de la tension étrange qui commandait qu'il le fît et qu'on n'en parle plus. Il trouva. La rue d'où il venait dans le rêve, celle qu'il quittait pour trouver Loïse, avait un nom qui valait qu'on l'allât chercher.

C'était la rue de l'*Ancienne-Comédie*.

Ça lui fit un choc. Mais pas autant que quand il alluma l'ordinateur. Six courts messages de Loïse l'attendaient.

Ils arrivèrent en cascade, ponctués de la petite musique électronique à deux tons qui allait devenir, il ne le savait pas encore, la plus intime, la plus attendue, la plus précieuse des clochettes de l'amour qui tinte.

Ils avaient été envoyés à quelques minutes d'intervalle. Bélard les lut dans l'ordre inverse de leur envoi.

S'il avait hésité sur le sens de son rêve, le dernier message qu'il lut, qui était le premier à avoir été écrit – c'était à 6 h 37 du matin, il dormait encore –, lui eut fait l'effet d'un soulignage à l'encre rouge.

« Appelez-moi ! Je vais mourir. Loïse Hesse. »

« Suis-je bête ! Si tel était le cas vous m'auriez déjà appelée. »

« J'espère que vous êtes moins perdu, moins angoissé, mais aussi fébrile, aussi altéré que je le suis. »

« J'ai si peu vécu. Saurez-vous me dire où nous allons ? »

148

« Oubliez la question, je suis stupide. Vous toucher m'a émue et troublée comme jamais homme avant vous. »

« Parlez-moi de votre dernière femme. »

Il l'appela.

Loïse dit Enfin ! Puis J'ai rêvé de vous.

Bélard se garda de dire Moi aussi. Il dit Racontez-moi.

Elle dit Ah non, je ne peux pas. Mais elle ajouta Pas tout.

Il dit qu'il se contenterait de pas tout.

Elle sut se censurer à mesure sans enlever de son intérêt au récit. Elle raconta la salle de cours, mais pas Pièra. L'appel pour la lecture en public, mais pas le titre. Les ordres de Bélard derrière elle, mais pas sa main sous le bureau.

Je vous demandais de lire quoi ? demanda Bélard abruptement. Vous vous en souvenez ?

Elle aurait pu dire non, mais elle hésita. C'était un aveu. Elle devait absolument en trouver un. C'était un livre de… de… elle décida de dire le premier nom d'auteur qui lui viendrait, et le premier nom d'auteur qui lui vint fut : Sepúlveda.

Trop tard maintenant pour reculer.

Qu'avait écrit Sepúlveda que les étudiants, qui ne lisent rien en dehors des livres au programme, lisaient, parce qu'il existait en poche ou qui, à défaut de l'avoir lu, en connaissaient au moins le titre pour l'avoir vu traîner sur une table ?

Elle avait mis tellement de temps à former son mensonge qu'elle se précipita un peu pour l'annoncer : *Le vieux qui aimait les romans d'amour.*

Qui *lisait des* romans d'amour, corrigea Bélard.

149

Ah oui? s'étonna Loïse. Elle allait ajouter Vous êtes sûr? mais elle se retint.

Ce qui est bizarre dans votre rêve, reprit-il, c'est le lapsus.

Elle sentit son cœur s'accélérer.

Un vieux qui aimerait d'amour les Roman... peut-être pas tous, mais le vôtre... c'est ce que vous attendez que je sois?

Peut-être, dit-elle après un silence.

Elle s'était soudain vidée de sa joie.

C'est ce que vous voulez?

Je ne sais pas, dit Loïse.

Et toute sa joie le quitta aussi.

FATALITÉ D'INTERNET

Bélard passa la matinée à tourner et à retourner le message qu'il pensait devoir lui adresser au plus vite. Il était comme un forgeron qui martèle avec méthode le fer dont il s'apprête à se transpercer le cœur.

Loïse passa le même temps à pleurer.

Roman n'y comprenait rien. Elle allait si bien tout à coup depuis quelques jours ! Il s'accusa.

Elle le haït de ne rien comprendre. Un homme qui déclare qu'il vous aime, n'est-il pas compris dans sa déclaration qu'il aimera aussi ce que vous aimerez ? Sinon, c'est quoi un amour qui vous aime si, qui vous aime pour, qui vous aime tant que, pour que, autant que ? Du libre-échange ? (Elle le découvrait.) Elle se trouva injuste.

Ce fut le moment où, lassé d'essayer de s'accuser pour la comprendre, il l'accusa à son tour.

Du coup, elle se trouva juste.

Il partit en claquant la porte.

Elle n'essaya pas de le retenir.

Après moult développements, dont aucun ne lui convenait parce qu'on ne rompt pas en développant, Bélard réduisit son message à ces quatre phrases, qui disaient tout :

J'ai voulu croire que vous étiez libre et j'ai incidemment oublié mon âge et le vôtre. C'est dire l'ampleur de mon aveuglement. Ma seule excuse, s'il y en a, est la rencontre de l'être que vous êtes, qui est sans exemple, et le foudroiement que ce fut. Je souhaite que nous travaillions désormais à votre recherche.

Toutefois, il ne se résignait pas à l'envoyer.

Il décida de surseoir et de se remettre au travail, qu'il avait fort négligé depuis que la pensée de Loïse occupait ses jours et, à présent, ses nuits.

Au moment de quitter la messagerie, l'ordinateur lui indiqua que son courriel serait conservé dans le dossier *Boîte d'envoi*, prêt à être expédié lorsque blablabla…, il connaissait la formule.

Rien de ce qu'il écrivit dans l'heure suivante ne lui agréa.

Il avait la tête ailleurs. En fait, il attendait sans se l'avouer le mot de Loïse qui laverait l'horizon de son amour naissant de tout soupçon.

Avant d'éteindre, il voulut revenir à la messagerie.

Composa les six lettres de son code d'accès, en oubliant le blabla.

Petite musique sifflée/hachée/soufflée/grincée de la recherche du modem de connexion à Internet.

Quand la barrette bleue de l'envoi traversa la fenêtre horizontale, Bélard sortit de sa léthargie.

Non seulement il n'avait reçu de Loïse aucun message, mais il était trop tard pour empêcher le sien de lui parvenir.

La chair

36

TROU NOIR

Ce qui advient aux étoiles massives en fin de vie advient parfois aussi aux sentiments. Dès lors qu'il ne parvient plus à produire assez de chaleur pour maintenir sa pression centrifuge, l'amour s'effondre sur lui-même. Il se contracte si fort qu'il arrive à distendre l'espace-temps autour de lui, produisant une gravité telle qu'elle courbe les rayons lumineux au point que bientôt plus aucune lumière, aucun signal ne peuvent s'échapper de son horizon. Le temps aussi s'arrête. Les amants se taisent. C'est le trou noir.

Mais à la différence de la première fois où ils s'étaient tus, et dont le silence les avait accélérés l'un vers l'autre, le silence de cette fois était comme l'arrêt du tic-tac d'une bombe dont on vient de désamorcer l'horloge.

Ils auraient pu s'appeler aussitôt, se faire des reproches, des excuses. Dire (Loïse) je n'ai pas voulu mettre Roman entre nous. Dire (Bélard) je n'ai nulle compétence à interpréter votre rêve. Dire (Loïse) de quel droit décider seul de ce qu'il adviendrait pour nous deux? Dire (Bélard) pourquoi n'avoir pas repris aussitôt ce « peut-être » qui me torpillait?

Ils y songèrent l'un et l'autre, mais ils ne le firent pas.

Ils auraient pu le faire le lendemain. Mais il y avait déjà la rétention du dire de la veille, laquelle trouvait écho de silence chez l'autre, ça l'augmentait.

Et la blessure de la veille était comme une bouche altérée qui attend son eau de la bouche de l'autre qui lui seul peut l'offrir, et cette eau ne venait pas.

Chacun se tassait sur sa propre soif, l'enfonçait plus profond en lui, ne rencontrait que sa propre salive, ça l'effondrait.

L'effondrement gagna peu à peu.

Ils ne le surent pas tout de suite.

Même un observateur extérieur n'en eût rien su.

À moins que, plus perspicace que la moyenne, il ne remarquât une permanence de la gravité au voisinage de leur ancien rayonnement.

C'est une loi qui vaut pour la matière stellaire comme pour la matière sentimentale. Quand s'observe en un lieu quelconque une attraction s'exerçant irrésistiblement sur tout ce qui approche un objet devenu parfaitement silencieux et invisible, on a là l'indice le plus certain de la présence d'un amour massif qui s'est effondré.

L'AMOUR SELON PIÈRA

Pièra aimait l'amour.

Du plus loin qu'elle se souvienne, elle avait préféré la matière sentimentale de ses semblables à la sienne propre. Passion exigeante, car elle supposait que l'aventure amoureuse des autres avait reçu la bénédiction des dieux qui manquait à ses rencontres à elle. En réalité, c'était sa foi en un amour qu'elle ne rencontrait nulle part qui, à chaque nouvel amour dont elle était témoin, lui faisait accorder la bénédiction nuptiale de l'Olympe, mais mesurée à la seule passion fantyenne. C'est pourquoi elle était presque toujours déçue.

L'amour de Loïse et de Roman, par exemple, l'avait déçue.

Mais avec Bélard et Loïse, c'était une autre affaire. Avec ces deux-là, l'amour, la vraie amour, avait sa chance, elle en était sûre.

Certes elle eût préféré que l'amour de Bélard l'eût choisie, elle, et non pas Loïse. Avec elle, l'amour se fût élevé à des hauteurs dignes de ce qu'elle subodorait être l'espérance amoureuse de Bélard, une altitude que les poumons de Loïse n'atteignaient pas, où, si haut portée fût sa jolie petite poitrine, la raréfaction de l'oxygène amoureux l'eût retenu au camp de base.

Qui sait (s'objecta-t-elle), peut-être qu'avec Loïse, Bélard cherchait à plonger, non à s'élever? Peut-être que Loïse l'entraînerait dans les abysses, non vers les cimes, et que c'est cela qu'il désirait à son âge : descendre au plus profond?

(Dans les abysses aussi, elle y eût été plus profond, plus intrépide que Loïse. Mais passons.)

Quoi qu'il en soit, c'est avec Loïse que l'aventure de Bélard se jouait sous ses yeux. Et cette aventure-là, elle en aimait assez les acteurs pour la désirer belle. Qu'à défaut d'être la sienne, elle réussît!

Car, elle y croyait mordicus, lorsqu'elle est belle, l'aventure de l'amour est un gage pour ceux que sa beauté a frôlés.

En sorte que s'il fallait aider l'amour d'une autre femme, l'amour de Loïse, pour l'homme qu'elle aimait depuis si longtemps, elle ne pouvait faire autrement que de l'aider.

Elle s'y prépara.

38

MESSAGE

Loïse s'étrangeait des amphis. Elle passait ses nuits chez Roman.

Pièra ne la voyait plus qu'en coup de vent, lorsqu'elle venait récupérer quelque bouquin ou quelque frusque. Jamais il n'était question entre elles de Bélard. Chacune savait que ce silence trahissait l'autre et elle-même (un peu moins Pièra que Loïse), mais aucune ne trouvait le courage de le rompre, ça perdurait.

Bélard faisait ses cours sans enthousiasme.

Pièra cherchait son regard comme avant. Elle avait beau relever la tête la première, les yeux de Bélard étaient ailleurs, du côté des arbres du campus, ou plus loin encore, derrière les grues des bâtiments en construction.

Un jour cependant, c'était un lundi à la fin d'un cours, Pièra s'éloignait vers la porte, il l'appela par son nom assorti de ce mademoiselle qui l'horripilait.

Malgré tout, quelle joie ce fut d'entendre ces six petites syllabes prononcées par la bouche aimée venir toquer entre

161

ses omoplates : « Mademoiselle Fanty ! » Elle désira qu'il le dise encore. Freina son pas sans se retourner. Pourvu qu'il ne se décourage pas ! « Mademoiselle Fanty ! – Oui ?… », dit-elle, toujours lui tournant le dos. Puis elle lui fit face.

Il venait déjà vers elle. En quelques enjambées, il fut tout près. C'était trop vite. (C'était trop vite pour son plaisir d'être hélée par la voix qui pouvait tout lui commander et tout obtenir.) Elle rosit fugacement. (S'il avait lu cette pensée ! Rosissant, elle lui indiquait qu'il en existait de telles.) Il le vit.

« Puis-je vous demander de faire parvenir ceci à Mlle Hesse ? demanda-t-il, affectant un air détaché.

— Bien sûr », répondit-elle.

Elle se forçait à sourire pour masquer sa déconvenue.

Dans la poche de papier kraft il y avait un livre et une enveloppe.

L'ouvrage provenait des presses d'une université de province. Il sentait le neuf, et portait une dédicace admirative à celui qui avait indiqué la voie.

Bélard n'avait pas clos l'enveloppe. Pièra pensa que c'était à dessein. Elle en retira une feuille de brouillon d'examen de couleur orange, pliée en quatre.

Le message était simple et brutal, sans adresse ni signature : « Pourriez-vous viser ce livre avant la fin de la semaine. Est-il bon ? »

Tant qu'elle fut sous l'empire de la jalousie, Pièra ne pensa point.

Quoique cette délégation critique fût coutumière à Bélard,

surtout avec ses étudiants avancés, elle estimait que celle-ci lui revenait de droit. Ne l'avait-il pas déjà confiée à d'autres? Sans doute. Mais c'était lorsqu'elle-même était déjà occupée. À l'inverse, il était courant qu'il la sollicitât toute seule sans qu'on trouvât à redire. Pourquoi? Parce qu'elle était la meilleure. Et parce qu'il n'échappait à personne que ce genre d'élection était moins un couronnement qu'un pensum.

Au reste, Loïse...

Elle y songeait soudain. Loïse s'était toujours dérobée.

Mieux. Cette lettre, destinée à Loïse, passait par elle sans être cachetée. Ça avait du sens. Soit Bélard s'adressait à Loïse comme il l'eût fait à n'importe qui, soit ce message en cachait un autre.

Or la première hypothèse était exclue.

En outre, le « viser » de la missive n'était pas un mot courant du vocabulaire bélardien. Si Bélard l'avait préféré à « examiner », il y avait une raison. Les raisons secrètes sont souvent les plus évidentes. Pourquoi dire viser, qui est un terme de douane, quand on dispose du mot juste s'agissant d'un examen. C'est que l'examiner *n'était* précisément *pas* ce qu'il attendait de Loïse. Et que... mais c'est bien sûr... sa lettre passait en effet par une douane!

Que cette douane fût sa personne ne lui plut qu'à demi.

Mais la moitié curieuse l'emporta.

Pièra se mit au travail.

GIGOGNERIES

En bonne élève de Bélard, elle ne se mit pas au travail sans a priori.

Bien qu'incertaine de l'issue, elle était tout excitée à l'idée de se mesurer au maître. Pas seulement aux facultés du maître, la partie émergée de l'iceberg Bélard à laquelle elle s'était déjà frottée jusqu'au sang, mais à la matière même du maître, son amour d'une femme, la partie immergée de l'iceberg, son immense lourde dangereuse nudité.

Se donner un aperçu privé de la nudité du maître, quelle plus puissante motivation à la recherche ?

L'a priori de Pièra était que le maître avait dû la voiler.

Pourquoi ? Parce que sachant qu'il s'adressait à une jeune femme que ce genre d'exercice pouvait rebuter, il était peu plausible qu'il eût choisi un mode de camouflage complexe. D'autant moins que le message attendait probablement une réponse, réponse qui devait être à la fois rapide et codée à son tour, ce qui redoublait la difficulté.

Par conséquent, si Bélard avait utilisé une technique de ce genre, ce ne pouvait être que la méthode dite L ± n, ou bien celle des textes gigognes.

La méthode L ± n consiste à remplacer chaque lettre d'un mot par le énième qui le suit ou qui le précède dans l'alphabet. À moins que le destinateur ne simplifie la tâche du destinataire en lui indiquant d'une manière ou d'une autre la valeur exacte de n – en convenant, par exemple, que le chiffre du mois de la date d'envoi de la missive sera cet n en plus ou en moins –, il reste à la charge du destinataire de la découvrir par lui-même, ce qui s'effectue en général assez vite avec les premières lettres du message, en procédant par essais et erreurs.

Ainsi procéda Pièra.

Estimant que n ± 7 serait un maximum, elle aligna en parallèle les 7 lettres qui suivaient et qui précédaient le p et le o de « pourriez-vous » dans l'alphabet.

i j k l m n o P q r s t u v w

h i j k l m n O p q r s t u v

Hormis avec n = – 1, qui donnait un « on » possiblement inaugural, et avec n = + 5 ou + 6, dont le « ut » et le « vu » pouvaient aussi se prêter à faire un verbe, les autres valeurs de n ne fonctionnaient pas. Par acquit de conscience, elle procéda à un nouvel alignement pour la lettre u. Ça n'était pas mieux. Exit L ± n.

Pièra ne le regretta qu'à peine. C'eût été trop simple. Peu digne de Bélard. Certes la méthode des textes gigognes allait l'occuper plus longtemps. Mais elle laissait plus de place à l'empirisme, à l'intuition et à la chance. En outre, mieux caché serait le message, plus excitante serait la recherche, plus jouissive la découverte.

Elle s'y attela.

Sur une page vierge, elle recopia la phrase de Bélard en capitales d'imprimerie, en supprimant tous les intervalles, traits d'union et ponctuation compris.

POURRIEZVOUSVISERCELIVREAVANTLAFINDELASEMAINEESTILBON

Toujours partir des noms.

Dans un premier message, celui de la destinatrice est forcément présent. L'amant n'y résiste pas. Ne serait-ce que pour le plaisir de le cacher, tel un caméléon parmi les pignes et les écorces de pin de la corbeille qui trône au beau milieu du salon. De quels cris sera saluée son apparition! Même l'amante se dressera au contact du petit corps vivant corseté! Elle protestera peut-être. Mais elle saura sur-le-champ si de ce nom sien, malgré le cri qu'il lui arrache, elle veut faire un oui. C'est pourquoi coup d'amant exige d'être signé. Le nom du destinateur y est aussi.

Et, en effet, elle trouva d'abord un Bélard. Puis, moyennant les accommodements qu'autorise l'exercice – l'équivalence du j et du g, celles du c, du s et du z, du tréma avec une double lettre et du y avec deux i –, ce fut au tour de Loïse.

À mesure, elle barrait les lettres utilisées. Ça faisait apparaître d'autres possibilités de ménage alphabétique. En même temps ça restreignait de beaucoup l'espace de la cohabitation.

Il en va des messages d'amour cachés comme des listes de mariage : les premiers choix obligent les autres. Trop chiches, ils font monter les enchères, forçant souvent à clore sur une richesse dont on n'a pas les moyens. Trop riches, ils dévalorisent les choix suivants, contraints à s'exercer au seul rayon de la quincaille signifiante.

Quoi qu'il en soit, il y avait du déchet. Gigognerie parfaite étant rarissime, sa réussite se mesurait à la réduction du déchet à quelques lettres. Le reste se devait d'être le plus faible possible, en tout état de cause inférieur à 10, c'était une loi non écrite à laquelle Bélard devait avoir à cœur de se plier.

Avec un reste de 5 lettres, elle trouva ceci :

SANS VOUS LOÏSE LA VIE EST SI MORNE ET LE FAIRE SI VAIN. BÉLARD.

Ça tenait la route.

Elle chercha à en concocter un autre qui intégrerait son propre prénom. Mais le fugace bonheur de trouver « Aimer Pièra avec Loïse est-il d'une navrante folie ? » lui fit plus de mal que de bien.

Ça lui apprendrait.

40

PIÈRA SUPERSTAR

Ce n'était pas tout d'avoir su lire le message caché de Bélard. Que devait-elle en faire maintenant?

Le transmettre tel qu'elle l'avait reçu de ses mains? Mais autant laisser se perdre l'amour comme un enfant dans la forêt. Car, connaissant Loïse, elle ne chercherait sans doute pas plus loin que le sens obvie.

Attirer son attention sur le fait qu'il était peut-être codé? Mais c'était avouer qu'elle avait une idée du secret que protégeait ce codage et, plus grave, qu'elle l'avait sinon deviné du moins commencé à l'éventer.

Le lui donner décodé? Mais c'était s'introduire de force entre elle et Bélard. De messagère de l'amant se muer en traductrice pour l'amante. Or, dans la mesure où l'amante ne demandait rien, et pour cause, c'était usurper sa place, se positionner en qualité d'amante intermédiaire, ça allait loin.

Et, bien qu'elle fût encore tout encombrée de son exploit, elle se trouva soudain une envergure et un destin de déesse.

À cause du rôle de messagère que lui avait donné son dieu sans trop réfléchir, parce qu'il était en proie à l'ivresse des hommes, voilà qu'elle s'était d'un coup hissée à sa hauteur. Elle avait divinement su, comme en se jouant, décoder le message d'amour de ce dieu à une mortelle.

Or, lorsqu'on s'ouvre les secrets d'un texte écrit d'une main, on sait lire tous les textes à venir de cette même main. En sorte qu'elle, Pièra Fanty, avait dorénavant le pouvoir d'entrer et de circuler dans l'histoire des émotions les plus intimes et les plus immédiates de son dieu.

Que ces manifestations de l'amour ne lui soient pas destinées importait peu en l'occurrence. Il suffisait qu'elles existent et qu'elles circulent. Car cette circulation ferait qu'elles passeraient obligatoirement par elle. Bélard en avait élu une autre, il pourrait en élire d'autres encore, mais il n'y avait qu'une messagère des dieux. Elle serait Iris. Elle serait l'iris de l'amour de Bélard pour Loïse.

Pour l'instant, elle ne revendiquait pas d'autre place.

41

L'UNE DANS L'AUTRE

Meilleur pour l'amour, ça dégageait l'horizon.

Meilleur pour l'amour était qu'elle gardât le message par-devers elle. Et non seulement qu'elle le conservât mais qu'elle y répondît. Ça supposait qu'elle, Pièra, lût le livre, et non Loïse. Ce n'était pas le plus difficile.

Le plus difficile était d'être à la hauteur de l'amour qu'on prétendait préférer à l'amour de soi, à l'amour pour soi. Le plus difficile était d'être à la place de l'amante, sachant que l'amante de papier s'évanouirait nécessairement devant l'amante de chair naïve et silencieuse.

Le plus déchirant était d'offrir l'amant à l'amante.

Le plus impardonnable serait de n'y pas réussir.

Pièra frissonna à cette idée.

C'EST UN OUVRAGE FORT ÉRUDIT
MAIS IL EST MÉTHODOLOGIQUEMENT PAUVRE.

Elle attendit plusieurs jours avec cette phrase écrite en capitales sur un billet plié en quatre dans la poche de son jean.

Rencontra Bélard plusieurs fois, mais soit il était en compagnie, soit elle n'avait pas l'ouvrage en question sous la main, soit elle hésitait encore, et elle n'osa pas le lui donner.

Délivrer ces dix mots était comme tourner la clé qui allait déclencher l'apocalypse. Car si Bélard, pour une raison ou pour une autre, n'était pas dupe de l'identité de l'expéditrice, le paysage mental dans lequel elle évoluait en sa compagnie serait transformé à jamais. L'amour tranquille, chaste et muet, qui était le leur jusqu'ici, se soulèverait du sol et soulèverait le sol avec lui. Il monterait au ciel tel un champignon, et si ses yeux n'étaient pas immédiatement brûlés par l'éclair, si ses membres ne se disloquaient pas sous l'effet du souffle, il resterait toute la longueur des jours et des semaines à venir pour donner aux vivants (c'est-à-dire à tous les autres, dont Loïse) le spectacle d'un corps qui part en lambeaux du dedans comme du dehors. Elle ne voulait même pas imaginer ce qui se passerait s'il découvrait la supercherie en rencontrant Loïse par hasard…

Car les dix petits mots, qui chauffaient contre sa cuisse dans l'attente de l'apocalypse, en réalité étaient douze pour qui saurait les lire. Et Bélard saurait les lire, à n'en pas douter.

Ils ne mentaient pas. Seule la signature mentait. Mais l'une dans l'autre, ils disaient vrai.

Ils disaient ceci, en quoi ne péchait que le nom de Loïse :

CHER MAÎTRE JE VOUS AIME PLUS QUE TOUT AU MONDE. VOTRE LOÏSE.

171

Pièra prit son courage à deux mains le vendredi. Elle le prit littéralement, l'une tendant le billet tandis que l'autre proposait le livre.

Bélard voulut d'abord saisir le billet, mais elle avança le livre plus vite et il hésita.

« Loïse est euh…? commença-t-il.

— Souffrante, oui, le coupa-t-elle.

— Dommage, j'aurais voulu euh…

— Vous pouvez me dire, osa-t-elle, je lui transmettrai.

— Ça dépendra de sa réponse », dit-il, désignant du menton le billet qu'elle tenait toujours.

(Tu ne peux pas savoir à quel point je te crois, pensa-t-elle, surprise elle-même par son tutoiement.)

Elle le lui tendit. Le billet était froissé, tiède encore du séjour contre sa cuisse. Elle imagina que la main de Bélard le sentirait. Mais, sans l'ouvrir, il l'enfourna dans la poche de sa veste.

« Qu'elle conserve le livre, dit-il. J'aurai peut-être autre chose à lui demander… Quand elle sera rétablie, ajouta-t-il d'un air facétieux, comme s'il ne croyait pas au motif de l'absence de Loïse.

— Ce ne sera pas avant un moment, mentit-elle.

— Ah, bon. (Il redevint grave.) C'est que…

— Mm? fit-elle.

— … j'hésite à le confier à quelqu'un d'autre…

(Percevant le danger, Pièra précipita sa réponse.)

— Je crois qu'elle serait très déçue, dit-elle.

— Vous croyez? Bon. Nous verrons ça lundi, dit-il, soudain pressé de conclure. Vous serez là?

— Je suis *toujours* là », souffla-t-elle.

Bélard avait déjà tourné le dos.

Des années plus tard, il soutiendrait qu'il avait entendu ce « toujours » bien qu'il eût le dos tourné.

Pièra ne le crut jamais.

42

ET À VOUS PLUS ENCORE

Le lundi, elle s'éveilla aux aurores. Dans la même excitation où, elle le supposa, doit se trouver l'épouse le matin du jour où l'époux doit prononcer le oui qui met un terme aux promesses et aux ruses pour la posséder.

Elle saurait aujourd'hui si son corps ne la trompait pas de s'être donné avant toute parole. Et, ce qui était inouï, elle saurait cela pour une autre femme qu'elle. Elle le saurait à sa place et avant elle.

C'était le jour où elle saurait l'amour de l'époux avant l'épouse, et sans que l'époux ne la touche ni ne l'épouse.

Elle entendrait le oui juste avant qu'il ne prenne le chemin de l'oreille de l'épouse. Elle l'entendrait comme une vraie épousée, et comme personne d'autre au monde, même pas l'épousée.

VOUDRIEZ-VOUS ME FAIRE UNE MONO
CE TANTÔT ?

Comment est-ce qu'il causait l'époux!
Employer « mono » pour monographie la choqua.

« Viser » aussi l'avait heurtée, mais c'était en même temps ce qui l'avait retenue d'aller, telle une poule stupide, se planter du bec dans le grillage du sens. Et que dire de « ce tantôt » que Bélard vilipendait chez ses étudiants ?

Autant de faiblesses de style qui trahissaient l'existence d'un message avant même de commencer à le décoder.

Elle baigna toute la soirée et une bonne moitié de la nuit dans une sorte d'ivresse nauséeuse. L'estomac, le cœur, le sexe, elle ne savait pas en localiser le siège, ça passait de l'un à l'autre, barbouillés d'un mélange de plaisir et de déplaisir, fait du bonheur d'accueillir le oui qu'ils attendaient et du cabrement devant la brutalité de son aveu.

Car l'époux n'y était pas allé par quatre chemins pour demander :

VOUS DONNEREZ-VOUS À MOI TOUT ENTIÈRE ?

Ça ressemblait à l'inquiétude, mâtinée de grivoiserie, d'un tout jeune amant.

Qu'importe ! À présent, elle le sentait, il fallait faire vite. Qu'elle aimât ou non le ton et le rythme de la ballade, elle devait aller à l'amant du même pas, et elle le fit.

Le mardi, elle concocta la réponse que Loïse eût pu faire si elle avait connu le mensonge de Pièra à propos de sa santé.

JE NE SUIS PAS SÛRE MONSIEUR D'AVOIR LA FORCE D'ÂME VOULUE NI QUE JE FINIRAI À TEMPS...

Elle était si troublée d'avoir osé s'avancer à son tour, si honteuse de l'audace des points de suspension, qu'elle craignit de ne pas pouvoir supporter le regard de Bélard au titre de l'innocente messagère qu'elle était censée être. De sorte que, se dispensant d'aller à son cours, elle préféra glisser l'enveloppe contenant le billet sous la porte du bureau de Bélard.

Y avait-il en cet instant, s'interrogea-t-elle en s'accroupissant, un autre homme sur la planète qui reçût de si jeune personne une déclaration d'amour plus inouïe?

À QUI ME PRENDRA J'OFFRIRAI MA JEUNESSE, MA VIE, ET À VOUS PLUS ENCORE. LOÏSE.

Le mercredi, elle le croisa à la cafétéria du campus. Elle essaya bien de l'ignorer, mais il avait saisi son regard et elle lui sourit. Il quitta le collègue qui l'entretenait pour venir s'asseoir à sa table, la timbale de carton du café à la main. Son premier souci fut de s'enquérir de la santé de Loïse. Elle l'avait heureusement prévu. Si l'échange des plis s'intensifiait, il fallait inventer une cause plus plausible que la maladie à l'absence durable de Loïse.

Loïse, donc, venait de trouver du travail. Oui, elle avait besoin d'argent en ce moment. Si elle se tenait au courant des cours? Bien sûr. Du temps pour euh… Oui, son travail lui laissait tout de même des loisirs! Elle pensait que c'était à Ikéa. Loin de la fac, oui, au moins une heure de trajet en bus. Non, pas de voiture. Eh oui. Oui. Non, pourquoi? Ah… Elle le faisait avec plaisir. (Tu n'imagines pas lequel!) Non, ça ne la dérangeait pas. Du tout. Une autre? Bien sûr. (Si tu savais comme je l'attends! Je l'attends comme si tu me l'avais écrite !) Tant que Loïse serait absente, elle s'en acquitterait bien volontiers. Je vous en prie. Ce sera fait. Avec plaisir. (Ô mon Bélard !) Au revoir monsieur. (Mon cher amour !) De rien.

Tandis qu'il s'éloignait, la laissant rivée à sa place dans le brouhaha des infos, entrecoupées de musique, que la sono diffusait en permanence, elle songea qu'il n'était jamais resté aussi longtemps si près d'elle.

Elle regarda tout autour avant d'ouvrir l'enveloppe. C'était stupide. Qui donc ici aurait su lire autre chose que cette flatteuse réponse ?

J'AI CONFIANCE EN VOS RARES MAGNIFIQUES TALENTS DE BATTANTE ET SÛR QUE VOUS Y PAR- VIENDREZ VITE.

Ce fut comme un éclair de chaleur. Elle referma preste- ment l'enveloppe.

Elle avait lu « con », et il lui tardait soudain de rentrer.

CHER RUSÉ AMANT

Bélard écrivait « confiance », et lire seulement la première syllabe l'expédiait à la maison. Elle aurait pu lire les deux syllabes suivantes, dont le sens la charmait d'emblée beaucoup plus. Mais non. Elle entendait tinter le désir de Bélard au-devant du sien. Et tel un destrier dont l'acier des armes de qui le monte a sonné souvent contre les pièces de métal de son harnachement, elle venait au galop vers lui. C'est le son qui la guidait, et il ne la trompait point, c'était miracle. Sauf que quand le miracle se reproduit chaque jour, cela s'appelle coutume. Elle était la femelle de Bélard, son destrier, sa femme. Tout ensemble et dans le désordre. Dans le désordre des mots et la violence des choses que ce désordre désignait crûment.

Voyons... Qu'est-ce qu'il disait l'époux, aujourd'hui? L'époux disait :

NE SUIS ATTENTIF QU'À VOUS ET J'AI TANT FERME ESPÉRANCE QUE VOTRE...

Elle hésita. « Con », ainsi qu'elle l'avait d'abord cru, ou « sein »? Mais le sein n'était-il pas la métonymie du corps tout entier? En outre, avec « sein » elle diminuait le reste. Et quoiqu'elle ne sût pas si Bélard avait voulu l'un ou l'autre, c'est la contrainte qui l'emporta.

... QUE VOTRE SEIN EST NIRVANA. BÉLARD.

Le matin du jeudi, elle le consacra à rédiger le message qu'elle donnerait à Bélard au cours de vendredi.

Il lui coûta plus d'efforts que les précédents.

Elle voulait en effet que la réponse manifeste et la phrase cachée continssent le même nombre de mots chacune. Symboliquement. Afin que le poids du bonheur et celui de la souffrance qu'il lui infligeait en faisant bouillonner en elle des humeurs contradictoires lui apparussent équivalents. Qu'il comprît à la fois sa retenue et son audace, et que la puissance de ses envies propres ne le cédait en rien à sa servitude volontaire à ses envies à lui.

JE FERAI DE MON MIEUX POUR VOUS SATISFAIRE EN CELA MONSIEUR, MAIS SACHEZ QUE PÉNIBLE ET LOURDE SERA CETTE TÂCHE FRIVOLE.

NE ME PARLEZ PAS AINSI, CHER RUSÉ AMANT, CAR VOUS FAITES SOUFFRIR LE SEXE LUI-MÊME DE VOTRE JEUNE CHATTE. LOÏSE.

Pauvre Loïse, songea-t-elle. (Elle songeait de moins en moins à Loïse.)

C'était vraiment la moindre des choses qu'elle se coltinât la monographie à sa place.

44

BÉLARD SE DÉBOUTONNE

Tard, le soir du vendredi, Bélard trouva la monographie dans son casier.

Il la parcourut sans attendre, à la lumière du plafonnier de son véhicule, sur ce même parking où la beauté de Loïse l'avait terrassé.

Elle était rédigée avec un soin particulier, qui ressemblait aux travaux de ses meilleurs étudiants. L'idée l'effleura que Loïse pouvait n'en pas être l'auteur. Il se reprocha sa méfiance. Plutôt voulut-il croire qu'elle désirait lui plaire en toute chose et que l'amour, seul, était à l'origine de ce dépassement.

N'en était-il pas lui-même un vivant exemple?

Depuis le billet qu'il avait confié à Pièra à la cafétéria du campus, Bélard vivait dans une sorte de transe contrôlée.

Il avait osé parler de son sein à Loïse, et Loïse, bien qu'elle le gourmandât pour cette licence, y avait répondu avec plus de licence encore. Alors qu'il évoquait le bonheur supposé de l'usage à venir de son sexe, elle pointait les effets immédiats sur elle de cette évocation. Quel culot elle avait! Et à la fois quelle délicatesse! À la rhétorique grivoise, elle opposait, en la soulignant seulement, la voix des organes.

Sous couvert des éloges que méritait amplement la monographie, il rédigea le dimanche un texte dont il savait que ce serait le dernier.

Aussi, se lâcha-t-il.

IL FAUT AVANT TOUT, CHÈRE LOÏSE, QUE JE VOUS LOUE POUR LE SÉRIEUX DE CE TRAVAIL QUI EST COMME À L'HABITUDE SUPERBE.

Au premier mot, Pièra le comprit.

Cet « avant tout » inaugural faisait le lien avec l'après. Car avant quoi, sinon avant l'heure des corps? Et cette heure, déjà, avait sonné, puisque Bélard ne s'en cachait plus.

Le déchiffrage le confirma. Les mots tels que « queue », « défrise » ou « fourre » lui sautaient au visage à mesure qu'elle les dégageait de la gangue des signifiés urbains. Et elle sentit le sang affluer à ses joues lorsque, ayant surmonté l'humiliation de venir buter sans cesse sur « habitude », manifestement placé là comme une invite assez grossière, elle comprit soudain qu'il avait voulu bien autre chose : mettre sa destinatrice dans l'embarras de nommer son sexe, et qu'elle fût tenue d'essayer des synonymes argotiques du mot « membre » avant de se décider en fonction du plus petit reste.

Il se déboutonne, pensa-t-elle, et, pour la première fois, elle lui en voulut.

Lui en voulut, non d'exhiber son sexe tel un enfant, mais

de l'exigence de passage à l'acte du message. Message sur lequel il désirait manifestement que s'achevât leur correspondance. Car comment continuer à cheminer en sa compagnie sur les pentes abruptes où l'entraînait le propos?

Elle lui en voulut de cela surtout. Qu'il l'obligeât à abandonner le mot pour la chose.

Car la chose était affaire de Loïse.

Le moment était venu pour elle de s'effacer, elle le savait.

Mais elle ne le ferait pas sans un baroud d'honneur, où il prendrait la pleine mesure de la Loïse qu'était Pièra.

Contrevenant à toute prudence et à la résolution inaugurale de ne jamais apparaître, elle signa de son nom complet.

Est-ce que Bélard le découvrirait?

Elle était tellement sûre de ne courir aucun risque qu'elle n'envisagea même pas les conséquences.

JE RESTE À VOTRE ENTIÈRE DISPOSITION, MONSIEUR LE PROFESSEUR, POUR D'AUTRES TRAVAUX QUE VOUS VOUDRIEZ ME MANDER DE FAIRE ICI.

SOURDE À TOUTE MESURE, JE VEUX ÊTRE PRISONNIÈRE DE VOTRE AMOUR SI VOUS EN AVEZ AUSSI FORT QUE MOI LE DÉSIR. PIÈRA FANTY.

LENTE DÉGUSTATION

On ne trouve que ce qu'on cherche.

Comme Pièra l'avait prévu, Bélard ne vit pas le nom de Pièra Fanty caché dans le message.

Il le déchiffra correctement, à ceci près qu'il dégota deux épithètes emphatiques pour qualifier l'amour « aride » et le désir « criant » de Pièra, ce qui n'augmentait pas le reste alphabétique et dissolvait le nom de celle-ci. Il s'étonna à peine que la signature de l'aimée eût disparu.

Le jour même, il envoyait à Loïse un e-mail demandant de cesser ce jeu stupide et de se retrouver au plus vite chez lui.

Il avait ajouté : à l'heure habituelle.

Loïse le reçut au saut du lit le mardi.

Elle ne comprit pas à quel jeu Bélard faisait allusion, mais elle attendait impatiemment un signe de lui et elle n'épilogua pas. Elle n'avait pas le cœur à le faire attendre comme elle l'eût fait si Roman ou un autre avaient manifesté leur impatience.

Seule la retint la forme de prière du message, que cette prière était pressante, et que leur rencontre avait déjà son rituel.

184

À 14 heures, le mardi, elle sonnait à sa porte.

Elle tremblait du dedans – elle pensa : telle une chienne dans la salle d'attente du vétérinaire. Rien en surface ne traduisait ce tremblement. Elle vibrait pourtant intérieurement d'une ample, puissante vibration qui partait des chevilles et grimpait jusqu'à la racine des cheveux, cheveux qu'elle avait au dernier moment décidé de relever en chignon, ça augmentait encore sa taille. Elle savait pourquoi elle tremblait ainsi. Elle tremblait de l'approche de la réalisation du désir. C'est une imminence dont l'être humain a rarement la conscience aiguë, mais elle, sur ce palier **host**ile et sombre, elle l'avait. Elle était comme un animal **qui sait** de source intime où il est et ce qui l'attend. Elle ne savait pas seulement qu'elle serait bientôt dans les bras de Bélard, de cela elle était sûre dès avant de quitter Roman. Elle savait, c'était tombé sur elle devant le rectangle de porte œilletonnée dont elle sollicitait l'ouverture, qu'elle allait être dépouillée, fouillée, ouverte. Quelle femme ne frissonnerait pas sachant que, le seuil à peine franchi, elle sera visitée par des mains qu'elle ne connaît pas encore ? Surprise par elles se glissant aux endroits protégés de son anatomie, empruntant les voies réservées qui mènent aux lieux réputés rebelles à l'invasion ? Elle savait cela. Et aussi que ces mains ne seraient bientôt plus étrangères, ni ses propres recoins aussi rebelles après le passage de ces mains. Que ces mains auraient des doigts. Que ces doigts entreraient en elle, elle souhaitait que ce fût profond et sans ménagement. C'est cette volonté sienne de fléchir, d'être forcée de s'ouvrir avant de s'ouvrir par plaisir, qui la faisait

185

trembler. Le terme exact était frémir. Elle frémissait. Un frémissement, comme c'est beau en français! *Estremecimiento*, c'est encore plus beau en espagnol. Plus long, plus étiré, plus près du phénomène vibratoire de la chose physique réelle. Que ce fût bref, sans les préliminaires infinis qu'elle craignait de la part d'un amant vieux, et, une fois pénétrée, lent comme une dégustation. Oui, surtout ça. Lent comme une dégustation. De ce point de vue, l'âge était un atout. En théorie. Lente dégustation avait six pieds. *Estremecimiento* aussi avait six pieds. Lente dégustation de ma bouche du bas, est-ce qu'elle lui écrirait un jour cet alexandrin en guise d'entrée à leur menu sexuel? Elle était à deux doigts de cette jouissance apéritive. S'il la faisait encore attendre, elle –

Elle allait sonner à nouveau quand la porte s'ouvrit.

Ils n'échangèrent pas un mot.

Ce fut exactement, ou presque, comme elle attendait que ce fût.

Bélard vit Loïse nue. Il oublia son âge.
Bélard oublia son âge. Il s'étonna de sa jeune faim.

Loïse goûta au corps de Bélard. Elle le trouva bon.
Son appétit d'elle surprit Loïse. Son appétit de lui la trou·
bla.

Bélard s'étonna de sa jeune faim. Que si jeune faim eût
appétit de lui le surprit.
Elle découvrit que son appétit de Bélard était semblable à
son appétit de Roman. Avec des préférences et des variantes.
Elle songea qu'il en va de même pour la viande dont le goût
varie selon l'âge de l'animal et avec l'emplacement du morceau.

Elle prit un morceau de lui dans sa bouche. Elle voulait
très fort ce morceau depuis longtemps. Mais elle s'interdisait
de penser à sa forme et à son goût, et comment elle l'obtien-
drait. Jusqu'à ce moment où elle enfila sa bouche sur lui et
lui fit un gant de ses joues.

Bélard avait le ventre blanc, la peau fine d'un bouddha docile et consentant. Tenir Bélard tout entier rassemblé dans ce morceau de chair dressé sur son ventre par la seule grâce de son corps nu, fut pour elle aussi excitant et transgressif que de s'approprier le sexe du Che ou de Jésus. Faire se dresser Bélard! Dresser Bélard! Du bout des lèvres, qu'il obéisse!

Être la bouche reine de cette bouchée dont elle rêvait depuis l'enfance l'enchanta. Elle le trouva délicieux comme un bébé qu'il serait permis de manger. Déconcertant et goûteux comme un blanc de poulet dans lequel on n'aurait pas le droit de mordre.

Se retenir de manger ou de mordre lui fut d'un plaisir égal au triomphe de mener Bélard par la queue et d'en pouvoir user tel un gode.

Elle le voulait passif, qu'à cela ne tienne. Ça ne tint qu'à cela. Tout le temps où elle joua à le tenir roide dans sa bouche, elle jouit de l'idée saugrenue que ça, en effet, ne tenait que par elle, et à un fil, un fil de salive à elle.

Bélard se fût gardé de la contredire. Cette passivité l'arrangeait à tous points de vue. N'étant pas dessus à œuvrer, il avait toute latitude de lui caresser les épaules, la nuque, les cheveux. (Elle avait défait son chignon.) Tenir son menton d'une main, tandis qu'il sentait son membre frotter contre la coupelle de ses dents, en utilisant l'autre pour cueillir un sein dans sa paume, lui fut d'un plaisir divin.

Elle espéra vaguement qu'il exploserait dans sa bouche. Il ne le fit pas. Elle lui en sut gré. Car elle ne le désirait pas vraiment, du moins cette fois. Certes, elle voulait s'emplir de Bélard. Elle ne le voulait pas à moitié. Ne pas le vouloir à moitié impliquait qu'elle désirât l'avaler avec sa semence, et avaler sa semence jusqu'au bout était la façon prosaïque de l'avaler lui. Mais emplie de Bélard elle l'était déjà. Emplissant sa bouche, il emplissait le tabernacle des mots dont le voile jouxte le siège des pensées. Or elle voulait bien être remplie mais non pas enlevée. Ni qu'un geyser de la semence de Bélard emportât sa tête avec sa raison.

Il eut peur que Loïse ne fût venue à lui sans sa raison. Aussi se retint-il de s'abandonner et de s'épancher dans sa bouche. Se réservant de le faire lorsqu'il serait certain que c'est d'une même folie qu'ils s'iraient noyer en sa gorge ensemble, se jeter à l'insane d'un commun accord. (Il n'y eut pas d'autre occasion où cet accord fut assuré.)

Quand elle comprit qu'il ne viendrait pas, elle abandonna l'objet. Merveille d'avoir deux bouches. D'en pouvoir disposer tour à tour sans avoir à changer d'instrument. Rejetant ses cheveux en arrière, elle vint s'empaler d'elle-même. L'impression d'un sabordage exquis. De s'abîmer volontairement en un autre être. De couler lentement en lui comme dans une dune de sable chaud, jusqu'au nombril. (Elle le lui dirait plus tard combien cette sensation de glisser sur sa hampe fut délicieuse.) De le pénétrer du giron en l'avalant. Plus de jambes, rien qu'un tronc impérieux, des épaules et des reins de dompteuse. Les seins royaux, les mains libres, délivrées du devoir de la caresse ordinaire, qui démangent d'être actives. Le gémir retrouvé. Nouvelle musique des organes. Après le clapotis des lèvres, le babil des nymphes. (S'il existait une comparaison possible, ce devait être d'une jouissance proche de celle de l'assaut masculin.)

Elle le vit. Son vit en elle, elle le vit. Il fallut la certitude de son vit en elle et qu'elle en était maître pour qu'elle le vît. Qu'elle acceptât de le voir. De le regarder tel que. Pas le Bélard prof, qu'elle aimait de toute façon. Le Bélard nu. Le vieux Bélard nu. Le corps du vieux Bélard nu. Eh bien ce corps, dont l'hypothèque des stigmates de la vieillesse l'inquiétait, il n'était pas la vieille robe de canasson qu'elle redoutait avoir à chevaucher puisqu'elle l'aimait, non. Il était beau à sa manière. Étonnamment jeune malgré le passage des ans. Il fallait vraiment le chercher, le passage. À bien chercher, on le trouvait, évidemment. Mais pas où elle l'avait craint, et pas comme elle le craignait. Pas dans la surface quadrillée de la peau, la texture flasque des tissus, l'odeur de rance qu'on prête aux vieux. Rien de ces tares en le Bélard qu'elle baisait! Bélard était petit et rond. Sa rondeur enrobait sa vieillesse, le protégeait du décharnement des grands secs. (Elle avait pourtant aimé aussi des grands secs, mais moins vieux.) Elle posa les mains aux endroits où Bélard avait renoncé. Le front, le coin des yeux, les seins, qui se pinçaient drôlement, l'abdomen... Elle l'aima d'être vivant. D'être ce vieux vivant qu'elle baisait. Qui s'était gardé de la mort, du naufrage physique, de la débâcle intellectuelle et de la dépression, afin d'être encore là, sous elle, turgide et palpitant, apte à être baisé par une jeune femme qui avait l'âge d'être sa fille, ou peut-être plus encore, va savoir (elle le pensa croyant plaisanter).

Elle eut plusieurs orgasmes sans qu'il le ressentît ou qu'il le vît. Ni le vit.

Elle se rassasia. S'étonnant qu'il ne se rassasie pas comme les autres, comme Roman.

Bélard ne se rassasiait pas de Loïse. Loïse était faite de telle manière qu'elle ne pourrait jamais rassasier Bélard. Du moins Bélard aurait disparu avant qu'arrivât le moment où il serait possible qu'il se lassât de Loïse, cette évidence était inscrite au fronton de leur rapprochement. C'était le drame de Bélard, il le ressentait dans chaque étreinte. Tout ce qu'il prenait d'elle était la matière même de ce qui, un jour, se déroberait. Il était inconsolable de la privation de cela avec quoi il tentait de se consoler. Et c'est pourquoi il prenait sur Loïse à brassées. De son giron plein de mouvements, de contorsions et d'ouvertures, il reçut mille sensations et s'en gava.

À un moment, il la mordit sous la fesse. Elle le gronda de son prénom. « Antoine ! »

47

LE BABIL DES NYMPHES, SUITE

S'entendre prénommer par Loïse alors qu'elle était encore, dans sa tête, « Mademoiselle Hesse », ôta en Bélard ce qui demeurait de retenue.

Elle le laissa faire.

Curieuse d'abord. Puis étonnée. Puis interdite.

Tant d'inventivité, de perversité, d'audace, elle ne savait comment dire ni quoi penser. Et tant de cela, qu'elle ne savait dire ni penser, chez un homme tel que Bélard, augmentait le vertige de la question.

Sauf que ce qu'était Bélard réellement, elle le découvrait en le laissant disposer d'elle. C'était donc à elle de savoir jusqu'où elle le laisserait user et abuser, dans la mesure où il lui apparut que ce n'était pas de Bélard que viendrait quelque limite.

Dans le même temps, elle s'en voulait.

La grande liberté immédiate et abrupte dont Bélard usait avec son corps, ne l'avait-elle pas accordée à d'autres avant lui ?

Oui, bien sûr. Elle pouvait dire qu'elle l'avait consentie à tous. Pas un amant qui n'ait obtenu d'elle ce qu'il voulait, s'il le voulait aussi fort que Bélard le désirait présentement, avec les mêmes mains dures, osées, exigeantes.

Mais Bélard…

Quoi, Bélard?

Bélard était Bélard.

Bélard n'était comparable à aucun homme avant Bélard.

Bélard avait tous les droits. Et c'est pourquoi chaque exercice du droit de Bélard d'explorer son corps, chaque application de ce droit à disposer d'elle, qu'elle lui avait accordé dès les prémices, avait un sens, un sens qui ne se réduisait pas à l'utilisation pure et simple de son jeune sexe, ainsi qu'elle s'était résignée à ce qu'il allât avec les hommes d'avant Bélard.

L'exercice du droit donné à Bélard était aussi exigeant que celui des mains qui la fouillaient, lui arrachant des frissons de pucelle.

Il exigeait que Bélard sût.

Qu'il sût disposer de la liberté qu'elle lui donnait en lui offrant de disposer d'elle.

Ce que faisant, elle ne revenait nullement en arrière. Lui donnant tous droits sur elle, elle lui octroyait celui d'être maladroit et brutal. Mais c'était en attente inquiète de réponse qu'elle se prêtait, en frémissante question silencieuse qu'elle se pliait à sa fantaisie.

À quelle cour d'amour m'invites-tu, cher amant?

À quelle cour m'invitent ta perversion, ta cruauté, ta violence?

Il ne me dérange pas qu'elle soit obscène, cette cour. Il me décevrait seulement qu'elle fût dénuée de l'amour de moi, de moi seule et de seulement moi.

193

Elle, donc, le laissa faire.

Se laissa faire.

Ce n'était pas sans plaisir.

Elle faisait aussi.

L'audace appelle l'audace.

Ce ne fut pas sans plaisir.

Sans renouveler le plaisir qu'elle tenait de Roman.

Sans rappeler ce plaisir, sans le comparer. Sans l'–

Ça la troubla.

Elle s'interrogea. Est-ce qu'il était comme ça avec toutes les femmes, ou était-ce uniquement elle, Loïse, qui exaltait chez le vénérable professeur cette passion adolescente de la visiter et de l'ouvrir? Passion étrange, inquiétante. Passion d'homme, toujours vivace et rampante à travers les âges. Qui avait conduit par exemple, dans le XVIIIe siècle florentin finissant, un certain Clemente Susini à fabriquer à l'échelle humaine une très belle jeune femme de cire de couleur chair. En position de dormeuse, pourvue de cheveux et de toison, l'étudiant et le médecin pouvaient, soulevant le doux volume du ventre et des seins, l'ouvrir pour leur curiosité et jouir du spectacle, que dame nature n'offre jamais à l'amant le plus fébrile, de l'intérieur de l'amante, s'y enfonçant peu à peu depuis la mamelle, la gauche, écorchée, au cœur, disséqué, aux viscères et, sous les viscères, à l'utérus... Dédouanés au reste d'être les premiers à porter la main sur une vierge, la matrice de la beauté endormie se révélant abriter un fœtus.

Elle l'avait vue avec Roman au Museo zoologico de la

Specola de Florence. Elle se souvenait de son mélange de commisération et de colère envers ce joujou pour Diafoirus, la soudaine visibilité, palpable, dérisoire, du fantasme masculin le plus agressif et le plus cru. Et déjà, à l'époque, la réflexion maladroite de Roman à propos de la ressemblance de son corps à elle, qu'il dévoilait et pénétrait plusieurs fois par jour, avec le corps de la *Vénus* dite *des médecins*, l'avait braquée.

Mais aujourd'hui quelque chose d'autre était là, qu'elle n'avait pas éprouvé du tout à Florence, qu'elle n'avait pas encore découvert avec Roman.

Une disposition, une disponibilité. Pas tout à fait un goût, mais une appétence. Une tendreté de fruit pour la bouche qu'elle veut envahir. Une violence de la chair pour les dents. Une autorité du mouiller. Une prééminence absolue, musicale, de la muqueuse sur les doigts…

Ça tenait à Bélard. À la douce force de Bélard. À l'âge de la force de Bélard qui la faisait douce, mais pas seulement. Qui la faisait douce à cause des défaites de la force de Bélard, de l'ironie de Bélard envers la force, mais pas seulement. Ça tenait à l'âge. À la succulence de l'âge. Ça tenait à elle.

Tout de même, elle se cabra.
Dit « Non, Antoine, s'il te plaît! ».
À présent, elle le tutoyait.
Il baisa les doigts qu'elle avait lancés vers les siens.
« Pardon, dit-il doucement, c'est que…
— Je sais, dit-elle, vous êtes un homme. »
Il rit.

48

LE BABIL DES NYMPHES, FIN

Vint le plaisir à nouveau.

Ils se séparèrent.

Plus tard, ils se reprirent.

Il ne comprenait pas pourquoi, entre chaque étreinte, elle se rhabillait. Il le lui demanda. Elle dit Pour que vous me déshabilliez encore.

Il voulut la suivre aux toilettes.

Elle dit Je crois que je saurai me débrouiller toute seule.

Il dit Je n'en doute pas. C'est moi qui ne veux être séparé de vous par rien ni par personne, à aucun moment, jamais.

Il la pressait.

Elle dit Vous ai-je déjà refusé quoi que ce soit? Je suis incapable de vous refuser ce que vous voulez. Vous le savez bien. Ne me le demandez pas. Pas maintenant. C'est moi qui vous en prie.

La culotte aux genoux, elle lut une consigne en cas d'incendie que Bélard avait ramenée d'un hôtel et apposée bizarrement à cet endroit.

C'était un arrêté du ministre de l'Intérieur en date du 31 octobre 1973.

La dernière phrase l'amusa.

Ne cherchez pas refuge dans les parties hautes et aux étages supérieurs où s'accumulent les gaz et la chaleur, mais vers le bas.

Quand elle sortit, elle la cita.

Puis, avec un malicieux sourire :

« Qu'on ne trouve de refuge que vers le bas, vous le pensez aussi ?

— Je ne sais pas.

— C'est intitulé "Conduite à tenir". Ne me dites pas que vous l'avez mis là sans intention !

— Ce n'est pas un cas d'incendie.

— Je vous certifie que si, c'en est un.

— En ce cas, je suis confus.

— Ne le soyez pas.

— Disons que je n'avais pas songé à cette lecture.

— Vous placez des indications de conduite à tenir en cas d'incendie à l'intention des jeunes femmes qui empruntent vos gogues, et vous demandez à venir y mettre le feu avec elles, c'est déconcertant pour un ministre !

— Pas pour un ministre... *de l'intérieur.* »

Ils rirent.

Loïse, plus tard :

« Vous auriez fait un assez bon ministre...

— " Assez bon " seulement ? »

Ce fut à son tour de prendre les doigts de Bélard.

« Non (elle les baisa), un "excellent" ministre (elle les conserva contre sa joue) de l'intérieur.

— Du vôtre, alors » (crut-il utile d'ajouter).

C'était maladroit.

« Du mien, évidemment! Vous pensiez à quel autre? »

Il ne pensait à aucun autre.

Mais Loïse pensa que, s'il pensait à un autre, c'était forcément à celui de Pièra.

Vint une dernière étreinte avec le soir. Elle ne se rhabilla pas après celle-là. Seulement la culotte. Puis, parce qu'elle avait froid aux épaules, et que le regard de Bélard était toujours sur ses seins (ses seins étaient un trésor, et trésor doit rester chose rare même à l'amant), elle enfila la chemise de Bélard. Il y serait entré deux Loïse, mais les manches étaient courtes, ça l'amusa.

Lui, avait enfilé son pull directement sur la peau. Le pantalon béait sur sa panse. Il avait une touffe de poils blancs dans le creux des reins, elle le vit quand il se leva pour chercher à boire.

Elle demanda la permission de fumer. L'obtint.

Ils parlèrent du lendemain.

Il dit Vous êtes encore là, et nous parlons de demain!

Vint la nuit. Comme ils ne cessaient pas de se toucher, le désir revenait sans cesse.

Elle dit Il faut cesser de se toucher.

Il dit Oui, cessons, en avançant la main sur sa cuisse

Elle dit C'est vous qui devriez montrer l'exemple, et vous ne le faites pas du tout, au contraire, c'est mal.

Il dit Oui, pardon, et sa main était dans la culotte de Loïse.

Elle tortilla des hanches pour lui échapper, mais elle n'avait pas envie de lui échapper, elle le fit mollement, et ce fut l'inverse qui arriva : les doigts de Bélard glissèrent d'un coup au-dedans.

Elle saisit son poignet en disant Non, Antoine!

C'était la deuxième fois qu'elle l'appelait Antoine pour dire non et, comme la première, il obéit.

Il allait ôter ses doigts, quand il sentit que la main qui retenait la sienne l'empêchait tout autant de se retirer.

Il rapprocha son buste du sien. Elle avait les joues rouges, le souffle court. Elle le regardait en louchant un peu, la bouche entrouverte. C'est sa bouche qu'elle regardait.

Bélard y lut un assentiment, ou plutôt ça l'arrangeait de le lire et, vainquant la résistance du poignet de Loïse, il enfonça la main plus avant.

Elle se serra contre lui, mit le visage dans son cou, dit Doucement, chéri, doucement, elle n'avait jamais dit chéri.

Il respirait la paille de ses cheveux, son parfum discret, plus fort sous l'oreille, son souffle. Il chercha à remonter à la source. Elle avait une haleine, légèrement piquante à la langue, de fumeuse. Une bouche aux lèvres gonflées. Elle la lui donna sans ouvrir les yeux.

Sa pensée se mit à tourner très vite, comme une centrifugeuse où l'on a jeté une poignée de verbes d'action pronominaux à l'impératif, et qui commencent tous par un E majuscule. Emplis-moi! Écrase-moi! Évide-moi! Enlève-moi! Elle pensait cela comme le sable aspire à l'eau et comme il aspire l'eau. C'était une pensée sableuse qui luttait contre le soleil brûlant d'un homme appelé Bélard pour la possession d'une eau qui était le désir de ce même homme, l'homme de ces mains-là qui la brûlaient au-dedans et y faisaient sourdre toute cette eau.

Bélard avait les doigts dans cette eau qu'on appelle cyprine, qu'on appelle liqueur de Vénus, que les Grecs appelaient ἀπόπτυστον δρόσον, *apoptuston droson*, la rosée crachée, dont Jean Second, dans le 15ᵉ de ses *Baisers*, dit qu'elle a une saveur de myrte, il y avait déjà goûté sans songer avec d'autres.

Elle se retint de crier, s'accrocha à lui de la main libre.

L'eau de Loïse coula sur son poignet.

Elle serra les cuisses. Le sentiment puissant de faire la main de Bélard prisonnière. Elle tremblait.

Il se dit qu'il pourrait entrer la main en elle tout entière s'il voulait. Mais il voulait plus encore. Il voulait entrer en elle pas seulement avec le sexe, il le voulait avec le bras, jusqu'au coude, jusqu'à l'épaule et à la tête, c'était un fantasme d'enfant.

Un cri lui échappa tout de même. Elle mordit ses lèvres de peur que Bélard ne s'inquiète et qu'il ne retire sa main.

Il ne la retira pas.

Elle craignit qu'un orgasme plus fort ne lui ôtât tout contrôle et qu'elle se déchaînât avec Bélard. Elle ne voulait pas que Bélard la déchaînât. Pas si vite. Pas aujourd'hui en tout cas.

Bélard godait comme un cerf. Il le pensa en ces termes fleuris Je gode comme un cerf.

Elle songea, ce fut une fulguration, qu'elle trancherait volontiers cette main si ses cuisses étaient des ciseaux.

Lui découvrait qu'il est plus jouissif de faire jouir une femme que de jouir soi-même à la manière canonique des hommes. À son âge, il était temps. (Il s'en fit la remarque sur

200

ce ton : À mon âge...) Ça n'avait rien à voir avec une rétention yogique, aimable pour elle, du plaisir masculin. C'était une jouissance d'ailleurs, une jouissance extrême des extrémités, un orgasme digital des confins. Le dire en termes d'homme était difficile, sinon à concevoir une éjaculation douce, étale, indéfiniment repoussée et joueuse, de la main se divisant et rassemblant tout entière pour exprimer sa passion de la paroi, du fond, du fin fond, bourgeonnant de chacun de ses cinq doigts comme ils bourgeonnent parfois sur les dessins d'enfants, chaque main valant l'autre, définitivement ambidextre du sexe, le sexe à jamais dispos, frais, remuant.

Elle le mordit au gras de l'épaule.

Ça les dégrisa.

À nouveau, elle dut rentrer.

La souffrance de se séparer à nouveau.

Impuissante à s'alléger de celle d'hier, incapable d'en tirer une légèreté pour aujourd'hui.

Tant que Bélard resta devant les portes de l'ascenseur, Loïse s'opposa à leur fermeture. Elle le suppliait de partir. Elle ne supportait pas d'être coupée de lui par cette veuve horizontale.

Il se recula enfin. Comme il faisait mine de revenir, elle cria Non!

Dans ce qui restait d'ouverture, il vit l'expression de ses yeux quand elle cria. Elle ne mentait pas. Une vraie panique.

Ça lui fit mal.

Sur la rocade, à cette heure, il y avait foule.

Elle appela Roman. Elle fut tendre, badine. Il ne se doutait de rien.

Puis elle appela Bélard.

La voix de Bélard était sombre.

Il dit Je ne pourrai pas toujours vous laisser partir comme ce soir.

Elle dit Je sais.

Il fut inquiet de ce Je sais.

49

COMME UN BŒUF

Il se dit : Il est encore temps que je recule. Puis : C'est la femme d'un autre. Puis, enfin : Le temps de me reprendre est passé. Il n'est plus temps.

Elle se dit : Je n'ai pas le droit de faire ça à Roman. Puis : Je n'avais pas droit à Bélard. Je n'ai pas droit à cet homme-là. Puis, enfin : Depuis Bélard, j'ai tous les droits.

Il se dit : Je suis fou. J'ai quarante-trois ans de plus qu'elle. Je dois cesser sur-le-champ.

Elle se dit : Je suis folle. Il a au moins trente ans de plus que moi. Je dois me jeter dans les bras de Roman. Je dois me laver en lui des bras de Bélard. Je dois oublier Bélard.

Il se dit : Le monde entier est contre moi. Ma raison même est contre moi. Pas la plus petite de mes pensées pour me donner raison.

Elle se dit : Si je me jette dans les bras de Roman avec le poids de Bélard, je vais fracasser Roman. Le souvenir du poids de l'étreinte de Bélard le tuera aussi sûr que si je me jetais à l'eau avec lui lestée d'une dalle de béton.

Il se dit : Je suis comme un bœuf planté des quatre sabots au milieu du carrefour, et que rien, ni les coups de piques des hommes, ni les appels du troupeau, ni les cornes stridentes des vingt tonnes, ne peut faire bouger d'un iota pour sa sauvegarde. Je suis comme un bœuf amoureux, rassemblé tout entier dans sa massive conviction, sans une once de mensonge sur ce qu'il éprouve, sur ce qui l'attend et sur ce qu'il est.

Il lui adressa par courriel la dernière phrase : « Je suis comme un bœuf amoureux... »

Elle répondit qu'elle serait volontiers sa génisse.

Il protesta qu'ils étaient au milieu du carrefour, que la morale publique les écraserait plus vite et plus certainement qu'un semi-remorque.

(Il pensait : m'écrasera moi, mais il ne l'écrivit pas.)

Elle répondit que, sous lui, elle ne sentirait pas le semi-remorque.

50

LA NUIT ENTIÈRE

Elle fit l'amour avec Roman. Elle l'avait fait très vite en arrivant, pour éviter qu'il ne voie Bélard dans ses yeux. Elle le refit après avoir écrit à Bélard, pour effacer les traces que l'écrit laisse toujours sur le corps.

Elle craignait qu'à ce cache-cache érotique entre deux hommes, elle ne se découvrît. Elle découvrit qu'il n'en était rien. Car il ne s'agissait pas de deux hommes, mais d'un homme et de Bélard.

Elle se berça de l'idée que Bélard pût demeurer son amant tout le restant de sa longue vie sans que Roman en prît ombrage. Ou, s'il en prenait ombrage, que sa passion de Bélard perdurât invisiblement. Car il ne s'agissait pas de deux amours, mais d'un amour tranquille, conjugal, et d'une faim.

Elle se refusa à Roman sur le matin. Ce n'était pas que le reproche de tromper l'un avec l'autre la visitât. C'est que la faim de l'un l'avait reprise avant que le désir de l'autre ne s'imposât.

À peine Roman avait-il tiré derrière lui la porte de l'appartement qu'elle ouvrait sa boîte mail. Il y avait un long message de Bélard écrit avant son départ à la faculté, où Loïse savait qu'il devait passer la journée entière. Il détaillait leur rapprochement de la veille avec une précision qui fit venir la chaleur au siège qu'il décrivait. Il lui annonçait l'enfer que seraient ces heures interminables, et lui demandait instamment de fixer une date et une heure à son retour.

Quand elle eut retrouvé son calme, elle répondit :

> Je voudrais pouvoir vous décrire ce qui m'agite et me brûle moi aussi, et où ça m'agite et me brûle. Mais vous le savez mieux que personne. Et je n'ai pas vos mots pour parler de ça, je vous les laisse, ils me ravissent et ils me comblent. *Seuls mes actes parlent pour moi. Pensez-y.* (Elle avait souligné ces deux phrases.) Je suis heureuse, voilà. Tellement heureuse. Je pense à vous.

Elle ne disait rien quant à son retour.

Le soir, il était vingt heures passé, elle sonnait chez Bélard.

Il fut si ahuri de la voir qu'elle dut le repousser pour pénétrer à l'intérieur.

« Vous voulez me prendre sur le palier ? » demanda-t-elle, tandis qu'elle ôtait ses chaussures. Il ne disait toujours rien. Elle demanda :

« La nuit entière, je peux ? »

TRAHISON DE L'HYPOTHÉTICO-DÉDUCTIF
PAR LE BAISER

Toutes ces choses qui ne se disent pas mais qui se font.

Qui ne s'apprennent pas non plus, ou alors si vite que les parents seraient stupéfaits de la quantité de choses que savent leurs enfants, de l'âge où ils l'ont su sans forcément l'apprendre de quelqu'un, de la sûreté et de la célérité de ce savoir qui est un faire en réserve qui ne se dit pas.

Ils firent beaucoup de ces choses-là qui ne se disent pas, qui ne s'apprennent pas, mais qui se font.

De ce point de vue, Loïse était aussi vieille que Bélard, Bélard aussi jeune que Loïse, ou peut-être plus, ou elle moins que lui, va savoir.

La raison en est que, l'appariement d'une bachelette et d'un sexagénaire étant chose peu commune, il existait une plus grande zone d'incertitude entre les initiatives érotiques permises et celles qui ne l'étaient pas, un plus grand marécage d'insu où patauger à la recherche l'un de l'autre avant de s'agripper et de se faire ce que se font les malpropres et les grossiers quand il leur arrive de se trouver, bref tout un marigot d'ignorance concernant la comédie des mœurs qu'il convient de jouer entre un géronte et une moderne baiselete, qui présentait cet avantage d'instaurer entre eux une réserve d'expériences déroutantes et scabreuses.

Elle ne se souvenait pas, par exemple, avoir été embrassée aussi longuement par un autre de ce sexe avant Bélard. Et Bélard aurait vainement cherché dans sa mémoire un bouche-à-bouche d'une fougue et d'une ressource qui se puissent comparer au baiser de cette jeune femme-là.

Peu de temps après, à la devanture d'un kiosque, Loïse lut cette manchette : « Combien de temps doit durer un baiser. »

Elle s'étonna : C'est une question ?

On chercherait en vain, en cet anachronique et scandaleux baiser, des raisons de la prééminence d'un vieux désir sur un jeune, ou l'inverse. Ils n'en eussent pas trouvé eux-mêmes. Il y avait cela de bon, à l'anachronisme, qu'au moindre embarras sexuel chacun eût abandonné à l'autre sa liberté. Et cela de bien, au scandale, que son parfum les gardait autant l'un que l'autre d'en rajouter.

Rien de plus triste à contempler que ces équipages qui affichent, comme on dit, « leur différence ».

Loïse et Bélard étaient ailleurs.

Qu'eussent-ils revendiqué qu'ils n'eussent déjà ?

Et s'ils l'avaient, pourquoi l'exhiber ?

Le temps que dura leur passion, ils ne manquèrent jamais d'user du seul accord, silencieux et profond, qui les unissait par la racine. N'eussent été ces accordailles de la chair, où s'enlaçaient invisiblement leurs racines en l'interminable tressage des langues – comme, avant elles, en la longue caresse des mains –, ils n'eussent pas survécu plus de temps que ce baiser-là au ridicule de leur équipage.

Écartelés d'emblée, conscients de la violence infligée par la différence des âges à leur amour, déchiré chacun d'éprouver sans attendre la blessure, qui ne vient aux couples qu'avec le temps, d'être séparé de l'autre, ils ne pouvaient à aucun moment se croire « pareils », ainsi qu'il arrive aux jeunes amants.

Leur assurance, leur folie d'être l'un à l'autre, s'ancrait ailleurs. Pour hypothétique qu'il fût, il fallait bien que ce roc existât.

C'était leur amour qui le démontrait, pas l'inverse.

Bélard, pour une fois, trahissait l'hypothético-déductif.

52

COÏNCIDENCES

Désormais la vie de Bélard s'emplit de coïncidences.

Il décrochait pour l'appeler, il entendait sa voix protester Mais ça n'a pas encore sonné! Il pensait à elle en voiture, en cours, en rendez-vous, son téléphone vibrait, Je m'ennuie de toi, où es-tu? Au milieu de la rédaction d'un texto qu'il lui destinait, il n'était pas rare que le bip-bip d'arrivée d'un message d'elle l'interrompît, Tu penses à moi? Parle-moi! Et lorsque leurs courriels se croisaient, il était courant qu'ils eussent la même heure d'envoi à la seconde près.

D'autres que Bélard se fussent émerveillés de ce que la force de leur amour embrasât le monde à ce point. Ce fut le cas de Loïse au début, elle s'ébaubissait. Puis, l'extraordinaire devenant l'ordinaire, elle fit mine de se résigner. « J'ai renoncé à m'étonner qu'une fois encore nous soyons branchés! » Mais elle ne se résignait pas. Elle se tempérait.

Bélard, lui, ne s'ébaubissait point. S'esbaudir lui suffisait. Mais il s'esbaudissait sans cesse, et prodigieusement, de ces coïncidences qui ne pouvaient pas ne pas exister. « Comment ne serions-nous pas branchés, puisque nous ne cessons pas de chercher à l'être, puisque l'être en permanence serait notre

210

félicité ? » demandait-il, contrariant l'ébaubissement de Loïse. Et comme il ne souhaitait pas la peiner, il ajoutait que la réjouissance amusée qu'il en tirait n'annulait pas son émerveillement. Son émerveillement était ailleurs. Il était pour la puissance de dénudation de leur amour, nullement pour un « miracle » qui en appellerait à des puissances extérieures à lui, cosmiques par exemple. C'était que chacun soit nu jusqu'à l'os qui l'ébaubissait.

Ça rendait Loïse dubitative.

Car l'amour n'est pas tendre, s'exaltait-il alors. Il a la puissance impitoyable des griffes, c'est même à cela qu'on le reconnaît. L'amour veut l'amant jusqu'à l'os, il veut l'amant avec la puissance de destruction de l'aimée, sauf que l'aimée se retient. Elle se retient par calcul, afin de garder l'amant pour son plaisir, encore un peu, encore et encore, elle diffère sans cesse le moment d'en finir avec l'aimé. L'amour, lui, n'avait pas de ces retenues. Il ne sursoyait pas. Il arrachait comme peau de lapin l'épaisseur étouffante de la chair de l'amant qui le fait si lourd, si sourd, si épais dans sa vie courante d'homme ordinaire, il le dénudait tel un fil, et alors, alors seulement ça marchait ! Il pouvait prendre le flux des frémissements de l'autre dans son propre flux, il en était affecté si promptement qu'il en transportait la perception comme si elle était sienne et qu'elle l'éclairait à ce titre, là était le miracle, et ce n'en était pas un.

Elle aimait qu'il s'exalte comme un jeune homme, étant gourmande de ce que son exaltation produisait.

TEXTOTER

Si méprisant fût-il envers l'énormité des besoins super-flus, Bélard usa sans complexes de l'opportunité récente donnée aux amants de s'écrire et de recevoir réponse sur-le-champ.

Loïse n'avait pas de ces préventions envers la technique : elle en profitait. Parfaite consommatrice de biens, le superflu ne prenait pas pour elle existence d'une décision philosophique. Était déclaré superflu soit ce qui ne résistait pas à l'usage intensif qu'elle en faisait, soit ce que ses moyens limités lui rendaient impossible ou déraisonnable l'acquisition. Mais il arrivait qu'elle se privât de nourriture pour s'offrir un gadget ou en offrir un à Roman. C'était sa conception de la vie et du plaisir, et il n'y avait aucune chance que les préventions bélardiennes y changeassent quoi que ce soit.

Lorsque le superflu entrait dans l'orbe du nécessaire, elle attribuait un verbe à son usage, ce n'était pas toujours d'un effet heureux. Pour « textoter », toutefois, il le fut.

Textoter devint vite leur mode de communication privilégié. Il y avait une condition implicite. Que soit banni l'usage des contractions lexicales, moins faites pour accélérer le message que pour masquer l'indigence orthographique des textoteurs. Elle n'eut pas à être formulée. Au premier Est-ce que je peux? qui se présenta, Loïse, qui l'eût spontanément condensé en quatre lettres, devina que celui auquel elle adressait sa prière l'entendrait mieux développée.

Moyennant quoi, ça fonctionnait entre eux comme un courrier de sauvetage. Les textos prirent naturellement leur place entre les conversations téléphoniques, qui convenaient à l'urgence et au plaisir, mais qui duraient toujours infiniment plus que prévu et coûtaient cher, et les courriels, qui exigeaient un lieu, du temps et une relative intimité, conditions rarement réunies pour Loïse.

Quoique Bélard demeurât toujours d'une vitesse de frappe largement inférieure à la sienne, Loïse s'enthousiasmait de ses progrès. « Il me semble que ces doigts que j'aime sentir bouger en moi deviennent aussi plus véloces en dehors de moi… Dois-je m'inquiéter ou, au contraire, me réjouir? J'ai besoin de savoir très vite. Est-ce que je peux venir dans ton bureau maintenant? » textota-t-elle un soir où ils étaient tous deux encore à la fac.

À quoi il répondit, ça lui prit exactement le même temps que le texto de Loïse : « Non, désolé, pas seul. Demain mon cœur.

— Demain!!! C'est beaucoup trop loin demain!

— C'est vrai, mais deux mains c'est mieux.

— Alors je vais me caresser toute seule! » menaça-t-elle, sachant que Bélard penserait aussitôt à Roman.

Il y pensa le reste de la soirée. Aucun texto ne pouvait le

guérir d'une telle pensée. Sauf un mot d'amour. Même très bref, même contracté. JT'M pouvait suffire. Elle désirait le lui faire espérer.

Il l'aurait attendu la nuit entière.

Mais c'est elle qui ne le put pas.

54

LE TUTOIEMENT

Ils n'employèrent pas le tutoiement tout de suite.

Même après qu'ils se furent touchés, léchés, compénétrés, le vouvoiement était encore là, entre eux, à des moments inattendus. Alors que plus rien ou presque de leur intimité corporelle ne demeurait caché ni interdit aux fantaisies invasives de l'autre, quelque chose encore résistait dans le langage.

Ils en souriaient sans bien comprendre. Pourquoi cette feuille de cigarette de politesse glissée entre elle et lui ? Et, quand un « vous » leur échappait, pourquoi avec un tel bonheur ?

En fait, c'était d'un plaisir différent pour chacun.

Dès qu'il se sentit autorisé à tutoyer Loïse, et il le fut dès que sa langue et ses doigts entrèrent en elle le premier soir, cette licence verbale l'éblouit tout autant que la physique. Pouvoir dire « Loïse *tu* », du début à la fin de leur amour, fut un enchantement. Jamais le tu ne vira à l'habitude. C'est pourquoi le vous, parfois, venait se mêler au tu comme l'enfant riche aux jeux de balle du pauvre : ils n'avaient jamais cessé d'être intimes par la passion.

Pour Loïse, au contraire, le tu vint bien après qu'elle eût pris le membre de Bélard dans sa bouche, mais cette privauté ne changea rien. Il était toujours le Bélard professeur. Simplement elle avait accès à sa braguette. Le vous venait quand elle désirait la lui ouvrir avec plus de cérémonie. C'était un vous pervers. Un vous d'habillement pour augmenter la transgression du déshabillage.

Il le demeura jusqu'à la fin.

L'OBSCÈNE

Elle lui écrivit des choses obscènes. Ce qu'elle rêvait qu'il lui faisait, qu'il allait lui faire. Lui rappela ce qu'ils avaient déjà fait. Elle inventa des situations, des dispositifs. Elle savait brosser en quelques lignes le tableau vivant d'une débauche à venir. Dans ces cas-là, elle usait du vous, l'appelait Monsieur – « la voie où vous allâtes, Monsieur, si profond que vous me fîtes mal » –, ça donnait à ses obscénités un ton sadien.

Elle en textota. Textoter appelait le tu et l'obligeait en outre à nommer ses actes en raccourci. Ta langue dans ma bouche devint TLDMB. Abrupt mais efficace, et autorisant nombre de variantes : TLDMS, TLDMC, TSDMB, MSDTM, etc. Il arrivait qu'elle ajoutât un verbe d'action. C'était quand la confusion à propos du lieu anatomique était possible – TSDMC, force-le! – ou pour donner un indice quand le code était nouveau – TQAFDMG, je l'avale –, on y voyait tout de suite beaucoup mieux.

Bélard s'y mit. L'ayant stigmatisé « notre codage de misère », il s'attira cette étrange réponse de Loïse les mettant tous deux dans le même sac : « Vive la misère qui nous fait goder! »

LE PARTAGE

Bélard réclamait une seconde nuit.

Loïse aussi la voulait, mais elle la voulait moins que garder Roman.

(Si quelqu'un lui avait présenté les choses ainsi, elle s'en serait offusquée. Garder Roman n'était pas le problème. Elle ne craignait pas de le perdre s'il apprenait sa liaison avec Bélard. Du moins pas dans l'immédiat. Et elle se refusait à envisager plus loin que l'immédiat.)

En fait, elle redoutait d'ajouter au chamboulement de sa vie par Bélard le pathos d'une rupture avec Roman. Elle redoutait le pathos. À l'inverse de Bélard, elle redoutait moins les inconvénients du compromis que le pathos.

Ils se virent clandestinement.

Lorsqu'il arriva que ce fût en ville, Loïse, d'emblée, proposa qu'ils aillent à l'hôtel. Bélard protesta. Il aurait l'impression de la sauter à la sauvette. Elle le regarda avec pitié. « Je veux qu'on le fasse chaque fois que c'est possible. Ce à quoi ça ressemble de monter avec toi importe peu. Je me fous qu'ils me prennent pour ta pute. » (Bélard avait attendu qu'elle dît « ta fille ». Mais qu'on la prît pour sa fille, elle devait le lui rappeler maintes fois par la suite, cela réglait le problème : un père et sa fille n'avaient-ils pas le droit de s'octroyer l'intimité qu'ils désiraient sans que cela regardât personne ?) Et comme Bélard renâclait, évoquant les couples adultérins, Loïse : « N'est-ce pas ce que je suis, moi avec toi, une femme *adultère* ? »

Cette façon de lui rappeler Roman, au moment même où elle lui proposait de « monter », le doucha. Il la découvrait habile à s'organiser mentalement en fonction des contraintes nouvelles et inédites que son amour de lui introduisait. Devant un tel pragmatisme, pour la deuxième fois depuis leur rencontre, il se sentit vieux.

En même temps, il l'admira. Tant de simplicité dans le choix des moyens, d'ingéniosité au service de son but... Cette liberté d'user de son corps, qui prenait à d'autres toute une vie, elle en disposait à l'âge où ceux-là étaient ficelés, et pour longtemps, avec leur si petit précieux souci, vaniteux et vain, de surtout-ne-pas-se-faire-baiser.

Loïse, elle, l'avait déjà compris – ça lui donnait une sacrée avance sur ses contemporaines, et un drôle d'avantage sur Bélard, qu'elle rattrapait là d'un seul bond : baisée, elle l'était, de toute façon. Elle le serait. Ça l'amusait que ce soit de toutes les façons. Le but de l'existence n'était pas d'échapper à la servilité de son sexe, ni d'en triompher, mais de l'y faire servir au mieux de ses intérêts, qui étaient aussi ceux de son être. Dans la valse des désirs, prendre son être pour de l'avoir, et le vouloir conserver à tout prix, était la meilleure façon de « se faire avoir » précisément, elle le croyait.

Elle devait le dire plus tard en ces termes à Pièra : Roman

et Bélard m'ont eue chacun entièrement. Je ne me suis pas partagée. Je n'ai rien gardé de mon intimité pour l'un ou pour l'autre, à l'instar de ces femmes qui protègent dans la tromperie un lieu sacré de leur personne, le tabernacle dont elles réservent la clé à l'époux, par exemple « le con mais pas le cul », ou l'inverse, ça dépend de la localisation anatomique de la virginité ; ou encore ces prostituées dont on dit qu'elles interdisent leur bouche à leur client tandis qu'elles livrent tout le reste. Moi, quand j'ouvrais mes fesses à Roman durant mes règles, je voulais qu'elles s'ouvrissent autant et aussi vite pour Bélard !

57

LE SOUTERRAIN

Si sous lui elle était génisse, devant l'obstacle elle se révélait jument.

Puisque l'hôtel sentait la passe pour Bélard, Loïse, avec sa science de la ville, chercha une clandestinité qui fût acceptable par les deux.

L'eût-il compris plus tôt, Bélard eût trouvé préférable d'accepter l'hôtel. Car à peine installée sur le siège passager, sans doute en proie à la frustration d'être au plus près du désir calme et patient de Bélard sans pouvoir exprimer la fébrilité violente du sien, Loïse s'ingéniait à lui montrer nues sur-le-champ les parties de son corps sur lesquelles ses yeux se posaient. Et les yeux de Bélard, une fois saturés des traits du visage aimé, n'avaient guère d'autre endroit où se poser, en ce réduit exigu, que les genoux, les cuisses, le ventre, le torse de Loïse. Elle remontait sa jupe, haut, plus haut, se soulevait pour qu'elle passe les fesses, sortait un sein. C'était comme si les yeux de Bélard commandaient le déshabillage. Et le déshabillage, les battements du cœur de Bélard.

Peu importait à Loïse qu'ils fussent exposés peu ou prou aux regards des passants. Elle pestait déjà que la quête d'un endroit désert en pleine ville leur fît perdre un temps précieux. Une fois trouvés la rue, l'impasse, le terrain vague, au diable la prudence! Chaque minute passée ensemble comptait pour dix du temps ordinaire. Plus sensible que Bélard à l'urgence, plus chiche aussi que lui de sa liberté, Loïse, dès qu'elle entendait le bruit de serrage du frein à main, perdait vite tout sens de l'environnement. Mais pas Bélard.

Il ne fallut pas deux de ces rendez-vous pour qu'il se mît en quête d'un lieu où il serait certain d'être seul à bénéficier de l'exhibition des trésors de Loïse.

(Il avait ce sentiment avec elle de voler quelque chose à l'humanité tout entière. Les kidnappeurs d'œuvres d'art ne devaient pas éprouver une satisfaction bien différente de celle de Bélard dérobant Loïse. Un peu moins intense cependant, parce que l'œuvre était ici une alliée volontaire du voleur et qu'elle se mettait nue pour lui sans qu'il l'exige – une Suzanne qui se déloque pour le vieillard qu'elle s'est choisi...)

Connaissant mieux la ville que lui, ce fut elle qui le guida. Ils cherchèrent le parking le plus proche, de préférence souterrain. Et dans le parking, le niveau le moins fréquenté, qui était aussi le plus profond.

Pourtant, même l'ayant trouvé, jamais l'habitacle ne leur servit vraiment de couchette. Chaque fois Bélard, pour une raison ou une autre, s'y refusait. Loïse, quoiqu'elle le regrettât, y trouvait son compte. Bélard lui faisait, dans cet espace restreint et rempli d'obstacles empêchants, tout ce qu'un homme peut faire à une femme excepté la foutre. Elle en sortait plus rouge, plus remuée et plus gourmande que d'un coït.

Un jour que, revenu à la surface, il la déposait au centre-ville où l'attendait Roman, et bien qu'elle fût très en retard, elle revint sur ses pas et, rouvrant la portière, elle lui dit « Merci pour tes doigts », en se penchant pour qu'il vît ses yeux. C'était pour le plaisir que, pensait-elle, il lui avait procuré sans penser au sien, en quoi elle se trompait.

Bélard en resta ahuri.

Évoquant plus tard leurs fureurs souterraines, elle se souvint de cette phrase qu'elle avait lue dans les gogues de Bélard : *Ne cherchez pas refuge vers les parties hautes mais vers le bas.* Comme elle la lui citait, elle ajouta ce commentaire, qu'elle voulait plaisant : « Pour nous, c'est sous terre que ça se passe. »

Elle ne croyait pas si bien dire.

Encore moins qu'elle anticipait sa propre fin.

58

LA BOUCLE D'OREILLE

Elle le remarqua sur le trajet. Il lui manquait une boucle d'oreille. Ça la contraria. Elle appela Bélard. Il roulait encore. Il lui dit qu'aussitôt arrivé il chercherait. S'étonna qu'elle tînt tellement à une boucle. En argent, tout de même. Alors, je la garderai, dit-il. Elle, d'habitude accommodante avec ses bijoux, protesta. Inventa un attachement familial à ce cadeau, sans grande valeur il est vrai. Ce revirement sur la valeur alerta Bélard. Il en fut certain sur-le-champ : c'était un cadeau de Roman.

Il trouva aisément la boucle, accompagnée d'une épingle à cheveux, dans la fosse arrière. C'était un court pendentif en forme de fine massue, dont l'unique ornement consistait en une frise enserrant la boule à l'extrémité. Suspendue à une attache simple, elle s'enfilait facilement par le trou du lobe, en sorte qu'il était aussi aisé qu'elle en sortît pour peu que des lèvres ou des doigts s'égarent sur la nuque.

Bélard sut aussitôt qu'il ne la rendrait pas.

Elle insista. Il dit oui, bien sûr, où avais-je la tête, la prochaine fois.

Elle prétexta qu'elle n'en avait pas d'autres (il ne la crut pas), qu'une boucle d'oreille dépareillée ne servait à rien (alors donne-moi l'autre), que Roman allait finir par s'en apercevoir (dis-lui que tu me l'as donnée), elle s'énerva : que, oui, enfin, c'était un cadeau de Roman!

Il dit bon, d'accord, pourquoi mentir.

Elle dit tu ne devrais pas me forcer à mentir.

Cette boucle, Loïse l'avait perdue après une conférence de Bélard où elle était venue sans soutien-gorge ni culotte. C'est lui qui, pris d'une impulsion subite, l'avait exigé d'elle par courriel, sans savoir si elle obtempérerait. (Pourquoi? Pour la surprendre. Pour la mettre à l'épreuve. Pour l'imaginer marchant en ville sans dessous. Pour la vanité de croire qu'elle lui obéissait par amour.) Mais outre que Loïse ne savait rien lui refuser, la transgression invisible que représentait le fait d'être nue sous sa robe en public l'avait prodigieusement excitée. Il avait pu le vérifier, après les compliments et les petits-fours, dans un parking du centre-ville. (Le message annonçait qu'il le ferait.) La robe était longue et noire. La peau de Loïse très blanche. Elle s'était rasé le pubis.

Comme il s'en étonnait, Loïse : « Les boucles d'oreilles, c'était pour que tu saches que j'avais fait plus que t'obéir. Je t'avais sacrifié les autres. »

Il ne l'avait pas compris.

LES PARTIES HAUTES

Nonobstant, si fort encore était leur amour du feu qu'ils trouvèrent refuge dans les parties hautes. Un ami de Bélard, absent de Paris pour un long séjour à l'étranger, lui prêta un deux-pièces sous les toits.

Paris était parfait pour Loïse. Elle prétexta un appel au secours de Justine. Avec Justine, un appel était toujours plausible, étant donné le capharnaüm de sa vie sentimentale. Connaissant l'exiguïté de l'appartement de Justine, Roman, qui avait déjà du mal à supporter ses pleurnicheries, ne tiendrait pas à être du voyage. Surtout, Paris mettait entre elle et Roman la distance physique et le sas temporel qui lui manquaient lorsqu'elle rencontrait Bélard. Après les orgies de parking, elle y vit le motif de calmer le jeu et d'embourgeoiser un peu leur amour. Ne le méritait-il pas ? Deux jours et deux nuits entières en la compagnie constante de son amant, c'était une aubaine et, plus difficile à s'avouer, un test. Si elle s'ennuyait un tant soit peu avec Bélard, ce serait le signe que cette folle histoire de jeune femme trompant l'ami de son âge avec un barbon, ressemblait à n'importe quelle autre histoire de tromperie où l'infidèle rentre au bercail parce que, en fin de compte l'amour, tel le cheval qui fugue dans les grands espaces, n'oublie pas la paille du box. Sinon… (Le sinon était si peu envisageable qu'elle ne l'envisagea pas.)

Les deux jours et deux nuits ne furent qu'une seule longue et même nuit de quarante-huit heures.

Le prévoyant, Bélard avait fait des provisions.

Ils ne pensèrent pas à y puiser.

Voyant bleuir pour la seconde fois le zinc des toitures du dernier étage, seul paysage de la ville qu'ils pussent apercevoir depuis le lit, ils surent que la terre avait tourné sans que la station verticale fût pour eux une obligation.

60

L'AVANT

Durant cette nuit horizontale, comme enroulée sur elle-même, ils ne se parlèrent presque pas. Elle, c'était au milieu de la première nuit, voulut qu'il connaisse sa vie d'avant. Lui n'y tenait pas, mais il aima le mot d'avant, qui lui donnait une place cardinale. Sa vie d'avant, pour une fille de dix-neuf ans, était plus fournie en expériences et excès de toutes sortes que la vie sentimentale de Bélard étalée sur un demi-siècle. Quand elle eut fini, elle lui demanda timidement « Tu m'aimes toujours ? », comme si elle venait de faire l'aveu d'une existence monstrueuse. Il saisit sa main sans répondre. Elle le prit pour une absolution de ses péchés. L'envie d'une confession réciproque la démangeait. Toutefois elle n'osa pas dire « Et toi ? », anticipant que sa vie amoureuse à lui serait infiniment plus longue et gênante à raconter, alors qu'elle ne l'eût pas été plus que la sienne, et sans doute moins.

61

LE NU

Il la vit nue sous toutes les coutures. L'image est juste en français, quoique la jonction dont il s'agit ne fût pas de tissu mais de viande. Toutes les coutures de sa nudité, il les vit. Et même si « toutes » en exagère le nombre, ces quelques-unes il les vit mieux que la première fois. Peut-être parce qu'il disposait de plus de temps pour y revenir, pour y rester. Ce fut l'inverse pour Loïse. Elle vit Bélard moins nu que la première nuit où, pour tenter de garder le contrôle, elle avait usé de lui comme une gamine capricieuse du pottock qu'elle monte. Moins nu, non pas au sens de moins souvent nu, car nu il le fut comme elle tout du long, mais moins regardé par elle sous ses coutures de vieil homme. Leur premier rapport l'avait rassurée sur ce point. Bélard ne se découdrait pas au faîte de l'action, l'action ne découdrait pas les coutures de Bélard. Elle était donc libre de jouir sans crainte, sans regarder.

Au matin du deuxième jour, il ne s'était pas encore retiré d'elle, elle dit « Finalement, il faut du temps pour s'accorder », et elle caressait la hanche de Bélard.

Bélard n'aurait pu entendre que la flatterie.

Mais il entendit aussi la réserve de l'adverbe, et sa joie en fut tempérée.

62

LES BRIBES

Loïse eût été en peine de ramener de cette nuit une phrase entière de Bélard. Bélard un peu moins en peine que Loïse.

Il se rappelait par exemple qu'à un moment, il tenait ses poignets dans une main, elle avait dit « salaud ! », puis à un autre, elle avait la bouche dans l'oreiller, les reins beaucoup plus haut que la bouche, « Tu es fou mon amour », sans qu'elle fît le moindre geste pour le contrarier.

Il est toutefois des bribes qu'ils eurent en commun. Ils ne le surent que beaucoup plus tard, quand elles leur revinrent. Elles ne revinrent pas au même moment pour Loïse et pour Bélard.

C'étaient les bribes des paroles de trois femmes chantant l'amour dans trois langues différentes. Bélard eût parfois souhaité qu'elles se taisent, mais elles ne se taisaient pas. Sauf quand Loïse plongeait dans le sommeil. Ou lorsque, épuisée, elle renonçait à se mettre à genoux pour changer de cd sur la platine.

Il arriva ainsi que Bélard bougeât dans Loïse au rythme syncopé de l'arabe, et que Loïse s'ouvrît voluptueusement en portugais.

Longtemps après qu'ils se furent quittés, Loïse ne pouvait entendre les voix de Casal et de Branco sans que les dents pointues des délices qu'elles avaient bercés ne revinssent pour la mordre au bas-ventre, et qu'elle n'eût d'autre ressource que de les fuir.

Quant à Bélard, il le sut sans délai dès qu'il les entendit au-dehors le lendemain : ces six petites syllabes *ḫājītək mā jītək* lui serreraient le cœur jusqu'à sa mort.

63

LE DÉPLIEMENT

Il fallait qu'elle vît Justine. Il le fallait. Elle avait déjà repoussé d'un jour la nuit chez elle qui serait son alibi pour les nuits chez Bélard.

Dès qu'ils furent rendus à eux-mêmes, un sentiment identique de catastrophe les écrasa. Et quoiqu'ils l'éprouvassent différemment et à des moments différents, il ne les quitta pas l'un et l'autre de la journée.

C'était pourtant le contraire d'une catastrophe qui leur arrivait. Chacun le savait, chacun l'éprouvait, ils eussent dû en être soulevés au-dessus du sol dans les rues qu'ils arpentaient séparément, et ils l'étaient. Mais ils l'étaient seuls. Et ce mot, seul, au lieu d'ailer leurs semelles allégées par la certitude de l'amour, les lestait du plomb de l'antique solitude rechaussée plus lourde qu'auparavant, un vrai scaphandre.

Pour Loïse, qui était comme tamponnée et bouchonnée de sensations arrachées à la couche dont elle sortait à reculons, le sentiment de catastrophe était une crainte physique, irrationnelle : celle de perdre à chaque pas qui l'éloignait, à chaque parole qui sortait d'elle pour un autre, des pans entiers de

Bélard. Elle craignait non qu'il la quitte, elle était étrangement sûre d'elle de ce côté, mais qu'elle ne se vide de lui par accident. Qu'il échappe à son sexe où elle l'avait si souvent introduit qu'elle le sentait encore à cet endroit, pareil à des règles qu'on n'a pas prévues, ou pas si tôt, et qu'on ne peut retenir en serrant les cuisses. Sauf qu'à la différence des menstrues, elle ne perdait pas Bélard, elle éprouvait ce que serait sa perte.

Et plus elle pensait à lui, plus elle resserrait ses pensées autour d'elle et de lui ensemble, plus elle sentait monter dans sa gorge le goût de cette perte.

Mais le pire était bien qu'une perte pût avoir un goût. Ça la paniquait par bouffées.

Le sentiment de catastrophe était tout autre pour Bélard. De Loïse, il n'était pas plein, il ne risquait pas de s'en vider. Il était une extension de Loïse, un déploiement d'elle. L'amour tardif, inédit, scandaleux d'une femme si jeune l'avait forcé à déplier en lui des plis et des replis qu'il ne se connaissait pas. Et ce dépliement ne cessait pas, il semblait devoir durer tant que durerait l'amour de Loïse, c'était douloureux et exaltant. Douloureux, parce que déplier un être qui avait été plié si longtemps était une épreuve qui mettait en jeu la physique et la dynamique d'une âme dont il ne connaissait jusqu'ici que la chimie, Bélard en était courbatu. Exaltant, parce que cet origami de l'âme l'entraînait aux confins. Telle une sonde cosmique déploie ses panneaux solaires et ses antennes : soudain le monde se met à exister plus profond, plus noir, plus bruissant d'informations que dans les rêves.

Sa crainte était à la mesure de cet exploit. Il craignait

qu'elle ne se replie. Car alors qu'il avait vécu avec une telle âme débile une vie presque entière sans s'en plaindre, il redoutait de ne pas survivre une seconde à son repliement.

Il déambulait dans Paris avec l'impression d'être suivi, du côté droit du trottoir, par une faille invisible, indifférente au trottinement des autres, mais toujours prête à s'ouvrir sous ses pieds à lui.

Il vécut la nuit sans Loïse comme, étudiant, il avait vécu la fausse couche d'une amie en étant séparé d'elle. Déréliction, ce mot avait un sens pour lui depuis qu'on l'avait chassé de cette chambre où il réclamait de rester. Laisser seul l'être le plus aimé était comme se perdre soi-même dans la nuit la plus hostile et la plus froide. Il avait pleuré longtemps, immobile et en silence dans le noir de sa chambre, son abdication au corps de l'aimée luttant en vain pour garder l'enfant.

Il n'avait plus jamais éprouvé un sentiment d'abandon aussi entier. Qu'il fît retour dans ces circonstances l'amena à s'interroger sur la manière dont il tenait à Loïse et, sinon sur le désir d'avoir un enfant d'elle (auquel il n'avait pas commencé à penser avant ce « sinon »), du moins sur la sorte de faillite qui pouvait advenir à leur passion.

Quant à Loïse, elle passa une partie de la soirée à subir les persiflages de Justine, soudainement vouée à la défense et illustration du couple qu'elle compissait d'ordinaire. Bélard n'était qu'un vieux salaud qui profitait de sa chair fraîche pour se refaire une santé à l'andropause. Ça ne marchait pas. Elle essaya la culpabilité avec Roman. Ça faisait plus mal, mais moins que prévu, et Justine revint à la charge en retournant l'argument de la fraîcheur. Après tout, si ça l'amusait de se payer son père, comme ça, pour voir, en passant…, mais alors uniquement pour le plaisir ! Et comme Loïse ne répondait pas, elle s'inquiéta : « Loïse, dis-moi que c'est pour le plaisir ! Dis-moi qu'il n'y a pas une once de sentiment là-dedans ! » Silence.

Justine : « Si tu continues sur ce chemin, tu vas finir par tomber amoureuse, ma pauvre fille. A-mou-reu-se, t'entends ? Faut arrêter avant que t'en sois là ! »

Loïse : « Trop tard. »

64

LE SIMPLON

Bélard arriva en avance au café où ils s'étaient donné rendez-vous.

À midi, les places étaient rares. Il dégota une table ronde coincée entre un pilier et la vitre qui donnait sur le boulevard Ornano.

La serveuse était beurette. Un client de cet âge qui lit un livre la changeait de la faune habituelle. Elle s'intéressa à lui en le servant. Il n'était pas trop serré dans ce petit coin? Il voulait déjeuner tout de suite? Il attendait quelqu'un? Quelqu'une? Ah…

À chaque passage, elle lui jetait une œillade curieuse. Quand Bélard soutenait son regard, il lui suffisait d'un léger mouvement du menton vers le haut pour la transformer en une interrogation, c'était malin de sa part et sans le moindre risque. Bélard faisait non de la tête en souriant, ce devint un jeu.

Tout à coup Loïse fut là. Il se dressa d'un bond dans un bruit de chaise. Il l'avait quittée la veille et pourtant sa première pensée fut Comme elle est grande! Il n'eut pas le temps d'en former une seconde que Loïse était déjà dans ses bras, se pressant du ventre contre lui, cherchant sa langue. Elle avait une robe légère, sous laquelle Bélard sentit la vibration de son corps quand il le toucha à la cuisse.

Aussi disposé à l'amour dans la cohue de ce café que lorsqu'il était dans une chambre. Il avait envie de la chambre, pas du café.

Elle dut sentir la réserve de Bélard car, tout de suite : « Tu m'as manqué, dit-elle, regarde dans quel état ça me met ! »

Il y avait une arrière-salle où déjeuner moins à l'étroit. Ils s'y rendirent. Loïse passa devant. Elle était si sûre qu'il regardait sa croupe onduler sous le tissu qu'elle stoppa d'un coup pour qu'il vienne buter sur elle. Ce qui arriva. Bélard, par jeu, mit les mains sur ses hanches, plongea le nez dans ses cheveux. Ils sentaient bon le shampoing. Elle anticipa la question de Bélard. C'est celui de Justine, dit-elle, tandis qu'elle se cambrait. Puis, sans transition, Je ne te sens pas comme hier ! Il la serra plus fort à la taille. Je ne te dresse pas d'obélisque à tous les carrefours, plaida-t-il.

Loïse se décolla. Tu devrais, dit-elle.

Le livre qu'il feuilletait en l'attendant était pour elle. C'était *Les Noces dans la maison* de Bohumil Hrabal. Il le lui offrit. Pendant qu'elle le feuilletait à son tour, il lui conta une anecdote à propos du livre. Il l'avait lu il y a une dizaine d'années, peu après que lui-même eut publié un pamphlet sur la littérature européenne. Invité par France Culture à parler de celle qui avait encore quelque grâce à ses yeux, il avait choisi de lire à l'antenne un extrait de la trilogie autobiographique de Hrabal.

Loïse : Laisse-moi deviner ! Je suis sûre que je vais trouver lequel toute seule! Bélard : Le livre fait 500 pages, ça m'étonnerait. Loïse : J'ai trouvé! Attends (elle avait perdu la page), c'est le passage qui commence par, mm, mm, oui, c'est ça… *Voilà ce qu'il a dit et moi je me suis couchée sur mon bien-aimé, je lui donnais des baisers, nous étions l'un sur l'autre comme deux tartines de pain beurré…* Bélard rit. Loïse : Non? Alors voyons, c'est, mm, mm (elle fait défiler les pages autour du pouce gauche comme si c'était un annuaire), tout au début, ah!… *Je vois aussi qu'il me regarde avec plaisir, je vois que je suis vue comme je voudrais que tout le monde me voie,* et la suite. C'est toujours non?

Bélard : Tu veux vraiment le savoir? Ça n'a rien à voir avec l'amour. C'est, si je me souviens bien, dans les premières pages de « Vita nuova »… le troisième chapitre… voilà… *Et ma culture? Uniquement pour que je n'écrive pas ce qu'ont écrit d'autres gribouilleurs c'est pour ça que je lis tellement pour trouver cette fissure cette place libre qui ne sera que pour moi…* (Bélard lève les yeux, il voit les yeux brillants de Loïse, le sourire indulgent de Loïse, l'envie du baiser qui se forme sur ses lèvres. Il en est si certain de ce baiser, si certain qu'il le mérite et si certain de l'obtenir, qu'il joue à en repousser un peu l'advenue). Il poursuit : *Donc ma fille pas la peine de se raconter des histoires Soit nous ferons quelque chose qui sera numéro un soit ça ne marchera pas De toute façon ce qu'il y a de plus joli dans l'art c'est que personne n'est obligé d'en faire Voilà ce que disait mon mari,* etc.

À présent il attend le baiser, mais le baiser ne vient pas.

Loïse : C'est ça que t'as lu? Ça m'étonne pas que tu vendes pas tripette! Ça n'intéresse que les gribouilleurs, ton truc de numéro un. En plus, c'est fait pour les enfoncer, leur faire bien comprendre qu'ils sont des numéros deux… T'es vraiment fou, mon Bélard!

Et là seulement le baiser est venu. Elle a décollé ses fesses de la chaise et avancé son buste à travers la table jusqu'à ce que leurs lèvres se rencontrent. La beurette qui passait a détourné les yeux. Quand le baiser a pris fin, Bélard a demandé : Tu veux savoir la fin de l'histoire? Elle voulait.

Alors il a raconté comment, le surlendemain de ce dimanche, l'animatrice de l'émission l'avait appelé pour lui annoncer le décès de Hrabal. Elle en était toute retournée. Pas peinée comme moi je l'étais, mais troublée par la coïncidence. Que Hrabal soit mort le lendemain du jour où je contais aux auditeurs comment ce magnifique poivrot de quatre-vingt-deux ans avait eu l'idée géniale d'écrire sa biographie à travers les yeux de son épouse, ce qui l'autorisait à porter sur lui-même un regard énamouré. Qu'il fût vivant à quelques centaines de kilomètres de là dans une clinique de Prague où il avait été admis, tandis que je relatais comment il grimpait sur le toit les jours de beau temps pour taper ses textes à la machine, et comment pour ce faire il avait dû scier les pieds de son bureau et de sa chaise afin de compenser la pente du toit, de sorte que la machine ne lui glisse pas sur les genoux ou, à l'inverse, n'aille s'écraser dans la cour. La coïncidence la plus incroyable étant quand même qu'il soit mort pour l'amour, dont j'avais parlé le dimanche, d'un de ces pigeons qu'on trouvait un peu partout dans ses livres. Et que le lendemain, le lundi 3 février 97, sans doute en proie à un délire éthylique, Hrabal ait enjambé la fenêtre de sa chambre pour passer sur le toit de la clinique dans le but de poursuivre le dialogue avec l'un d'entre eux, malheureusement avec moins de chance que dans *Les Noces*, sans pouvoir se protéger lui-même de ce qu'il avait réussi à éviter à sa fameuse machine à écrire : la chute fatale dans la cour...

Bélard a arrêté son récit parce que Loïse avait des larmes dans les yeux.

Elle lui a demandé de prendre sa main sous la table et, quand il l'a eu fait, elle l'a guidée entre ses genoux. C'était lisse et tendre comme de la soie. Il y avait un tintamarre de vaisselle, de musique et de conversations. Un serveur est passé. Loïse a dit : T'as vu le serveur ? Il est aussi bourré que Hrabal !

Puis, comme il ne cessait pas de caresser l'intérieur de ses cuisses avec le dos de la main, elle a ajouté : Si tu continues, on n'ira pas jusqu'au dessert... et elle a regardé avec insistance vers les toilettes.

Loïse : Tu veux ? Bélard : Pas ici. Loïse : Alors retire ta main parce que je suis en train de fondre comme un cornet de glace au soleil. Bélard : Je veux bien qu'il fonde dans ma main. Loïse : Pas moi.

C'est à cet instant qu'ils l'ont reconnue. Ils l'ont reconnue en même temps. Dans le brouhaha — personne d'autre dans ce troquet pour être aussi intéressé qu'eux à l'entendre —, la voix de Souad Massi. Elle chantait la chanson de leurs nuits, quand ils étaient nus, aussi collés l'un à l'autre que la main et la cuisse sous la table.

La voix mélancolique disait deux fois, en arabe, la même phrase :

kull wāḥəd mənnā f qalbu ḥkāya
kull wāḥəd mənnā f qalbu ḥkāya

La beurette passait à ce moment-là. Loïse l'a arrêtée. Elle lui a parlé à l'oreille. La beurette a souri. Elle s'est figée un certain temps l'oreille tendue. Puis elle a dit, lentement, en détachant chaque mot :

« Chacun-de-nous-a-une-histoire-au-fond-de-son-cœur.

— C'est tout ? a demandé Loïse.

— C'est tout. »

65

LE SIMPLON, SUITE

Ils savaient qu'ils se quitteraient au Simplon. Ils l'avaient décidé ensemble. C'est toujours plus difficile quand l'un des deux s'en va et que l'autre reste. Jusque-là, c'était elle qui partait. Aujourd'hui ce serait Bélard. Bélard ne savait pas plus partir que Loïse. Et Loïse ne savait pas mieux l'aider à partir qu'il n'avait su le faire pour elle. S'il l'embrassait doucement sur les joues comme on se quitte, elle déviait vers sa bouche. S'il se décidait à se lever, elle lui prenait les mains.

Étrangement, il fallut le concours de Justine. Plusieurs fois, déjà, elle avait appelé Loïse. Elle n'arrivait pas à se lever. Elle était malade. Elle serait en retard au rendez-vous. Cette fois, elle changeait le lieu de celui-ci. C'était moins loin du Simplon. À peine l'accord de Loïse obtenu, Justine rappela. Elle avait changé d'avis. Elle viendrait elle-même au Simplon. Ainsi verrait-elle Bélard. Elle ne demandait pas si Bélard le souhaitait aussi. Loïse dit qu'elle devait d'abord lui en parler. Elle espéra très fort que Bélard dît non. Bélard dit non. Dis-lui que j'ai rendez-vous de mon côté. Peine perdue. Elle rappela presque aussitôt. Elle arrive tout de suite annonça Loïse. Ça écourta les adieux et leur douleur.

Journal de ton absence.

« Vendredi, 15 h 30, le métro restait en rade à la station Simplon, portes ouvertes. J'étais dans le dernier wagon de la rame. Il se remplissait à mesure de jeunes femmes noires dont une, en boubou, portait dans ses bras un bébé de quelques semaines, endormi. Imagine la scène : la volubilité des autres femmes, les sabirs qui se croisent et s'entremêlent, les regards furtifs, moqueurs, acérés de quatre ou cinq beurs adolescents intéressés au plus haut point par l'arrivée dans le wagon de toute nouvelle venue de ton sexe.

« Ton sexe, précisément. D'avoir laissé ton sexe à quelques mètres au-dessus de moi, alors que j'aurais pu grappiller une poignée de minutes supplémentaires en sa compagnie, me désespère. Le wagon est plein à présent. Les gens sont si serrés que certains arrivants renoncent et restent sur le quai. Des adultes toussent. Je pense au bébé dans ce bouillon de culture. Pour me distraire du malaise, je laisse mes yeux dériver. C'est ainsi qu'au-dessus des têtes, je découvre le poème succinct d'un certain Luneau, probable lauréat d'un prix de poésie organisé par la RATP, affiché au fond du wagon. Il s'intitule « 3 fois 5 ». Je suppose qu'il l'a baptisé ainsi par paresse. Il s'agit en effet d'un poème de 3 vers de 5 pieds chacun.

> *Une femme nue*
> *Marche dans la rue*
> *Seulement vêtue*

243

« D'où vient la sorte de joie tranquille que ce paquet de syllabes me procure? Je crois que je sais. C'est de voir affirmée dans un lieu public cette évidence ordinairement tue que les hommes, devant une femme qui marche, éprouvent toujours la nostalgie du jardin d'Éden. Le croiras-tu? Dans l'un des nombreux poèmes acrostiches inspirés par ton nom, j'avais chanté très tôt le même rêve de transparence que le barde du métropolitain.

« Sur le E de Hesse, je te connaissais à peine, j'avais écrit cet alexandrin :

Étrangement pour moi toujours avances nue. »

TROISIÈME PARTIE

L'acier

MERVEILLEUSEMENT CRÉTINISÉ
PAR L'AMOUR

Les halls de gare sont une approximation terrestre du Purgatoire.

Hormis les élus qui voyagent en jet privé, tout le monde y passe un jour ou l'autre pour y souffrir une attente indéfinie. On y purge la faute d'être chargé et en transit. Et bien qu'aucun n'ignore sa destination, tous ont le cou tendu, l'oreille en alerte, l'œil batifolant. C'est qu'ils guettent l'appel du quai, appréhendent le changement ou le retard, redoutent l'annulation. Ils savent l'Enfer tout proche, il suffit d'une grève, le Paradis hors de portée.

Loïse y passa la veille du départ de Bélard. L'eût-il aperçue, dans cette nef de béton, assise l'œil fixe, les jambes serrées genoux en dedans, sur son vaste sac de toile rouge, telle une soldate en fin de permission, Bélard eût compris qu'elle ne rentrait pas au bercail de gaieté de cœur. Mais aussi que cette absence de gaieté ne jouait pas pour lui. Que, loin de favoriser l'amant, elle le reculait au contraire dans des régions sauvages où l'on séjourne certes, où l'on se perd, mais où l'on ne vit pas.

Il y stationna le lendemain dans de tout autres dispositions. Il était sans âge, sans attache. Détaché de tout lien, y compris de l'amour de Loïse. L'amour de Loïse n'était pas un lien au sens conjugal du terme, c'était un état. Un calme profond aux antipodes de la nervosité de l'amant jeune qui, soudain, lorsqu'un être se met à résumer tous les autres, redoute de perdre cet être parce qu'il les perdrait tous avec lui. Car l'amour, il le découvrait, n'attache pas. Il détache. Il émancipe des liens ordinaires de tous ces gens que l'angoisse de ne savoir garder intacts ces liens fait circuler en tous sens. Il installe dans la confiance, celle, oubliée, des débuts, l'aveugle animale confiance en la permanence de l'autre, la permanence du corps de l'autre disposé à accueillir le vôtre à toute heure du jour et de la nuit, car n'est-ce pas le propre de l'amour que de veiller sans cesse, d'être prêt, toujours dispos ? Il installe, contre toute raison, l'éternité dans le présent. Il rend bête et vulnérable comme un nourrisson sans mémoire. Et cette bêtise fait plaisir, elle s'entretient de ce plaisir, elle est la revanche que chacun attend, la récompense qui se croit méritée pour la patience d'avoir pâti de tous les déplaisirs antérieurs, et il y en eut évidemment, c'est népérien.

Sur ce quai de Montparnasse, Bélard était sans âge. Sans âge et sans attache, ça se voyait.

L'amour, lorsqu'il est partagé, est inhumain, et ça se voit.

Les enfants le voyaient, les très petits qui marchent à peine, ils venaient s'entraver de préférence sur ses genoux, les déglingués, ils cherchaient son ombre sans rien dire, même les moineaux, qui avaient remplacé les pigeons des villes, le sentaient, ils se posaient si près de lui qu'il avait l'impression d'être un objet, une chose, un perchoir possible, il les repoussait du bout du pied.

C'est qu'il avait l'air de ne rien attendre, d'être arrivé.

Dans un endroit où l'on part, d'être arrivé. Et arrivé pour lui, pas pour quelqu'un.

Accueilli avant même d'être arrivé, en sorte qu'il n'avait plus à voyager, qu'il le faisait par distraction, gratuitement. Ça lui donnait un air béat.

Bélard se rappela une réflexion de Loïse un jour qu'ils avaient fait l'amour plusieurs fois au cours de l'après-midi. Il était effondré dans un fauteuil, l'œil rond, un drôle de sourire agrafé aux lèvres, la regardant mettre le soutien-gorge, la culotte, comme s'il eût assisté à la cérémonie du thé.

Elle avait dit : « Je ne t'ai jamais vu un air si extraordinairement béat, mon Antoine ! »

À quoi, se souvenant de ce passage des *Noces* de Hrabal où Vladimir est tombé fou amoureux de la comtesse Tekla, Bélard avait répondu :

« Tu veux dire "merveilleusement crétinisé par l'amour" ?

— C'est ça. »

67

VOTRE VIEUX CORPS SUR ELLE

Ils reprirent leurs habitudes.

Le matin, très tôt, elle l'appelait sur la route du collège de la banlieue nord où elle était surveillante. Encore couché, Bélard faisait le trajet depuis son lit avec elle. L'auto de Loïse était vétuste. Elle freinait mal, les feux de signalisation arrière étaient absents. Les jours de pluie, le bruit des balais d'essuie-glaces déchirait l'espace de l'habitacle d'un crissement aigu sur deux tons à la métronomie incertaine. Bélard avait beau s'alarmer, Loïse n'en avait cure. La sécurité routière était pour elle une notion simple, inégalitairement distribuée entre les automobilistes, les mieux lotis étant responsables des écarts de conduite des mal lotis, lesquels avaient déjà suffisamment à faire avec les défaillances mécaniques et autres inconforts de leur propre véhicule. Moyennant une surdité aux insultes, ça tenait la route, si l'on peut dire.

Quant au fait que Loïse téléphonât en conduisant, motus sur le chapitre. Bélard tenait trop à leur conversation matinale pour en rajouter sur les périls de la conduite de Loïse. Lorsqu'il arrivait qu'elle évoquât la chaleur qui envahissait son ventre à certains moments de leur échange, ceux-ci augmentaient dangereusement. Par bonheur, il y avait les arrêts prolongés dans les bouchons. Elle s'autorisait alors parfois une jouissance plus complète. Elle en faisait part à son amant. Ce n'était pas rare.

Bref, si l'on ajoutait à la durée normale du trajet le temps passé dans les embouteillages, c'est près d'une heure quotidienne que Loïse consacrait à Bélard seul.

Roman s'aperçut de l'existence de cette zone de silence dans les communications de Loïse. Qu'elle fût régulière l'alerta moins que la lecture indiscrète qu'il fit de la facture du portable. Bien qu'incomplet, il était aisé de voir que le numéro qu'elle appelait chaque matin était le même.

Il fit vite le tour des portables connus de leurs communes relations.

Chaque obstacle augmentait sa curiosité, sa curiosité sa jalousie, sa jalousie sa colère.

Ce qu'en deux années de vie commune il n'avait jamais pensé faire, il l'osa d'un clic : il alla visiter sa corbeille.

Le dernier message de Bélard s'y trouvait.

Il ne prêtait pas à confusion.

Loïse et lui étaient amants.

Bélard et Loïse amants ! Bélard touchant les parties intimes de Loïse, Loïse suçant Bélard, Bélard pénétrant Loïse, Loïse écartant les genoux, Loïse offrant ses reins, Loïse jouissant… La chose en soi était déjà insupportable, mais y ajouter le nom et l'âge de Bélard était une monstruosité. Tout ce qu'elle lui avait accordé de son corps, elle l'avait accordé à Bélard, et qui sait ? peut-être lui avait-elle accordé plus encore…

251

(Roman était un jeune homme.) Plus? Mais quoi de plus? Ne lui avait-elle pas donné d'elle tout ce qu'une femme peut donner? (C'était un très jeune homme.)

Il perdit toute mesure. Féru en informatique, il n'eut guère de mal à casser le code derrière lequel Loïse protégeait, sans qu'il y vît obstacle jusque-là, sa correspondance personnelle.

Il désirait tout connaître.

Pour son malheur, il connut tout.

Il n'appela pas Loïse tout de suite. Elle l'eût tempéré, il ne voulait pas.

Il voulait la peau de Bélard. D'abord la peau du suborneur. La peau de l'infidèle viendrait après.

(Il ne vit pas un seul instant que vouloir la peau de Bélard protégeait la peau de Loïse de sa fureur.)

Mais, avant, il fallait que Bélard sache qu'il savait.

Sur l'adresse e-mail de Loïse, il écrivit, mêlant habilement la douleur distanciée à la menace :

Je sais tout. J'ai lu votre prose depuis un mois. Puis l'écœurement m'a saisi. Comprenez-moi : votre vieux corps sur elle! J'imagine qu'elle doit y trouver quelques volubtés (*sic*). À votre âge ces volubtés se tarifient. Vous allez donc payer. Quand on s'appelle Bélard, traduit en 17 langues, on doit avoir les bourses pleines. À moins qu'elle ne vous les ait vidées. Si c'est le cas, ce sera plus douloureux.

Je ne suis qu'un petit étudiant, penserez-vous, un moins que rien auquel on peut voler son amie, je suis ignare en amour et vous êtes un maître. Réveillez-vous, maître Bélard, nous ne sommes plus au Moyen Âge. En fait de maître, vous allez danser.

Et, avant d'entreprendre quoi que ce soit, il l'expédia. Maintenant il ne pouvait plus reculer.

68

CHÂTRER BÉLARD

Afin que son attaque demeurât anonyme, Roman se rendit dans un cybercafé. Sous le titre « Lettres d'amour du professeur Antoine Bélard à une étudiante de l'université Jacques-Roubaud », il délivra des morceaux choisis de la correspondance de Bélard sur des forums très consultés.

Puis, par le truchement d'étudiants Erasmus qu'il avait rencontrés au cours de ses séjours à l'étranger, il en expédia à quelques universités francophones de Belgique et de Québec, avec mission de produire des e-mails fonctionnant comme des spams. Même en comptant le désistement de ceux qui, enthousiastes au début, hésiteraient à clouer au pilori un enseignant dont ils n'avaient pas lu une ligne, il s'en trouverait suffisamment pour accepter de participer sans se poser d'autre question à l'épinglage cybernétique d'un amateur de lolitas.

Restait le moment fort de la mise à mal de la réputation de Bélard : l'Intranet. Roman travailla une bonne partie de la journée à se procurer l'annuaire interne de plusieurs universités de l'Hexagone. Pour la sienne, il avait concocté un florilège des extraits les plus crus, prenant toutefois le soin de masquer les allusions qui permettraient de reconnaître Loïse Hesse.

Il s'y appliquait avec une ire froide, comme si les détails scabreux qu'il révélait ainsi au grand jour ne concernaient qu'une viande spammée, étrangère et anonyme, jambon ou épaule de porc – le sigle anglais développé l'exprimait on ne peut mieux : *Shoulder of Pork and hAM* –, et non la chair qu'il avait aimée, qu'il aimait encore et, qu'aimant, il avait transfigurée.

Il ne voulait que sa vengeance, rien d'autre.

Conserver l'amour de Loïse ? Il ne l'avait pas perdu. La ramener à lui, et qu'il la garde pour lui seul ? Peut-être. La faire souffrir en public, qu'elle sût qu'elle était sa chose à jamais ? Oui.

Et châtrer Bélard.

Demain, ses collègues feraient une lecture édifiante.
Envoi.

Bélard reçut le courriel à son lever.

Il comprit aussitôt la nature de la menace de Roman.

Sa réaction fut étrange : il se sentit soudain comme soulevé par les aisselles, les pieds mis de force dans l'axe d'un chemin caillouteux qu'il ne pratiquait plus depuis l'enfance.

Être lynché pour cause d'amour, il y consentait.

LE BEAU MOT DE VOLUPTÉ

Il avait cours le matin.

Il y prépara son corps comme on prépare celui d'un condamné, avec une précision plus maniaque que d'ordinaire.

Avant de sortir, il rédigea deux courriels.

Le premier était destiné à Loïse.

Tu pardonneras (commençait-il) que je n'utilise plus ici de tendresses introductives dont, ta légèreté informatique en est la cause, je suis en droit de me demander si elles ne seront pas lues par le premier visiteur de poubelles venu.

En post-scriptum, il ajouta : « Dis à ton ami que le beau mot de volupté s'écrit avec un p et non avec un b. »

Il l'envoya sans se relire.

Le second, expédié à la même adresse, était pour Roman.

S'il est vrai que la femme aimée parle de la moitié cachée de l'homme, la plus importante parce que cachée souvent à lui-même, alors Loïse Hesse parle éloquemment de vous et elle parle pour vous. Rien que pour cela je ne vous appliquerai aucun des noms dont vous vous dépréciez.

Le problème est qu'elle parle aussi de moi. Vous avez lu une correspondance intime, ce que faisant vous vous êtes inoculé un venin dont vous ne vous débarrasserez pas de sitôt, peut-être jamais.

Plus loin il abordait la question de l'âge.

Lorsqu'il lirait cela, Roman saurait que sa blessante exclamation « votre vieux corps sur elle ! » l'avait atteint.

Maladroitement, car il semblait incriminer quelque faiblesse sénile de la volition, il écrivit :

Et puis j'ai rencontré Loïse. Vous devez comprendre le genre de foudre que la rencontre d'un tel être peut produire. Je vais vous scandaliser plus encore s'il est possible : aurais-je été plus jeune, j'aurais trouvé la parade. C'est mon âge, lequel vous choque tant, qui a permis que je m'autorise cette folie. L'âge doit protéger, il a fait l'inverse. Je conçois le scandale pour vous. Il est mien. Il l'a été dès le début. Il l'est encore.

Au moment de sortir, il avait déjà du retard, Loïse appela.

Affolée, mais il le nota à la précipitation qu'elle mettait à s'accuser, peut-être plus ennuyée qu'affolée.

Elle s'était couchée au matin, elle avait trop bu, elle avait dormi une partie de la journée, elle n'avait pas pensé à vider la corbeille...

Il la laissa parler.

Elle ne savait pas ce qu'allait faire Roman, il était capable de n'importe quelle folie, il avait parlé de scandale, d'Internet, de se suicider...

Il dit : Il ne se suicidera pas.

Elle se sentait coupable, elle ne savait que faire pour le calmer, il allait leur faire du mal…

Bélard : À toi ? Il t'a frappée ?

Loïse : Mais non. À toi, mon amour !

Il la laissa encore parler sans l'interrompre.

Elle avait peur pour lui, elle craignait qu'il n'utilise l'Intranet de la fac, de la leur et de plusieurs autres…

Il la coupa :

« Je sais. Je suis en retard. Je dois partir.

— Antoine, dis-moi, qu'est-ce que je – »

Il avait déjà raccroché.

70

HUMBERT HUMBERT

Dans le bureau qu'il partageait avec deux collègues, il n'y avait personne.

L'un des ordinateurs était allumé en permanence. Sur l'écran, plusieurs post-it jaune fluo se chevauchaient.

Bélard les lut dans l'ordre où ils avaient été déposés.

« Va faire un tour sur l'Intranet. »

« Reçu idem des facs de Toulouse et de Grenoble. »

« J'espère que le Bélard en question est un homonyme! »

« Le président a téléphoné. J'ai dit que c'était une blague de mauvais goût. »

« Putain, Bélard, bouge ton cul! »

« Le boss veut te voir fissa. »

Le président était un fin lettré, spécialiste de Faulkner. Il ne se leva pas pour l'accueillir. Bélard l'entendit crier à sa secrétaire : « Faites entrer notre vice-président Humbert Humbert! »

« Ça ne m'amuse pas, furent les premiers mots de Bélard en entrant.

— Ça n'amuse personne, mon cher, rétorqua le président. Ça emmerde même la plupart d'entre nous. Et je ne te dis rien du petit peuple... ça grogne déjà!

— Le petit peuple?

— Oui, fit-il d'un geste énervé de la main, notre dévouée administration. Ils lisent le courriel avant nous, tu sais! J'en ai trouvé trois ce matin entre le parking et mon bureau pour venir me mettre au courant... Les associations d'étudiants et autres ligues de vertu professorale vont suivre sous peu, je le crains...

— Que puis-je faire pour t'alléger de ce fardeau?

— Personnellement, ta vie euh... sexuelle?

— Tu peux dire amoureuse.

— Si tu veux... c'est plus grave que je ne pensais... en tout cas ta vie (il grommela un gngngn où n'étaient reconnaissables ni sexuelle ni amoureuse) ne m'intéresse pas, c'est l'institution dont j'ai la charge... et toi aussi d'ailleurs... qui m'intéresse.

— Mm, fit Bélard. Et donc...?

— Donc, mon cher, ce n'est pas à moi que tu dois penser mais à nous tous!

— C'est-à-dire?

(Le président avança son ventre sur le bureau pour voir si la porte de communication avec son secrétariat était fermée et, bien qu'il le constatât, il poursuivit en baissant le ton.)

— Ne fais pas le con, Bélard, tu le sais aussi bien que moi...

— Tu veux que je...?

(Il se mit à compter silencieusement, levant l'un après l'autre les trois doigts de la dextre.)

— Tu nies, tu présentes tes excuses, ou tu disparais quelque temps.

— Présenter des excuses! Mais de quoi? Et à qui, grands dieux?

— Oui, je te comprends, c'est pas ton style... le mien non plus d'ailleurs... Je préfère de loin la première solution, parce qu'elle nous permettra de contre-attaquer en invoquant une manipulation informatique, c'est assez facile sinon à démontrer du moins à concocter de façon à jeter le trouble dans les esprits... Ça ou une tentative de déstabilisation de l'équipe élue par les mandarins de l'opposition alliés aux syndicats étudiants d'extrême droite... on réglerait son compte à (inaudible) et sa clique au passage... Peut-être les deux...

(L'ennui profond qui creusait son faciès au début de l'entretien l'avait quitté. Il apercevait à présent toutes les opportunités de la situation créée par Bélard, et il en était presque excité.)

« Qu'est-ce que tu en penses? ajouta-t-il avec une lippe gourmande.

(Bélard prit le temps d'un long silence. Puis :)

— Je ne veux pas faire une affaire d'État d'un épisode malheureux qui concerne ma vie affective...

(L'air réjoui du président s'évanouit illico.)

« et je ne veux pas nier que j'aime Loïse Hesse.

(Il rejeta le buste en arrière et la tête en arrière du buste, les bras ballants dans le vide, mimant la désolation.)

— Eh bien, dit-il après un court silence, il ne nous reste plus qu'à prier que se trouve dans notre vénérable université du troisième âge un dentiste vaguement poète nommé Quilty qui te la soufflera!

261

— Ce Quilty existe, rétorqua Bélard. Il s'appelle Roman. Il a son âge et c'est son petit ami.

— Aïe! émit le président. Ça ne va pas finir comme…

(Il pensait manifestement à l'issue du roman de Nabokov.)

— C'est Quilty cette fois qui tue Humbert, pas l'inverse, rassure-toi.

— Je t'aime bien Bélard, mais je préfère », dit le président.

L'entretien était terminé. Il s'extirpa difficilement de son siège pour le raccompagner. Repoussant la porte matelassée, il lui tendit une main molle et, sans le regarder, dit :

« Tu sauras m'indiquer très vite la sortie que tu choisis. »

71

PIÈRA REPARAÎT

« Je savais que je vous trouverais là », dit-elle en se redressant.

Elle l'attendait, assise au bas des marches de l'escalier qui conduisait à la présidence.

Bélard n'eut pas l'air surpris qu'elle s'y trouvât.

Rien, venant de Pièra, n'était en mesure de l'étonner. Ni qu'elle sût avant les autres, ni qu'elle l'approuvât, ni qu'elle le désapprouvât. Ni que l'approuvant elle l'attaquât, ni que, dans le cas plus probable où elle le désapprouverait, elle s'engageât à le défendre.

Elle avait eu tôt le matin un long appel de Loïse. Loïse était en pleurs. Roman avait tout découvert tandis qu'elle dormait, il avait commis l'impensable. À présent, il menaçait de se défenestrer. « Reviens donc habiter chez nous ! Si tu te souviens, c'est au premier. » Elle avait réussi à la faire rire.

Ils s'étaient chamaillés. Elle l'avait traité de tous les noms. Il l'avait frappée. (Pièra le cacha à Bélard.) Elle aussi, en retour, mais encore plus fort, en s'aidant d'une encyclopédie. Après, pour se réconcilier, ils avaient fait l'amour. (Pièra omit également ce détail.) Elle s'était emportée in petto, Quelle cruche! Plus niaise que ça, tu meurs! mais sans en accabler Loïse. « Et Bélard, tu y as pensé? Comment comptes-tu le sortir de ce traquenard? » Bien sûr qu'elle y avait pensé. Mais qu'est-ce qu'elle pouvait faire à présent? Elle se sentait coupable, atrocement coupable... Et surtout, elle allait les perdre tous les deux, c'était terrible. (Cela non plus, sauf l'« atrocement coupable », elle n'en souffla mot à Bélard.)

Elle avait prononcé « coupable » avec un tel accent de vérité qu'elle ne put retenir le rouge de monter à ses joues. Elle se dit que Bélard n'avait pas pu ne pas remarquer cet empourprement.

Car la coupable, au vrai, c'était elle. Dès le moment où elle avait usurpé l'identité et l'écriture de Loïse, elle était coupable des développements qui allaient suivre. Si impensable, si imprévisible fût-il, ce développement-ci était son œuvre.

Elle avait perdu Bélard une fois, en le voulant. C'était par provocation, par surenchère et par dépit. Elle était en train de le perdre une seconde fois, mais c'était en détruisant l'homme, et elle ne le voulait pas. Voilà ce qu'il en coûtait aux simples mortelles de tenter, à l'instar des dieux, de manigancer l'amour. Elle en aurait pleuré de rage. Mais pas devant Bélard.

Elle leva vers lui des yeux pleins de tendresse et, les forçant à être rieurs, elle dit :

« Nous allons nous battre, n'est-ce pas? »

72

NOUS BATTRE ?

« Nous battre ? reprit Bélard.

— Oui, vous… et nous… vos étudiants… »

Et comme il ne disait rien, elle donna des noms :

« Moi, Loïse, Matthieu, Gaëtan, Estelle…

— Non.

— Comment non ? Vous ne vous battrez pas ?

— Non, je ne crois pas. »

Il regardait le sol, l'air absent. Puis il leva ses yeux d'un bleu très clair (elle pensa : ils sont presque blancs, il va mourir, est-ce qu'on meurt quand on a les yeux si pâles ?) et, d'une voix traînante, comme s'il s'adressait à d'autres par-dessus elle, il énonça :

« Les choses arrivent comme elles arrivent… Les êtres humains *aussi* arrivent les uns aux autres comme ils arrivent… »

L'insistance sur le « aussi » lui fit sauter le cœur. Un instant, elle se crut devinée. Mais il ne la regardait pas comme il eût fait s'il avait voulu qu'elle comprenne qu'il s'adressait à elle seule. Cela l'eût délivrée, mais il ne la délivrait pas. Il parlait à la cantonade, c'est-à-dire pour lui-même. Aussi s'autorisa-t-elle à le bousculer :

« Si vous voulez la jouer à l'Épictète, libre à vous !

— Ah ? Vous connaissez donc le *Manuel* ?

— *N'essaie pas que ce qui arrive arrive comme tu veux, mais veux ce qui arrive comme il arrive…*, cita-t-elle sans une hésitation.

— J'aurais dû m'en douter », dit-il et, pour une fois, il la regarda dans les yeux et il sourit de contentement.

Alors, Pièra :

« Mais vous ne coulerez pas des jours heureux [1], monsieur.

— Qui vous dit que c'est ce que je souhaite, *des jours heureux* ?

— Moi. Je vous les souhaite. À vous…

(Elle était soufflée par son audace. Mais ce n'était rien à côté de ce qui advenait à la suite sans qu'elle pût y faire obstacle.)

« … et à celui ou celle qui les partagera.

(Elle avait ajouté "celui" en catastrophe pour contrebalancer l'aveu que contenait "celle".)

— Vous en connaissez beaucoup qui partageraient l'exil ou le bannissement ? Moi pas.

(Elle aurait voulu crier "Moi si. Moi d'abord !")

— J'en connais quelques-uns, dit-elle plus sobrement.

— C'est gentil, dit Bélard. Faites-les-moi suivre quand j'aurai quitté la fac.

— Vous nous quitteriez ?

— J'ai presque l'âge.

— Oui mais pas comme ça, pas à cause de ça, pas –

— Nous nous reverrons, mademoiselle Fanty, la coupa-t-il.

---

1. « Et tu couleras des jours heureux », écrit Épictète, *Manuel*, VIII.

(Il prenait manifestement congé et elle n'avait encore rien dit de ce qu'elle avait sur le cœur.)

« Je suis touché par votre soutien, mais n'en faites pas trop, je n'y tiens pas.

— Vous m'autorisez à...

— Vous ne m'avez pas attendu pour vous autoriser, Pièra Fanty !

(Et à nouveau il souriait. C'était bon. Elle aurait voulu que ce sourire ne cesse pas. Être celle par laquelle il serait toujours étonné, celle pour laquelle ce beau vieux visage s'éclairerait, toujours.)

— Alors attendez-vous à... »

Il avait déjà tourné le dos.

Bélard venait de disparaître au détour d'un couloir quand elle y songea. Pourquoi avait-il dit : « Nous nous reverrons, mademoiselle Fanty » ?

Pour une fois le mademoiselle ne l'irritait pas.

73

LA GUERRE SELON PIÈRA

Et bien qu'elle sût à l'avance qu'aucune de ses actions ne pourrait sauver Bélard, bien qu'elle approuvât Bélard de soustraire son malheur d'aimer à la scène publique, bien qu'elle s'en voulût d'être à la place où aurait dû se trouver Loïse, bien que l'inverse lui apparût plus criant encore, bien qu'elle comprît qu'elle se trouvait là par destination et non pour combler une défaillance de Loïse ni même une ancienne défaillance propre, bien qu'elle eût pleinement conscience qu'elle désirait élever des barricades sur lesquelles grimper dans le seul but que Bélard enfin la vît, Pièra, en quelques heures, leva une petite armée.

Toujours commencer par les marges. Ce sont elles qui fourbissent les premières armes, habillent les mauvaises en bonnes raisons et déshabillent les motifs de ne rien faire. Habiles à façonner aussi bien les petites phrases qui tuent que les slogans, promptes à trouver dans l'ébranlement collectif un puissant remède à la pénible gratouille individuelle, elles présentent en outre l'avantage de pouvoir se dissoudre à l'acmé de l'action dont elles redoutent la réussite, laquelle, plus que l'échec dont elles ont l'habitude, les menace de perdre, en moins de temps qu'il n'en a fallu pour l'acquérir, leur ancienne délectable légitimité.

Aucun ou presque de ces groupes marginaux ne connaissait Bélard, c'était un avantage pour Pièra.

À chacun, elle raconta « l'affaire Loïse Hesse » sous l'angle qui pouvait aviver le mieux son prurit existentiel. Aux homosexuels elle vendit la détresse de l'homme seul face à la sexualité dominante coupablement adultérine du corps enseignant mâle, aux homosexuelles l'extrême jeunesse de Loïse déçue par la sexualité masculine de son âge, d'où l'appel à Bélard qui allait payer à titre de substitut d'identification maternelle. Aux féministes, elle vendit la violence de Roman, aux catholiques le freudisme orthodoxe de Bélard, aux lacaniens son excommunication probable par la toute-puissante université, aux Occitans la passion, courtoise soulignait-elle, d'amants que sépare l'âge, le milieu, et que condamne sans coup férir la morale publique, ça marchait.

En moins de quarante-huit heures, l'université Jacques-Roubaud était en effervescence. Deux pétitions circulaient, l'une demandant, l'autre exigeant que le professeur Bélard soit maintenu à son poste (il n'en avait pas été exclu), et que soit créée une commission indépendante de l'université pour faire la lumière sur la tentative de manipulation informatique de l'opinion, inquiétante pour l'avenir, dont la vie privée d'une étudiante et d'un professeur faisait les frais.

Le président appela Bélard.

« J'ai des pétitions qui arrivent sur mon bureau, des pétitionnaires qui bloquent les accès aux amphis et d'autres, aidés par des étudiants en arts plastiques, qui viennent perturber les cours de saynètes racontant l'histoire de tes exploits, avec décors et accompagnement musical. Je suis excédé. La droite critique mon laxisme – ils réclament l'intervention de la police –, l'extrême gauche ma morale étriquée de vieux mao soixante-huitard. Ils me tombent tous dessus. Or je n'ai pris aucune décision te concernant, et c'est pire que si j'en avais pris une, au moins j'aurais une partie de l'opinion avec moi. Tu dois, tu entends, tu as le devoir, monsieur le vice-président Bélard, de prendre une décision et de t'adresser au petit peuple qui te soutient pour désamorcer tout ça!

— Je n'y suis pour rien, dit Bélard, ça me dépasse autant que toi. Je suis désolé.

— Mais as-tu pris seulement une décision?

— Je ne pense pas finir mes cours cette année…

— Ça on s'en fout! Est-ce que tu es prêt à revenir, et est-ce que je peux annoncer aux trublions que tu seras à nouveau là à la rentrée?

— J'envisage de partir aux États-Unis l'année prochaine, peut-être plus tôt encore, ça dépendra des amis que j'ai là-bas.

— Ça ne m'arrange pas, ils vont croire que je t'exile.

— Ce n'est pas ce que tu souhaites que je fasse à ta place? »

Un long silence. Bélard l'entendait mâchonner son stylo en bougonnant. Puis, sans transition, le président :

« Année sabbatique ou congé sans solde?

— Sans solde, rassure-toi. »

C'est ainsi qu'en trois mots, Bélard quitta l'université où il avait travaillé plus de trente ans.

74

LA GUERRE SELON PIÈRA, SUITE

Le président avait raison. L'agitation ne cessa pas avec ses maladroites dénégations de représailles à l'endroit de son vice-président. Elles redoublèrent quand l'information filtra (ce ne pouvait être que par une indiscrétion en provenance de la présidence elle-même) que Bélard pourrait quitter la France incessamment.

Pièra l'apprit par la même voie.

Elle se dit qu'il était temps d'arrêter cette guerre. Mais on était à quelques semaines des examens et l'occasion était trop belle de poursuivre la fête jusque-là. On l'écouta de moins moins. Elle perdit le contrôle du mouvement.

Elle pensa : Bélard s'en va, je n'ai pas réussi à le retenir.

Puis : J'ai provoqué inconsciemment le départ de Bélard, j'en suis la cause stupide.

Puis : C'est faux. Je me suis débrouillée pour qu'il parte, c'est-à-dire pour qu'il s'éloigne de Loïse.

Puis : Ma guerre était-elle pour qu'il reste, ou pour provoquer plus vite le « Nous nous reverrons » ?

Elle penchait pour le Nous nous reverrons.

Elle espéra que ce fût avant son départ.
Il ne devait pas en être ainsi.

75

L'ADIEU

Le silence de Loïse oppressait Bélard. Il voulait l'appeler, il ne pouvait pas. Et plus les jours passaient sans un signe d'elle, plus sa paralysie d'expression s'étendait. Même envoyer un texto devint bientôt une tâche au-delà de ses forces.

Il connaissait bien cette menace de glaciation en amour. On devrait parler, bouger, secouer cette léthargie, trouver le petit mot à dire, à écrire, mais aucun ne convient et on attend. On espère que l'amour viendra d'en face, sinon l'amour du moins le souffle chaud de l'amour, une haleine suffirait à faire fondre la glace légère du début, mais elle ne vient pas. On attend un peu, puis un peu encore, un peu plus ça devient beaucoup, il faudra dorénavant franchir des barrières de glace alors qu'une semelle eût suffi à faire craquer la mince couche originelle... La glaciation s'étend. Bientôt c'est toute la banquise qu'il faudra soulever si l'on veut faire entendre les deux petits mots vibrants d'espoir ou de crainte qui eussent interdit à la glace de prendre à grande échelle, c'est une tâche herculéenne, à ce stade bien peu retrouvent le chemin de l'igloo d'amour d'où ils se sont absentés trop longtemps.

Et puis soudain, elle fut là.

Sans avertir, sans qu'il puisse s'y préparer, elle fut là.

Bélard voulut parler, ça allait être simple puisqu'elle était là.

Mais sa voix était altérée par l'émotion, il avait la gorge sèche, les idées fuyantes, on aurait pu croire qu'il aller pleurer, alors il se tut.

Il trouva refuge dans le fauteuil.

C'est là qu'elle vint le chercher.

Sans qu'un mot soit dit, elle l'enjamba. Elle déboutonna sa chemise, le caressa longuement, posément, le torse, les épaules, le cou, d'un air concentré et triste.

Bélard, d'abord passif, la déboutonna à son tour, ôta son soutien-gorge par le haut, lui palpa et baisa les seins avec application, les conservant en bouche jusqu'à ce qu'elle gémît.

Elle se détacha de lui, le repoussant là où elle l'avait d'abord caressé.

Il voulut parler, mais elle le fit taire. « Je ne suis pas venue te parler. Je suis venue, c'est tout. »

Ils se redressèrent, chancelants, indécis sur la marche à suivre.

Debout, la folie de toucher et d'être touchée partout, comme avant.

Ils se regardaient de très près, le souffle court.

« Si tu veux me prendre, prends-moi », dit-elle.

Tandis que pour aider la main de Bélard à s'introduire par-devant, elle défaisait elle-même la boucle de son ceinturon.

76

LE PASSAGE

Ils convinrent d'un rendez-vous le lendemain.

Elle choisit un bistrot assez proche de chez elle pour qu'elle puisse s'y rendre à pied, mais suffisamment éloigné pour qu'ils ne risquent pas de croiser Roman. Loïse n'en connaissait pas le nom, seulement la situation dans la vieille ville.

Quand, sur ses indications, il s'y rendit, il découvrit avant elle qu'il s'appelait Le Passage.

La table était carrée, en faux marbre coloré veiné de brun pris dans un cadre de bois épais et verni, aux joints emplis de crasse noire. Il choisit de tourner le dos à la grande place piétonne pour l'attendre. Devant lui, la porte jaune des toilettes. À droite, perché au-dessus du zinc, un écran de télévision transmettait en direct une course cycliste de montagne.

Elle fut là, debout devant lui, aussi subitement qu'elle était apparue la veille.

Les mains se prirent aussitôt, les siennes glissant sous les bords de la veste en toile de Bélard, celles de Bélard sous les jabots de la chemise noire à longues manches de Loïse. Ils reproduisaient les gestes du début de leur amour. Ce que faisant, ils savaient qu'ils en accomplissaient aussi la fin. Ça ne les empêcha pas d'en jouir comme au premier jour.

Elle était plus hardie que lui. À un moment ses doigts, s'introduisant vivement par l'ouverture de sa chemise, vinrent pincer le téton droit de Bélard.

Lui ne défendait pas son vieux regard pâle d'être happé par son décolleté. Il ne présentait plus pourtant aucun mystère et il en connaissait le contenu. Mais il savait que ces mamelles banales, qui n'avaient rien de particulier à offrir, c'est l'adoration de leur banalité qu'il allait perdre, leur disponibilité à cette adoration.

Rares les hommes qui, à un moment donné de leur existence, savent tenir dans leurs paumes le relief exact et le poids précis au gramme près du bonheur simple qui est en train de les fuir. Bélard était de ceux-là. Et, parmi ceux-là, il était du nombre, plus restreint encore, qui n'essaie pas de retenir ce qui les fuit.

Néanmoins, à plusieurs reprises, il les toucha.

Elle avançait le buste vers lui pour faciliter la caresse.

Ils parlaient peu.

Quelqu'un qui eût tendu l'oreille eût entendu :

« Je ne sais pas ce que je veux, je deviens folle, dis-moi ce que je dois faire. — Viens avec moi. — Ne dis pas ça ! »

Un peu plus tard :

« C'est toi le plus vieux, c'est toi qui dois, tu l'avais dit dès le début. — Oui. — Et moi il faut que je fasse quelque chose, que je bouge. — Oui. »

276

Un peu plus tard :

« Je ne veux pas que tu sois malheureux. — … — Qu'est-ce que je dois faire pour que tu ne sois pas malheureux ? — Venir avec moi. »

Le reste, inaudible.

Ils se levèrent. Ce fut Loïse qui paya. Il y avait le café de Bélard et ses deux galopins-pêche (c'est la première fois que Bélard entendait le nom de galopin-pêche – pour l'un d'eux elle avait redemandé de la pêche).

NOUS ON SAIT

Sur la place, il y avait du soleil et beaucoup de vent.

Un homme les regarda passer, puis un couple. Comme ils marchaient du même pas, mais éloignés l'un de l'autre et se jetant des regards de biais, ils conclurent à un père qui vient de se disputer avec sa fille.

Debout près de la voiture, ils s'étreignirent. Lui agrippait la peau de ses reins. Elle l'embrassa plusieurs fois dans le cou.

Loïse était beaucoup plus grande que Bélard. De loin on aurait pu croire qu'elle consolait un enfant.

Sa joue était contre la joue de Bélard. La bouche près de son oreille, elle dit une chose que Bélard ne comprit pas tout de suite tant la formule était étrange. Elle dit : « Nous on sait ! »

Comme il demeurait silencieux (en fait il était abasourdi), elle le répéta plus fort, la joue collée à la joue râpeuse de Bélard : « Antoine, nous on sait. Il y a nous. On le sait, ça. Ce n'est pas fini. »

Elle l'entendit dire oui aux cheveux follets de sa nuque.

Il l'avait dit pour qu'elle se taise.

Bélard fit le tour de la voiture, côté chauffeur, mais ne l'ouvrit pas. À présent, quoi qu'elle trouvât encore à dire, il y avait cette masse obtuse de métal entre leurs corps.

Loïse était immobile, dos au soleil. Lui avait le soleil dans les yeux. Il ne la voyait plus distinctement. Elle lui faisait face sans bouger.

Bélard dit alors « Pars! ».

Il le dit une seule fois, et elle le fit.

Il la vit s'éloigner lentement, la tête penchée à droite.

Elle marchait d'un pas égal, les bras ballants, en direction de la tour du clocher de la basilique, une flèche insolite posée à même le sol à quelque distance de celle-ci, gigantesque cône creux ajouré de pierres taillées s'élevant très haut, sans aucune charpente, un petit miracle d'équilibre de la fin du XVᵉ siècle.

Il la regarda jusqu'à ce qu'elle disparût.

Loïse savait qu'il la regarderait jusqu'à la tour.

Elle ne se retourna pas.

78

LES PLEURS

Sur l'autoradio, le Quatuor Alban Berg jouait le *Quatuor à cordes* de Ravel.

Bélard commença à pleurer dans le tunnel des Abattoirs. La circulation était dense mais on roulait rapidement. À la jonction de la rocade avec la route de Paris, il se retrouva comme il arrivait souvent entre deux camions. La taille des roues des mastodontes dépassait celle du toit de son véhicule. Fugitivement, il songea que d'une légère déviation de la main, il pourrait se jeter sous l'un des deux sans causer trop de dégâts autour de lui. Une brève douleur intense contre une longue douleur infinie, est-ce que ça ne valait pas le coup de volant ? Mais la séquence introductive de *L'Arrangement*, un film de Kazan où l'acteur accomplit ce geste et ne se supprime pas pour autant, le visita et le retint. Pas d'arrangement possible le concernant. Il était pris dans les mâchoires de la douleur sans le moindre espoir de leur échapper. Car il n'en avait pas non plus la moindre envie.

Alors il laissa sortir de lui une sorte de hurlement de loup pris au piège, qui se transforma en une longue plainte stérile d'enfant dont le sort est scellé et qui le sait.

Aussi fort fût le désespoir de Bélard, son cri n'excéda pas les limites de l'habitacle.

79

J 14

La qualité d'universitaire est comparable à celle d'un scout de jamboree à l'échelle de la planète. Pour peu qu'il ait la pratique courante du volapük anglo-saxon, n'importe quel doctorant un peu futé a une place retenue pour lui en permanence au banquet des maîtres de l'univers. Si d'aventure il a produit quelque ouvrage, il y dispose de son rond de serviette comme dans le meilleur des bouillons Chartier de la capitale (il n'en reste plus beaucoup).

Bélard avait le choix. En quelques jours, il avait reçu une invitation à enseigner à l'année à Atlanta, une autre pour un semestre de conférences à Toronto, et une invitation à ne rien faire, mais à effet immédiat, de Robin et de Sylvia, qui se feraient un plaisir de l'héberger à New York.

Il écarta Atlanta à cause du climat et de la durée. Hésita pour Toronto, où Katherine vivait peut-être encore, mais la dernière fois où ils s'étaient vus à Montréal et comme il la raccompagnait à l'hôtel, elle s'était étalée de tout son long dans la rue Saint-Denis, déchirant son pantalon et s'ouvrant le genou, ce qui lui avait semblé de mauvais augure pour l'avenir, même lointain, de leur relation. Restait la Grosse

Pomme, où il se sentait chez lui comme à Toulouse ou à Rennes, chez lui mais en transit. (À Paris, il était chez lui ad vitam, il se posait. C'était ainsi, et il ne savait pas pourquoi il existait pour lui des villes aimées et à vivre, et des villes non moins aimées mais où il ne pouvait pas demeurer aussi longtemps qu'il l'eût voulu, quelque chose d'indélicat l'en extrayait.)

L'idée de retrouver Woody – il appelait Robin Woody à cause de sa ressemblance avec le cinéaste et parce qu'il jouait de la clarinette excellemment – et le petit mot ajouté par Sylvia promettant de lui trouver très vite une colocation dans Harlem le décidèrent.

Le matin du départ, le taxi, pour une raison inconnue, emprunta les voies du campus. Bélard s'en serait passé. D'autant que, par une espèce de malice propre aux chauffeurs de taxi qui s'égarent, il longea avec une lenteur désespérante le front de bâtiments où l'on pénétrait par le hall frappé de la lettre H.

Il vit les salles de cours, il vit les secrétariats, il vit la salle des professeurs. Située couloir J, cette dernière portait le numéro 14. Il se souvint qu'un soir il avait donné à Loïse le code de l'entrée, de sorte qu'elle l'attendait à l'intérieur quand il sortit de cours. Là, contre la fenêtre basculante, il l'avait attirée à lui et, soulevant son tee-shirt, il avait longuement embrassé son ventre nu. Il était assis, elle debout. Et tandis qu'il s'imprégnait de l'odeur, de la vue floue, de la texture de la peau de l'abdomen de Loïse, Loïse bombait son ventre telle une fillette joueuse afin que la bouche de Bélard s'enfonçât en lui plus profond. Elle avait deux grains de beauté minuscules du côté gauche, alignés comme sur un méridien. Il la tenait serrée à la taille, ce qui était inutile, et elle l'attirait contre elle en le tenant par les tempes, ce qui était également superflu. Cela avait duré jusqu'à ce qu'un collègue les dérangeât. Il n'avait pas été surpris de les trouver ensemble. Serrant la main de Loïse, qu'il connaissait, il avait taquiné Bélard sur les heures supplémentaires qu'il s'infligeait.

Le taxi roulait lentement et Bélard pensa, ce fut sa dernière pensée à propos de sa vie antérieure, de sa vie avant Loïse, de sa vie tout court :

Je voudrais pouvoir venir avec une pelleteuse et arracher ce morceau d'université, que l'université m'autorisât, pour me remercier de mes services, à prélever la salle J 14 et à l'emporter avec, dedans, mais il n'était pas nécessaire que cela se sût, le ventre nu de Loïse.

LA HAINE DU VIEUX

Dans l'avion, il se trouva assis près du hublot, sur l'aile droite, à côté d'une jeune femme.

Au cours du trajet, les petits inconvénients de la promiscuité dus aux plateaux-repas les amenèrent à échanger quelques remarques plaisantes sur la dînette en altitude dans un espace exigu.

Comme souvent font les femmes lorsque la conversation avec un homme prend un virage sympathique, elle annonça qu'elle allait rejoindre son mari. Déjà curieux de nature, et trouvant l'occasion d'oublier un instant Loïse, Bélard la questionna. Point d'enfant, non, car son mari était âgé. Très âgé même. Il fit semblant d'être surpris. Trente et un ans, dit-elle. Et lui bientôt soixante-dix. (Moins qu'entre lui et Loïse.) « C'est mon lion ! » dit-elle soudain fièrement, et il eût juré que ses beaux yeux noirs s'embuaient.

Il y vit, dans la mesure où elle s'adressait à un vieil homme, une invitation à parler de l'âge sans détour. Se fit l'avocat du diable. Évoqua les signes avant-coureurs de la démence sénile (elle haussa les épaules), les éclipses du désir (elle l'élargit à tous les couples), l'impuissance sexuelle (elle l'écarta en riant).

« Parfois, je le souhaiterais », dit-elle. Mais ce fut pour ajouter aussitôt « Non, bien sûr, je plaisante! ».

Elle l'étonnait.

Il voulut essayer de la désarçonner en poussant plus avant. Esquissa sa théorie des deux échelles. Elle l'interrompit :

« La haine du vieux commence avec les vieux. C'est une haine des vieux pour eux-mêmes, qui leur revient comme une monstrueuse protection contre leur admirable jeunesse à jamais perdue. » Puis, comme pour elle-même : « Admirable, c'est à voir…, et à jamais, qu'est-ce qu'ils en savent? »

Bélard resta sans voix.

« Et vous… au fait… c'est indiscret de vous demander, euh…?

— Non, du tout. J'ai cinquante-deux ans, mentit-il avec aplomb.

— Vous ne les faites vraiment pas! » dit la jeune femme.

Il la regarda à la dérobée.

Elle n'avait pas l'air de se moquer.

81

LES ÂMES DE HARLEM

L'amitié de Robin et de Sylvia se révéla conforme aux standards de l'affection nord-américaine : directe, efficace, sans mélange, et d'une remarquable brièveté. Le premier soir fut une vraie fête avec invités, petit orchestre et prestation de danse moderne. Bélard s'en réjouit, mais sans se trouver plus honoré que par une cérémonie du thé sous une tente berbère. Pas davantage ne se formalisa-t-il de dîner seul le second soir, ni ne fut surpris de trouver, au matin du troisième jour, un papier à l'écriture de Sylvia où étaient portées, en guise d'au revoir, les coordonnées de sa prochaine nuit, c'était succinct : « 354 W 121 st. »

Sylvia avait ajouté entre parenthèses « Manhattan Av. », précision superfétatoire mais que Bélard jugea prévenante et, dessous, l'heure et le mode opératoire : « 20 h, sonner », n'était-ce pas suffisant ?

Il débarqua à la nuit tombante, avec une bouteille de bordeaux qu'il avait payée le prix d'un château millésimé. Mais, même estampillé « mis en bouteille sur le lieu de production », qui était une périphrase pour coopérative ou, plus décevant, avouant au bas de l'étiquette une coopérative de l'Aude, le vin de Bordeaux bénéficiait d'une indulgence qu'il ne méritait toujours pas. Mérite ou pas, Bélard ne se privait jamais d'en offrir. Car en dénigrant un tel nectar supposé, il se positionnait en chambellan de haut lignage, ce qu'il n'était aucunement. Ça l'amusait toutefois, le temps d'une soirée, de le laisser accroire.

À la sortie du métro, il eut le réflexe habituel lorsqu'il cherchait à s'orienter dans cette ville : chercher des yeux les tours jumelles. Une fois de plus, il avait oublié que le sol s'élevait vers Harlem, suffisamment pour que les tours disparussent à la vue. La station n'était pas éloignée du 354 W.

Il trouva à cette adresse un alignement de maisons basses où l'on pénétrait par une volée de marches de fer. C'était inattendu. Il sut tout de suite qu'il allait s'y plaire. Il sonna.

Le jeune luthier originaire des Vosges et sa compagne américaine, qui avaient emménagé là il y a moins d'un an, lui firent un accueil chaleureux. Ils avaient besoin d'argent et l'arrivée de Bélard était une aubaine. Très vite, la simplicité de Bélard aidant, ils sympathisèrent. Mais dès que se révéla chez lui une curiosité non feinte pour le travail de luthier, la sympathie se mua en amitié.

Les professeurs sont généralement de bons élèves. Ils posent les bonnes questions, ne se lassent pas d'approfondir, prennent volontiers le risque d'être naïfs, de se tromper, c'est moins bête que de rester coi ou d'admirer quand rien n'est admirable. Le Vosgien trouva en Bélard non seulement un élève attentif, mais encore un apprenti zélé. Les promenades quotidiennes à pied dans la ville, les visites répétées des musées et les longues stations dans Central Park semblèrent bientôt à ce dernier moins attractives que la fréquentation de l'atelier de son hôte où violons, violoncelles et contrebasses arrivaient pour réparation.

Au début il assista puis, rapidement, il toucha. Il avait pour les pièces d'un violon, pour les mots étranges qui les désignaient, la même attention inquiète que pour les concepts. Le premier détablage auquel il fut convié le laissa frissonnant. L'instrument ouvert, il découvrit l'âme. L'âme est une tige invisible, placée perpendiculairement à l'intérieur du corps de l'instrument entre la table et le fond. Il découvrit également la barre, une pièce de sapin d'épaisseur décroissante aux extrémités, collée à l'intérieur de la table et courant sous la fine surface de celle-ci afin d'en assurer la résistance.

Le luthier prit le temps d'expliquer à Bélard la corrélation entre le chevalet, l'âme et la barre, son importance dans la production du son. Il insista sur les places respectives des trois pièces, fit un schéma en coupe pour être agréable à Bélard. « La planchette d'érable du chevalet placée orthogonalement à la table sur une ligne imaginaire passant par les crans inférieurs des esses... La barre sous le pied gauche du chevalet... L'âme un peu en arrière du pied droit, sous la corde *mi*... »

Bélard s'enchanta que tant de précision alliée à tant d'infimité produisît tant de puissance sonore et tant de variations dans la mélodie.

Il posa encore les bonnes questions. Les échancrures de la planchette d'érable du chevalet étaient-elles affaire de légèreté, d'esthétique, de son ? Pourquoi cette découpe en forme de cœur au centre ? L'âme, comment avait-on déterminé sa place exacte sous la table d'harmonie? Et de quelle manière arrivait-on à fixer perpendiculairement cette tige minuscule?

Le jeune luthier s'exalta à son tour en évoquant la « pointe aux âmes », le plus bel outil de la profession… Il lui en montra de trois tailles. Lui fit une démonstration. Un infime déplacement des extrémités de la colonnette de sapin, et le son changeait. La qualité du son, certes, mais aussi l'équilibre.

Bélard apprit l'équilibre.

Voulait-il essayer à son tour?

Bélard voulait.

Plusieurs fois par semaine, il s'entraîna sur des altos au rebut à positionner le tourillon de bois entre table et fond, un peu en arrière du pied du chevalet. Il fallait que l'âme « force un peu, d'environ un millimètre », avait dit le luthier, ça lui plaisait cette idée de l'âme qui force pour prendre sa place. Il le fit table fermée, en l'enfilant par l'ouïe droite, chose difficile, il le fit plus aisément table ouverte, en la faisant tenir sur le fond avec trois épingles, il le fit à l'aide de cet outil étrange dont la base est une croix de Malte, et il y parvint.

Il y parvint parce que « positionner l'âme » n'était pas qu'une activité d'apprenti luthier à l'âge de la retraite. Positionner l'âme était comme avoir sorti la sienne de son corps propre et travailler à la remettre en place, afin que ce vieux corps voué au sapin vibrât le temps qui lui restait à vivre à l'instar d'une table d'harmonie.

Et, un jour qu'il manipulait le précieux bois du corps fragile de l'instrument, soudain il entendit. Lui qui n'avait pas ou peu d'oreille, qui était presque sourd de l'oreille gauche, il entendit la musique de l'âme. Sans même avoir à prendre un archet, sans qu'il fût nécessaire de faire glisser la mèche de crins sur l'intestin grêle de mouton des cordes torsadées de l'alto, il l'entendit.

Entendre était sentir avec le corps. Il sentit la vibration passer de la corde au chevalet, du chevalet à l'âme, de l'âme au fond et à la table d'harmonie puis, de proche en proche – mais ce n'était pas « puis » ni « de proche en proche » mais en même temps et tout ensemble – gagner les éclisses, les contre-éclisses et, de là – mais c'était l'esprit lent de Bélard, sa débilité spirituelle qui avaient besoin de ce crescendo –, se répandre aux extrémités par le tendeur et le cordier vers le bas, le manche, le chevillier, la volute vers le haut.

Et de tenir cette âme légère dans les mains sans qu'il en jouât fut comme de prendre un bébé nu dans les bras quand on n'en est pas le père. La puissance sauvage de la vibration de la vie passe en vous. Elle vous rend gauche, elle en paralyse certains. On a envie de se débarrasser de ce trop-plein au plus vite, on pourrait le jeter à terre pour oublier cette menace explosive de notre paix. Mais on ne le jette pas, on le garde et c'en est fait de nous. On se met à vibrer aussi, on devient palissandre, chair gigoteuse, prélude en *sol* majeur…

La vibration est devenue vous, vous le savez parce qu'elle vous suit dans la rue, elle ne vous quitte plus d'une semelle, c'est une scie, une ritournelle qui se fredonne à travers vous, vous ressentez qu'il suffirait que vous entrouvriez la bouche pour que les autres l'entendent aussi, vous êtes l'instrument de cette musique, vous êtes devenu le corps de votre âme, il était temps.

Bélard l'éprouva ainsi : il était temps.

Il pensa : Où est le corps de Loïse en ce moment?

Loïse était à Paris. Elle marchait rue des Archives.

Bélard se demanda : Est-ce qu'elle pense à moi?

À cet instant, rue des Archives, Loïse s'étonna.

Dans le ciseau de ses grandes jambes, soudain Bélard.

Le souvenir brûlant de Bélard.

Comme un courant d'air chaud l'été sous la jupe. Il vous ramollit, vous rend disponible aux autres hommes, n'importe qui, c'est inquiétant. Mais on n'a pas envie de le chasser.

C'était le soir pour Loïse, le début de l'après-midi pour Bélard.

Dehors il y avait Harlem, toutes les âmes noires de Harlem, et l'âme de Bélard était noire aussi, bien que le sapin de son âme fût blanc.

Bélard sortit. Harlem vibrait au soleil de mai, et la vibration de Harlem jouait sur lui comme sur un alto.

Une belle grande Noire le regarda effrontément en croisant sa route. Il vit sa bouche épaisse, découvrant un peu de chair rose à la commissure.

L'association vint aussitôt, impérieuse. Le sexe de Loïse. La couleur saumonée du sexe de Loïse lorsqu'on écartait ses petites lèvres.

Il pensa : C'est un autre qui les écarte.

Ça le bouleversa.

82

LES FERS DE LOÏSE

Et, à nouveau, Loïse fut là.
L'âme de Bélard repositionnée, Loïse fut là.

Pourquoi essayer d'échapper à la malédiction de l'amour-que-l'aimée-ne-partage-plus ? La plupart des gens croient qu'on fait le deuil en oubliant. C'est l'inverse. On fait le deuil en acceptant d'être visité jour et nuit par le souvenir, et il n'existe pas de souvenir qui se conserve frais aussi longtemps que le souvenir de l'amour. Il faut le savoir. On peut être incapable de vouloir ça. On peut croire le vouloir et se rendre compte que le moindre rappel de la personne aimée est si bouleversant que mieux vaut fermer les écoutilles et partir en plongée profonde pour une durée indéterminée, tel un sous-marin nucléaire d'une force de dissuasion.

Le vœu secret des sous-mariniers – c'est une horreur qu'ils ne s'avouent pas, qui ne les visite que dans les rêves – , n'est-il pas que la patrie tant aimée qu'ils défendent avec une abnégation rare en s'enfermant au fond des mers comme des sardines galonnées dans leur boîte de métal, soit rayée de la carte lorsqu'ils referont surface ?

Pour Bélard, en tout cas, point de ces maritimes refoulements.

Il eût accepté mille morts plutôt que de perdre Loïse une seconde fois. La perdre dans son souvenir, la perdre *en lui*, sur ce terrain-là au moins il avait l'avantage de décider.

La pointe aux âmes de Harlem l'avait ramenée à New York, avec la souffrance d'y être sans le corps.

Il la garda, elle et la souffrance.

Puisqu'elles allaient ensemble, il les garda.

Commença alors un second séjour.

Dans la manipulation quotidienne de l'instrument, il trouvait Loïse. Dans le relief des éclisses ses épaules, ses hanches, dans l'échancrure sa taille, dans le doux bombé lisse du fond son ventre, dans la fente en ff des ouïes et dans le petit bouton de la coquille son sexe. Il ne les touchait pas différemment – conformément aux directives du jeune luthier, il ne les touchait qu'avec parcimonie et la plus extrême précaution –, il les regardait d'un œil sûr, d'un œil d'amant.

Dehors, parfois, il l'entendait. Il suffisait que le brouhaha des voix nasillardes fût troué par le timbre d'une voix claire, et il tournait la tête, cherchant le visage de Loïse. Toujours déçu, mais avec cette prime de bonheur que la voix de Loïse lui revenait. Elle lui revenait sous la forme de deux questions. Deux questions sur le « faire » des amants. Questions abruptes, dont aucune autre femme n'avait usé aussi directement avant elle.

« Qu'est-ce qui te ferait plaisir ? » demandait parfois Loïse.

C'était si cru qu'il avait mis quelque temps à l'entendre au sens sexuel du terme où elle l'employait. Par manque d'imagination, par lenteur ou par timidité, il n'y avait jamais répondu. Il le regrettait.

Il existait un second « faire » qui, lui, ne prêtait pas à confusion dans la bouche de Loïse. Il l'entendait avec le voussoiement du début, voussoiement pervers, excitant, qu'elle avait conservé pour cette seule question-là.

C'était « Dites-moi ce que vous allez me faire… ».

Et quoique par jeu il ait parfois répondu « Vous mettre aux fers, mon enfant », toujours il avait préféré la surprendre.

Dans les rues de Manhattan, l'une ou l'autre de ces questions de Loïse, quand elle advenait, faisait rebondir son âme incomparablement plus fort et plus haut que le Spiderman des familles entre les façades abruptes des gratte-ciel.

83

LE FLUX

À Paris elle y songea. Depuis quand n'avait-elle pas flué? (C'est Bélard qui disait « fluer ».) Elle avait flué le 30 avril. (Aucun homme avant Bélard n'avait utilisé le verbe fluer pour désigner son flux menstruel.) Elle devait fluer à nouveau le 28 mai. (Elle aimait le mot. Elle aimait que Bélard l'ait exhumé pour elle. Du coup, quand elle la sentait venir, elle aimait la chose.) Elle n'avait pas flué le 28 mai. Ni non plus les jours d'après. Ni les semaines. (Ou plutôt, car il eût été exagéré de dire aimer une chose qui la tordait de douleur trois jours durant tous les vingt-huit, elle l'accueillait autrement.) Pas de panique. Ça lui était déjà arrivé. (C'était un épanchement reconnu par Bélard.) Une fois. (Attendu?) Non. (Non.) Deux. (Bélard ne l'attendait pas. Bélard avait souhaité que l'épanchement n'ait pas lieu. Bélard eût aimé avoir un enfant d'elle. Bélard l'avait dit : je veux un enfant de toi. Bélard père…) Ce qu'elle avait eu peur! Elle était très jeune en ce temps-là. (Roman, certainement pas. Mais Bélard… Pourquoi pas Bélard?) Elle devait fluer *im-pé-ra-ti-ve-ment* le 24 juin.

L'ÉRABLE

« Et si nous allions écouter ensemble les gros sapins rouges… », dit un jour le jeune luthier de Mirecourt. Il avait cité tant de fois cette phrase attribuée au célèbre Stradivari que Bélard la finit à sa place : « … faire vibrer l'air comme un diapason ! »

Le Québec était à deux pas. Ils s'y rendirent en voiture.

Le trajet fut l'occasion de parler des arbres tous azimuts. Des essences appropriées aux parties de l'instrument : le sapin pour la table, l'âme et la barre ; l'érable, plus dur et élastique, pour le fond, le manche, les éclisses et le chevalet, l'ébène pour la touche, le cordier, les sillets et les chevilles. Des deux types de coupe, la radiale et la tangentielle. De l'altitude où l'on trouve les meilleurs troncs, entre 900 et 1 500 mètres. De l'influence de celle-ci et du climat sur la constitution des cernes, les qualités acoustiques exceptionnelles des violons fabriqués à Crémone s'expliquant par la vague de froid intense qui avait frappé l'Europe de 1645 à 1720, freinant la croissance des arbres, ce qui donnait des cernes plus serrés, lesquels conféraient au bois une forte densité, essentielle pour la résonance. Et aussi de l'influence de la lunaison sur l'abattage, du séchage à l'air libre, de l'âge des meilleurs bois, de la nécessaire complicité entre le luthier et le maître bûcheron…

Bélard, fidèle à lui-même, apprenait. Il se taisait.

Il écoutait cette musique de mots presque aussi belle que la musique que ces mots transformés en actes permettraient de faire entendre.

Il regardait tout, s'approchait de tout, touchait peu, écoutait anxieusement.

Loïse était présente à ses côtés, elle était sa compagne invisible, il écoutait pour deux – ça expliquait en partie son anxiété –, il lui parlait.

85

PREGNANT

« She's two months pregnant », l'entendit-elle murmurer entre ses cuisses.

Elle avait bien dit *pregnant*?

Les jambes de Loïse se mirent à trembler. La jeune gynécologue stagiaire reprit en français avec un fort accent. « Oui, madame, je crois... je veux dire que je suis *secure*... euh, sécure, que vous êtes enceinte de deux mois et peut-être plus... *a bit*... un peu... Vous pouvez vous lever », ajouta-t-elle.

Loïse ne pouvait pas se lever. Les talons coincés dans les étriers, elle tendit les bras. Mais la jeune femme tournait déjà le dos. Tandis qu'elle reprenait lentement son souffle, elle l'entendit demander, entre deux claquements de latex chirurgical : « Le père et vous, vous le...? » (Le dernier mot se perdit.)

Le père! D'un coup de reins elle se redressa.

Le père... Des réponses qui suivirent aux questions qu'elle posait sans réel intérêt, comme du dedans d'une ouate, elle n'apprit rien qu'elle ne savait déjà. Que les règles du 30 avril avaient dû être de fausses règles. (Elle avait flué très peu.)

Qu'à cent pour cent, la pilule, non. Que, non, il n'y avait pas de danger pour l'embryon. Mais qu'il fallait cesser tout de suite.

Une fois dehors, elle recommença le calcul pour la énième fois. L'enfant ne pouvait pas être de Bélard. Si, il le pouvait. Il ne *devait* pas l'être. La dernière fois où elle s'était donnée à lui, elle avait fait l'amour en rentrant avec Roman. Encore humide du sperme de Bélard. Elle avait fait ce genre de choses plusieurs fois. Jamais en sens inverse. Un sperme chasse l'autre. Comme pour pondérer la transgression d'un amour possible pour son père. Comme pour éteindre le feu de la semence de Bélard, pour...

Pas une fois, passant des mains lentes de Bélard aux mains nerveuses de Roman, elle n'avait pensé : Un sperme aide l'autre.

Elle tenta de se rassurer. Voyons, une telle hydraulique sexuelle ça n'existe pas! Certes. Mais un tel duel symbolique en elle, ça existait. La preuve.

Elle frissonna.

Sur le boulevard, elle croisa la sortie d'une maternelle.

Elle se vit mère. Elle vit la sienne. Elle se fit horreur.

Elle se dit que mieux valait mourir sur-le-champ que cette horreur. Cette horreur étalée sur tant d'années.

Mais le moment n'était pas venu.

86

PREGNANT, SUITE

Elle se dit que le père serait celui qu'elle choisirait.

Qu'il n'y aurait pas de recherche de paternité. Que le premier auquel elle parlerait de son état serait le père. Autant le dire tout de suite : elle avait choisi Roman.

Elle ne l'avait pas choisi par conviction, elle l'avait élu par défaut.

Quand elle annonça à Roman qu'il était père, Roman se tut.

Puis il dit qu'il serait présent auprès d'elle quand aurait lieu l'avortement.

Loïse se tut à son tour Tout au long de la soirée, elle se tut.

Dans la nuit, elle le réveilla. Elle dit : « Pardonne-moi. Je t'ai menti, tu n'es pas le père. L'enfant est de Bélard. »

Elle vit se succéder sur le visage de Roman les émotions les plus intenses. La stupeur, la peur, la colère, le chagrin enfin. Enfin le chagrin.

Un moment, elle crut qu'il allait la frapper, un autre qu'il allait s'habiller et la quitter au milieu de la nuit.

Elle eût souhaité qu'il le fît.

Il ne le fit pas.

87

L'ANNONCE FAITE À PIÈRA

Au petit matin, Loïse appela Pièra.

« Je suis enceinte », dit-elle sobrement.

Pièra reçut le coup en plein cœur. L'enfant, pour elle, était de Bélard, il ne pouvait être que de Bélard. Mais elle souhaitait de toutes ses forces que Loïse la détrompât.

« Tu le gardes… », dit Pièra. Il n'y avait pas dans sa voix l'ombre d'un doute. Le seul doute concernait le père.

« Oui », dit Loïse.

Le silence s'installa.

Loïse attendait de Pièra ce que Pièra n'était pas en mesure de lui donner : de l'intérêt, de la protection, l'enthousiasme mâtiné d'inquiétude d'une mère. Pièra attendait de Loïse ce que Loïse était à cent lieues de penser être la préoccupation essentielle de Pièra : le nom du géniteur.

Elle trouva la ressource d'exorciser l'horreur d'entendre celui qu'elle redoutait, en parlant de l'autre père possible comme d'une évidence.

« Ça a dû être une drôle de surprise pour Roman !

— Tu l'as dit. »

Manqué. À refaire. Elle insista :

« Il est d'accord pour… euh…

— Non. »

En désespoir de cause, elle se lança :

« Il craint que l'enfant ne soit pas de lui ?

— Il ne craint rien du tout. Tu le connais. Il n'a même pas pensé qu'il ne pouvait pas être de lui…

— Et c'est le cas ?

— De Bélard ? Non, je ne crois pas.

— Comment ça, tu ne *crois* pas… ?

— Je crois qu'il est de Roman. Mais il a réagi tellement mal que je lui ai dit que Bélard était le père !

— Mais *qui* est le père à la fin ?

— Je pense que Roman est le père.

— Tu *crois*, tu *penses*… Bordel ! Il ne s'agit pas de supputations ! Ne me dis pas que tu ne sais rien de l'homme qui t'a engrossée !

— Qu'est-ce qui te prend ? Calme-toi ! Je ne peux pas dire avec certitude qui est le père…

— Pourquoi ? Tu as couché avec les deux en même temps ?

— Pas en même temps, le même jour.

— Putain, t'es grave, Loïse ! »

À nouveau le silence. Puis, d'une voix mauvaise, Loïse :

« J'ai pas besoin que cet enfant ait un père…

— Il en a un.

— Mais celui-là ne veut pas de lui. Et l'autre… l'autre…

— Tu dois en parler à Bélard…

— Non ! »

Ce fut un cri. Aucune des deux n'écoutait l'autre là où

l'autre l'appelait du cœur de son angoisse. À deux doigts
d'être submergée par l'émotion, Pièra :

« Pourquoi ? Mais pourquoi… ?

— Je ne *veux* pas que Bélard soit le père… »

Et elle laissa couler les larmes.

L'oreille collée à son portable, Pièra aussi pleurait.

88

PIÈRA COGITE

Rarement le même homme fait verser au même instant à deux femmes qui s'aiment des larmes d'un sel aussi différent.

Pièra pleurait la virginité perdue de Bélard pour elle, Loïse d'être incapable de vouloir pour son enfant un père qui aurait pu être aussi le sien.

Mais que cette virginité fût perdue, celle-là n'en était pas sûre, et que son vieil amant fût le père, celle-ci non plus ne le savait pas.

Or tandis que l'une ne désirait pas savoir ce qu'elle ignorait pour conserver la possibilité d'aimer plus tard l'amant qu'elle avait quitté la veille, l'autre voulait savoir à tout prix et tout de suite pour ne plus avoir à souffrir mille morts à l'avenir.

C'est Pièra, parce qu'elle ne s'entêtait pas comme Loïse, qui comprit la première qu'il fallait rompre avec l'obsession de la paternité improuvable de Bélard.

Loïse allait quitter Roman, affaire de quelques semaines, c'est l'embryon qui dorénavant commandait le compte à rebours.

Tenue éloignée du seul père putatif, elle n'allait plus penser qu'à lui. Le fait qu'elle refusât ce titre à Bélard trahissait une attente inverse, attente contre la déception de laquelle son refus la prémunissait.

Il fallait donc, une fois encore, aider au rapprochement de Bélard et de Loïse.

Il le fallait pour que Bélard sût.

Et si Loïse ne le lui disait pas, qu'il devinât.

Et s'il ne devinait pas, que Loïse le vît.

Et s'il devinait, qu'elle le repoussât.

Et si elle ne le repoussait pas?

À dix-neuf ans, on repousse un homme de l'âge de Bélard comme on pousse des portes qui bouchent l'avenir. Parce qu'on croit qu'il y a un à venir où tout ce qui est rêvé dans le présent est contenu.

Et à vingt-sept?

À vingt-sept ans, on sait que l'avenir est tout entier donné, et depuis toujours, à chaque instant.

Elle commença à se documenter sur les vols pour New York. Il y avait souvent des prix cassés en période de vacances.

Décider Loïse, elle y arriverait aisément.

Après, on verrait sur place.

89

LOÏSE AND PIÈRA

Et, brusquement, l'assiette érotique de l'existence changeait, elle vibrait autrement. Tous les gestes discrets et précis de la tendresse maternelle oubliée, toutes les indulgences, les attentions, les jeux de doigts et de langue de l'enfance, tout cela remontait d'un coup. La joue attendait, la lèvre, le sexe soudain en éveil tel un renardeau. On s'était habitué à la rugosité, à la froideur, on s'était endormi avec des cernes sous les yeux, la barbe qui pique et la bouche pâteuse, on se réveillait et le monde avait bougé dans l'intervalle. Ça pouvait changer dans la seconde. Le matin, le désert, le soir la foule bigarrée de l'étape. Un vrai safari, la vie. Fallait y être prêt.

On le sait mais on l'oublie.

Bélard le redécouvrit au moment où l'e-mail de Loïse le toucha.

Il se croyait endeuillé durablement, tout à coup il était dans la peau d'un promis. Comme si, sans le savoir, il avait enfilé le costume du veuf par-dessus la veste du fiancé. Quel genre de fiançailles, était-ce bien utile de se fiancer, n'est-ce pas ringard des fiançailles, ces questions n'avaient pas cours.

Un coup de vent imprévu avait arraché le costume, dessous il était fin prêt.

Rien n'est aussi fort que l'amour pour tourner la page. Pas de bourrasque plus brutale, plus soudaine, plus déterminée à changer jusqu'à la couleur de l'herbe, des feuilles des arbres, et pourquoi? Parce qu'un être humain a tendu sa langue entre vos lèvres et caressé votre vieille joue.

Ce qui était vrai pour un premier amour était valable pareillement pour des retrouvailles. L'être humain dont vous aviez eu la langue dans la bouche n'avait pas besoin de réitérer la douce surprise d'entrer en vous une nouvelle fois. Il suffisait qu'il s'annonçât et tout, le lieu, la saison, le climat, la météorologie, basculait.

Manhattan se tassa. Harlem eut des airs de Marrakech. La statue de la Liberté fit penser à celle du pont de Grenelle, et non l'inverse. Les violons eux-mêmes s'allégèrent. Ils se mirent à flotter comme des violons de Chagall.

Loïse n'avait pas dit qu'elle viendrait accompagnée. Pièra le lui avait interdit formellement. Elle désirait voir la tête que ferait Bélard en la voyant. (Ce n'est pas le motif qu'elle avança.)

Elles eurent quelque difficulté à se loger à cette époque de l'année. Pièra dégota deux chambres au YMCA Vanderbilt. Elle avait bien essayé de préparer Loïse à un hébergement de type monacal, mais celle-ci éclata quand même en sanglots quand Pièra l'abandonna, le temps de trouver la sienne à un autre étage, dans une sorte de cellule minimale où elle pouvait à peine circuler entre un lit étroit et une table minuscule où l'on devait s'asseoir pour ne pas heurter de la tête la télévision.

Pièra vit qu'elle avait pleuré. Elle lui promit qu'elles partiraient très vite de là, dès qu'elles auraient trouvé une chambre au Chelsea ou au Lombardy, mais quand elle dut l'informer que les douches et les toilettes étaient collectives, Loïse fondit à nouveau en larmes. (Encore ne lui dit-elle pas que ni les unes ni les autres ne se pouvaient occulter entièrement.)

Elles n'avaient pas prévu d'aller voir Bélard le premier jour. Mais devant la détresse de Loïse, Pièra pensa qu'il serait bon pour elle de le rencontrer tout de suite. (Ce serait bon pour elle aussi.)

La ligne de métro était directe. Sans prévenir, elles débarquèrent. Elles étaient fatiguées, elles se sentaient sales, le corps flottant du fait du décalage horaire.

L'atelier était au fond de la maison. Il fallait parcourir un long couloir étroit à la queue leu leu, en sorte que lorsque la compagne du luthier poussa la porte, elle introduisit d'abord Loïse.

« Hi! I'd like to make the introductions... This is Loïse [1]... »

Elle attendit un moment que les deux hommes s'extasient et l'embrassent, avant de s'effacer et de dire, comme pour une surprise :

« ... and this is Pièra [2]! »

Pour une surprise, c'en fut une en effet.

1. « Salut! Je voudrais faire les présentations... Voici Loïse... »
2. « ... et voici Pièra! »

90

SI TU AIMES L'AMOUR...

Pièra vit en même temps qu'elle plaisait au jeune luthier – ce dont elle n'avait cure – et que le professeur ne l'attendait pas.

Ce fut un bref éclat de stupeur dans l'œil bleu délavé de Bélard, mais elle savait le reconnaître, et toutes les précautions que prit celui-ci par la suite pour le lui faire oublier ne réussirent pas à la convaincre.

Toutefois, elle retrouva le bonheur de converser avec lui et, de ce point de vue, il semblait que Bélard le lui rendît, à moins qu'elle ne se trompât. (Elle ne se trompait pas.) Elle se fit la remarque qu'il ne faudrait pas qu'elle prît trop de place auprès de Bélard, qu'elle était ici grâce à Loïse et pour Loïse, qu'elle ne devait pas oublier cela.

« Vous n'allez pas rester au Vanderbilt! » s'exclamèrent les deux hommes lorsque Loïse fit part de ses appréhensions sanitaires.

Bélard s'engagea aussitôt à les reloger dans un hôtel. Pour avoir été lui-même dans sa jeunesse dans trois YMCA de la ville, il pouvait comparer : c'était le pire des trois. Les filles évoquèrent un budget d'étudiantes. Bélard rit. Il fit valoir une retraite de professeur. Elles se récrièrent. Ils convinrent qu'il les aiderait à trouver, laissant dans l'ombre la façon matérielle dont il les aiderait.

Elles devraient être patientes. Elles en avaient conscience. Loïse, de se sentir accompagnée par Bélard, se rasséréna.

Était-ce le décalage horaire, était-ce l'émotion de retrouver ici son vieil amant, était-ce le fait qu'elle fût enceinte, Loïse ne s'adaptait pas facilement à ces conditions spartiates.

S'agissant des douches et des toilettes, elles trouvèrent la solution de s'y rendre ensemble, si possible tôt le matin ou très tard le soir. Elles se douchaient à tour de rôle, afin que l'une pût préserver la nudité de l'autre. Lorsque la constipation, qui les exempta quelques jours de l'épreuve du déféquer en commun, fut terminée, chacune se posta à son tour devant la porte à battants de saloon qui faisait office de protection mais seulement jusqu'aux genoux. Partager les odeurs et les gros ou petits bruits de l'intimité les rapprocha.

Paradoxalement moins réservée que Pièra sur le sujet, Loïse trouva plaisant de mettre Bélard au parfum de leurs stratégies.

Bélard s'en amusa. Il dit :

« Si vous aviez lu Céline, vous auriez su à quoi vous attendre !

— Vous voulez dire au "communisme joyeux du caca"? avança Pièra prudemment.

— Oui, c'est ça », dit Bélard.

Il la regarda longuement. Elle aimait qu'il la regardât longuement. Mais son plaisir était gâché par la présence de Loïse.

« Et, bien sûr, comme toujours, vous avez lu…

— Le *Voyage*…, et pas qu'une fois! »

Loïse observait la scène sans rien dire.

Revenues au Vanderbilt, et tandis qu'elles arpentaient les couloirs étroits d'un jaune sale, sans vue sur l'extérieur, en sorte qu'on se sentait tel un rat dans un labyrinthe, sauf qu'un rat y est seul alors qu'on croisait là une faune invraisemblable de Rambo bodybuildés, de junkies percés et tatoués, de drag-queens provocants et de vieillards sous perfusion, Loïse dit à Pièra :

« Tu ne manques pas une occasion de lui en mettre plein la vue… C'est bête, tu sais, et inutile… Parce que Bélard t'aime autant que moi, et peut-être plus, en tout cas différemment, et que ça se voit!

— Qu'est-ce qui te fait dire ça?

— Tu le savais hein? Tu ne protestes pas comme avant

— Ce n'est pas moi qu'il a mise enceinte quand même…

— Et tu le regrettes, pas vrai?

— Oui, je le regrette.

— Avec toi, on saurait avec certitude qui est le père, ajouta-t-elle d'un air mauvais.

— Oui, on saurait », dit Pièra.

Elles étaient arrivées devant la porte de Loïse. Elles se turent. Puis Pièra :

« Tu m'en veux, n'est-ce pas?

— Oui, je t'en veux.

— Tu m'en veux d'être sans homme…

— Je t'en veux de préférer l'amour d'un seul homme qui ne te baise pas à l'amour de tous ces hommes qui ne demanderaient pas mieux que de te baiser, à commencer par le luthier!

— *Si tu aimes l'amour, crois en l'amour*, murmura-t-elle.

— Qu'est-ce que tu récites encore là...?

— Pozzi. Catherine Pozzi. La maîtresse malheureuse de Valéry...

— Valéry? *Paul*? L'écrivain?

— Oui, pas le chanteur! Et elle continua pour elle seule : *Ne donne pas ton corps sans ton esprit... N'aie de plaisirs que ceux que tu pourras accepter sans déchoir.*

— C'est bien beau ça, mais je suis crevée moi.

— Oui, dit Pièra, excuse-moi. Bonne nuit ma Loïse. Bonne nuit, toi et le... »

Elle avait posé la main sur son bas-ventre.

« C'est ça. Profites-en pour me toucher! Tu sais que tu pourrais me donner envie, hein? Tu le sais?

— Je le sais parce que j'ai eu envie de toi aussi.

— C'est vrai?

— Bien sûr ma choute! Je me suis même caressée en te regardant dormir, tu te doutais de ça?

— Pas du tout. Vieille salope, va! »

Elle était manifestement ravie. Elle embrassa Pièra sur les lèvres. Ses yeux brillaient. Elle dit :

« Si je touchais un tant soit peu à tes seins, je suis sûre que je passerais du côté des femmes!

— On serait les premières gouines de l'humanité à s'être fait un enfant!

— Ça ne me fait pas rire, dit Loïse.

— Tu as raison, c'est stupide, dit Pièra

— Mais... plus tard... quand on sera vieilles... d'accord?

— Je veux Bélard, pas toi.

— Bon... Disons quand tu seras veuve de Bélard... »

Elle aima la banderille de douleur et de plénitude que la
boutade de Loïse lui plantait.

Ce devint trouble. Il fallait rompre.

« Demain le Frick! lança Pièra.

— Quel fric?

— Pas l'argent. Le musée, idiote! »

Elles s'embrassèrent en riant sur les deux joues.

91

LE FRIC

Ils se voyaient chaque jour.

Le Vosgien, qui ne connaissait rien de l'histoire de Bélard, commençait à avoir quelque idée de ce qui avait amené ces deux étudiantes de Bélard aux États-Unis. L'une des deux avait des vues sur Bélard, mais laquelle? Il espérait que ce ne fût pas Pièra.

Car il avait pour elle un faible qui, au fil des jours, ne se démentait pas bien que Pièra n'y répondît point. Sa compagne l'avait compris, mais elle avait compris aussi vite que c'était Bélard qui intéressait Pièra. Quant à Loïse, elle n'aurait su dire. Elle avait saisi des regards entre elle et Bélard qui ne trompaient pas. Ces deux-là s'étaient connus de plus près qu'ils ne le laissaient paraître. Il y avait du sentiment suspendu entre eux. Ils ne se prenaient pas la main, jamais, ne se touchaient pas, on aurait dit qu'ils s'employaient à ne même pas se frôler, ça disait exactement l'inverse : ne recommençons pas.

Mais était-ce Ne recommençons pas, ce fut une catastrophe, ou Ne recommençons pas, ça va mettre le feu aux poudres (et il y a encore beaucoup de poudre), elle n'arrivait pas à décider.

Pas plus qu'elle n'arrivait à décider de la nature des sentiments de Bélard pour Piéra. Ni des sentiments de Bélard pour elle. Ni de l'âge réel de Bélard. Ni si Bélard ne mentait pas sur les vraies raisons de sa présence à New York. Dépression légère, se refaire une santé, il avait dit ça en arrivant. Mais il ne suivait pas de thérapie, il n'avait aucun traitement chimique et, en outre, il avait l'air en très bonne santé. Et ces deux étudiantes françaises qui débarquent au bout de deux mois pour un temps indéterminé, des infirmières peut-être?

Bélard trouva une chambre à l'hôtel Wolcott sur la 31e entre Fifth et Sixth Avenue. Façade Renaissance, caryatides, escalier en fer forgé. Une chambre double avec salle de bains, le paradis après le Vanderbilt. Quand elles lurent le prix de la chambre, le ravissement en prit un coup. Bélard ne pouvait pas avec ses seuls moyens se loger à Harlem et les entretenir à Murray Hill. Celui-ci s'inventa une connaissance dans l'hôtel pour justifier d'une réduction imaginaire. Il l'appela Roger. « My friend Roger pense que... », disait-il comme s'ils venaient juste d'avoir une conversation.
Elles acceptèrent de le croire.

92

L'ENFANT

Le temps filait. Les semaines passaient comme des jours, les jours comme des heures.

Loïse rêvait parfois qu'elle perdait le fœtus, que le bébé arrivait avant terme, qu'on le lui volait, qu'elle l'oubliait dans un lieu public. (Il n'avait pas de sexe déterminé.) Une autre fois elle rêva qu'une longue lame de métal tenue par un homme dont elle ne voyait pas le visage lui transperçait le ventre. Elle se réveilla et réveilla Pièra pour lui conter le cauchemar. Pièra trouva une interprétation rassurante pour Loïse. Toutefois, pour se rassurer elle-même, elle la poussa à consulter le service gynécologique des urgences de l'hôpital Bellevue. C'était à deux pas. Elles y passèrent la journée. Elle était dans son quatrième mois de grossesse, celle-ci suivait son cours *magnifiquement*, articula la femme médecin dont c'était, confia-t-elle, le seul mot de français correct qu'elle connaissait, avec deux autres qu'elle n'avoua pas.

Elle prescrivit une échographie. Par la même occasion, elle saurait le sexe de l'enfant.

« Je me fiche bien du sexe ! râla Loïse.

— Tu entends ce que tu dis? Je ne connais personne qui se moque du sexe moins que toi!

— Cesse de faire la psy! Je ne veux pas savoir, c'est tout.

— Personne ne t'oblige à le demander.

— Explique-leur, toi, tu veux bien?

— Et moi, je peux savoir?

— Non, s'il te plaît, toi non plus... »

Elles passaient chaque jour à l'atelier.

Un jour que le Vosgien était absent, Bélard s'autorisa un cours de lutherie.

Il parla du vide dans lequel siégeait l'âme du violon. Des quatre voix des quatre cordes accordées en quinte. Il détailla chacune d'elles, les comparant à la voix humaine. Mais, dit-il, plus que la corde, c'est le bois qui faisait le son.

Il y avait sur l'établi, appuyées au mur, plusieurs tables d'harmonie détachées des éclisses, pareilles (songea Loïse) à des carapaces vernies de scarabée géant dont le corps se serait enfui ou absenté.

Il en prit une et la rapprocha de son oreille.

Il dit « Une fois encore l'œil n'est pas utile, c'est l'oreille qui décide ».

Il frappa le bois du bout des ongles, du nœud de l'index et du majeur il le toqua.

« Même sur cette surface plane, à peine bombée comme un ventre, on entend les promesses vibratoires de l'instrument tout entier. »

L'entendre parler dans ce réduit des Amériques avec la même passion inquiète qu'il avait en cours, retrouver transportées si loin les constantes de la pensée de Bélard – l'éloge du vide, la prééminence de l'oreille –, était comme une preuve tangible sinon que l'éternité existe du moins que la vérité voyage...

Épaule contre épaule, les deux jeunes femmes l'écoutaient, un sourire flottant aux lèvres.

Quand il avait dit « bombée comme un ventre », elles avaient frissonné de conserve. Est-ce qu'il savait ? Est-ce qu'il avait deviné ? Cela elles l'avaient pensé ensemble.

Mais tandis que Loïse, regardant les doigts de Bélard toucher la table d'harmonie, revivait dans sa chair le contact de ces phalanges entrant en elle dans le parking souterrain ou glissant sur sa peau dans la salle J 14, Pièra voyait la joue d'un vieil homme retrouver soudain sa jeunesse au contact du ventre d'un enfant.

L'une pensa S'il continue à toucher cette chose je sens que je ne vais pas tarder à fondre dans ma culotte.

L'autre Je lui donnerai cet enfant et le vide de sa vie se mettra à chanter comme un violon.

93

ON EST VENUES ICI POUR QUOI ?

Septembre approchait.

« On est venues ici pour quoi ? demanda Loïse.

— Pour que tu te décides à parler à Bélard.

— Lui dire que je ne sais pas qui est le père ?

— Il y en a un des deux qui est au courant. Pourquoi pas lui ?

— Il y en a un des deux à qui j'ai fait croire par dépit que Bélard était le père…

— Bélard a le droit de savoir que tu es enceinte. De qui, c'est une autre histoire…

— C'est la même histoire pour moi.

— Pfff…

— Écoute. Je suis venue pour voir si Bélard me faisait encore de l'effet après tout ce temps, et je l'ai vu. Je suis venue pour savoir s'il me désirait toujours malgré ce que je lui ai fait, et je le sais. Mais si je peux encore vouloir de lui pour amant à l'occasion, je sais que je ne peux pas vouloir qu'il soit le père de mon enfant, et surtout je sais que je ne veux pas de Bélard tout court. Parce que je ne veux pas donner à mon enfant un père qui sera mort ou sénile avant sa majorité. Parce que je ne veux pas d'un compagnon qui ne pourra plus me faire l'amour que sur le dos.

(Elle s'arrêta, un peu essoufflée. Surprise que cette tirade fût sortie d'elle sans qu'elle y ait pensé au préalable. Pièra restait sans voix devant la détermination soudaine de Loïse. Elle pensa : Ça fait beaucoup de savoirs et de vouloirs. Ça l'attrista.)

« Bon, reprit Loïse. On peut rentrer en France, maintenant.

— Pas moi. J'ai rencontré deux frères qui réalisent un documentaire sur les premiers pas d'un jeune pompier en formation à la compagnie n° 1 de Manhattan. Ça m'intéresse. Je voudrais rester encore un peu. Disons jusqu'au 5, 6.

— Ils s'appellent comment tes amis ?

— Jules et Gédéon.

— C'est chou ! Je pourrai venir avec toi ?

— Bien sûr.

— Alors je reste aussi. »

94

SEPTEMBRE

Jules et Gédéon fixèrent des règles strictes. Pas de filles à la caserne. Invisibles sur les lieux de tournage ou, à la rigueur, mêlées au public new-yorkais. À ces conditions, ils toléreraient leur présence un jour ou deux. Ce sont eux qui détermineraient les jours. Ils ne les communiqueraient qu'au dernier moment. Ils pourraient aussi les annuler sine die.

(Elles apprécièrent le « à la rigueur », le « tolérer », le « sine die ».)

Pièra accepta avec humour. Elle savait que cette rugosité voulait faire oublier que jusqu'ici ils avaient été plus souvent présents dans les cuisines qu'au feu proprement dit.

Loïse se tut. Elle ne se sentait pas liée par quoi que ce soit. Si le jour lui convenait, elle viendrait. Sinon elle s'abstiendrait et, si elle avait bien compris le message, ils ne s'en apercevraient même pas.

Entre-temps elles firent, par l'intermédiaire de la compagne du luthier, la connaissance de Christine, une jeune femme qui travaillait aux Twin Towers. Elles sympathisèrent. Elle les invita à venir prendre le petit déjeuner dans les hauteurs un matin où elle serait de service. Dès leur arrivée, elles étaient montées à l'observatoire de la tour sud. L'idée d'une collation au Windows on the World, qui n'était pas dans leurs moyens, leur parut plaisante. Elles dirent oui sans hésiter.

La date du retour fut reportée à mi-septembre.

Pas plus tard, insista Loïse.

Pièra promit.

95

LE CHOIX

Le vendredi 7, Christine appela depuis le restaurant de la tour nord dont elle était l'une des managers. Il y avait mardi un petit déjeuner offert par Risk Waters, elles se mêleraient sans problème aux invités. Elle les attendait pour 8 h 30 dans la salle appelée Wild Blue. Elle n'aurait que peu de temps à leur accorder, mais elle se réjouissait de les revoir.

Le 10 au soir, ce fut Jules qui appela. Demain, 7 h 30, devant la caserne. Échelle pivotante compagnie 1, camion pompe 7.

Il fallait choisir. Ce fut Loïse qui décida. Une heure de sommeil de plus, ce n'était pas négligeable dans son état. Et puis les *bomberos* des States, harnachés comme des trappeurs, même en compagnie des deux mignons aux prénoms craquants, le petit avec sa gueule de flic de série B et le mignon avec sa dégaine de *french lover,* franchement ça la branchait moins qu'un café même mauvais sur le toit de Manhattan.

Pièra comprit.

« À moi les trappeurs, dit-elle résignée. Dis-toi bien que si je fais ça, c'est pour l'enfant. Pour qu'il ait un peu de bon air en altitude... »

Loïse, contrefaisant la voix nasillarde d'un tout-petit :

« Merci, tante Pièra! »

96

LE 11

Au moment où Loïse pénétrait dans la cathédrale de marbre blond et de chrome du hall d'entrée de la tour nord, Pièra marchait à une dizaine de rues de là en compagnie de deux pompiers, vers l'intersection de Lispenard et de Church Street.

Elle avait préféré la marche à pied à l'idée de se retrouver en voiture avec Jules et le chef Pfeifer. Et puis, il s'agissait d'une simple odeur de gaz sur la chaussée, et c'était à quelques pas.

La journée s'annonçait belle, le temps était clair. La radio prévoyait une température de 27°C l'après-midi.

Ciel ouvert, très haut; soleil fort, coupant; océan; air de l'océan; lumière qui réveille..., pensa Pièra. C'étaient les dernières lignes de la préface d'un livre d'entretiens paru il y a... elle voyait sa place dans la bibliothèque de son père... bien longtemps. *Lumière qui réveille*, comme Sollers avait raison! Elle répéta le bout de phrase plusieurs fois. Elle avait oublié la suite.

Loïse n'était pas du matin, mais elle aimait la nervosité particulière des humains matutinaux : cette façon de se défendre d'être encore au lit ou dans la salle de bains qui les trahissait dans leurs manières cassantes, leur gorge râpeuse, la nudité pas encore masquée de leur visage.

Ses talons claquaient fort dans le volume du hall pendant qu'elle se dirigeait vers les escaliers mécaniques d'un pas qu'elle voulait ferme et décidé, d'abord parce qu'elle détestait avoir l'air de chercher ou d'être perdue, surtout si c'était le cas, ensuite parce qu'elle aimait jouer à faire semblant d'être ce que le cadre exigeait des gens qui s'y trouvaient, par exemple, le temps de grimper 93 étages, une secrétaire dynamique de chez Marsh & McLennan – elle avait piqué le nom et l'étage en passant sur un tableau.

L'ascenseur réservé à la desserte directe du Windows, qui filait de la base au sommet en 58 secondes, était en panne. Elle devrait monter en plusieurs fois en empruntant les ascenseurs express. Tandis qu'elle attendait à la « gare » du 78e, elle saisit le regard d'un homme puis d'un autre sur sa poitrine. Bien qu'elle ne fût pas encore assez ronde pour que sa grossesse fût manifeste (elle voulait quitter New York avant que Bélard ne s'en aperçoive), son bassin s'était épaissi autour des hanches et sa poitrine avait augmenté d'un bonnet.

Elle se fit la remarque qu'elle avait passé le jean moulant qu'elle portait le jour où Bélard avait regardé ses fesses. La face du siècle avait changé. Il était grand temps qu'elle s'en sépare.

Les deux pompiers étaient déjà sur place au-dessus de la grille d'où le gaz s'échappait, quand le chef Pfeifer débarqua d'un pick-up rouge vif, flanqué de Jules et de sa caméra. Jules commença aussitôt à filmer sans se préoccuper de Pièra.

Celle-ci s'amusa du contraste vestimentaire entre le chef en casquette blanche, cravaté de noir sur une chemisette légère immaculée, et le lourd harnachement des deux pompiers, casqués et bottés comme pour une attaque d'incendie.

La fuite de gaz faisait siffler les détecteurs dans le coin haut droit de la grille. Le chef Pfeifer se penchait à son tour pour le constater, quand le bruit d'un passage d'avion à basse altitude fit lever la tête à l'un des pompiers. La caméra de Jules, qui filmait l'homme levant la tête en tenant son casque d'une main, chercha de façon réflexe ce qu'il regardait et quand elle l'eut trouvé, filant plein sud au ras des buildings dans l'axe de l'Hudson, elle le suivit jusqu'à l'impact.

Loïse venait d'atteindre le 106ᵉ étage. Il y avait là au moins une cinquantaine de personnes, sans compter ceux qui arrivaient par l'ascenseur express en même temps qu'elle. Des invités du petit déjeuner offert par Risk Waters, se dit-elle, je n'ai qu'à les suivre. Pénétrant dans la grande salle, elle aperçut Christine qui installait un couple à une table, Christine l'aperçut aussi, et elles perdirent l'équilibre en même temps.

Si Loïse avait douté un tant soit peu d'elle, elle eût pu penser qu'elle venait de casser net un de ses hauts talons ou que quelqu'un l'avait poussée dans le dos parce qu'elle encombrait le chemin. Mais Loïse ne doutait pas, et elle pensa aussitôt à un séisme – c'est mon premier pensa-t-elle fièrement –, d'autant que l'ensemble de la pièce glissait lentement vers l'extérieur en un ralenti de catastrophe. Elle eut peur que cela ne s'arrêtât point, et cela ne s'arrêtait pas en effet. Elle se préparait mentalement à basculer dans le vide quand le glissement cessa, et la pièce eut l'air de revenir plus lentement encore à la verticale dans un crissement de métal et de haubans. « J'ai eu chaud », se dit-elle, en imaginant un plongeon de quatre cents mètres.

Mais quelqu'un cria « C'est une bombe ! » et le soulagement d'avoir survécu la quitta instantanément.

Une bordée de « Shit ! » stupéfaits accueillit l'énorme gonflement de la boule de feu du kérosène des réservoirs quand l'appareil entra dans la façade de la tour. Il s'y enfonça et disparut dans la seconde, comme avalé par elle, et la boule de feu, au départ aussi large que l'immeuble lui-même, s'éteignit presque aussitôt pour laisser place à une épaisse fumée blanche et grise s'échappant en nuages cumuliformes de la plaie faite dans l'acier, et s'élevant vers le haut et vers l'est. Puis eux-mêmes disparurent. En moins de 20 secondes, il ne restait qu'une cicatrice rougeoyante qui barrait d'un léger biais la façade nord de la tour en mordant sur l'angle et la face est.

Jules était foudroyé. Il tenait dans cette boîte qu'il connaissait mal, qu'il avait dû disputer à Gédéon pour s'habituer à filmer lui aussi, l'image de ce qui n'advient que dans les fictions télévisuelles ou dans les films – or c'en était un –, l'image, pourtant si ordinaire, de la mort de masse en direct.

Ne pouvant ni ne voulant penser l'impensable, il restait rivé des deux mains à sa caméra, continuant à filmer tout. Le chef Pfeifer, lui, restait étonnamment calme. « C'est une attaque directe », dit-il très vite. Rien qu'à la trace de l'impact, il était clair que ça n'était pas un accident. Le pilote avait à dessein incliné les ailes juste avant la collision pour faire le maximum de dégâts. Depuis le siège arrière, Jules filma Pfeifer en contre-plongée. Tout en roulant, celui-ci déclenchait sur la radio du bord les alarmes de niveau 1 et de niveau 2.

Une minute et demie après le crash, il déclenchait l'alarme de niveau 3.

Quelqu'un avait été aussi rapide que Pfeifer. À l'apparition de la boule de feu, Pièra, comprenant que Loïse se trouvait quelque part dans la tour au même moment, avait, sans même penser à avertir Jules, foncé plein sud par Broadway West.

L'homme qui avait crié à la bombe désignait les toilettes. Il s'en dégageait une épaisse fumée tourbillonnante qui lui donnait tort. Christine le comprit. Il n'y avait pas de bombe dans les toilettes, il y avait un incendie aux étages inférieurs. Mais elle ne comprenait pas pourquoi celui-ci se propageait à travers le sol. Ne lui avait-on pas enseigné, quand elle avait pris ses fonctions de manager, que l'immeuble était conçu comme un navire transatlantique vertical, chacun des étages étant un bloc autonome capable, à l'instar d'une coque divisée en caissons, de contenir le feu et de l'empêcher de gagner les étages supérieurs ? Manifestement, ça ne marchait pas. Ou alors, Christine le craignait, ce qui avait fait pencher le bâtiment aussi fortement vers le sud provenait du choc violent avec un engin qui avait percuté l'immeuble au-dessous des étages du Windows et explosé, la secousse provoquant des déchirures importantes dans les poutrelles treillis dont étaient faits les planchers, qu'elle savait légers mais résistants, là encore en théorie. Elle pensa à un tir de missile, à un hélicoptère du port qui se serait approché de trop près, pas à un avion kamikaze.

Loïse ne quittait pas Christine des yeux. Sa gentillesse, son autorité la sécurisaient. Elle ne connaissait qu'elle dans la foule qui s'accumulait à cet étage, plus d'une centaine de personnes à présent, certains qui montaient encore du 105ᵉ, d'autres qui descendaient du Windows. Elle se mit à la coller de près quand Christine et d'autres employés entreprirent de vérifier les issues. Derrière chaque porte, la même fumée âcre, épaisse, toxique pour la gorge et pour les yeux. Ils tentèrent de les calfeutrer à la base avec des serviettes humides du restaurant. Des hommes sacrifièrent leur veston. Malgré leurs efforts, la fumée envahissait tout. Les gens toussaient, se cachaient les yeux.

Christine posa la main sur le bras de Loïse. Elle ne lui avait pas encore parlé, et elle ne trouva pas les mots pour la réconforter.

Elle la regarda dans les yeux sans rien dire, l'air infiniment désolé.

Loïse l'entendit comme Je suis bien peinée de vous avoir entraînée dans cette galère.

Mais c'est le regard de Christine surtout qui la frappa.

Dans ce beau visage fin de jeune madone italienne il y avait moins d'inquiétude que d'impuissance, et un début d'égarement.

Elle commença à avoir peur.

Pièra arriva au World Trade Center en même temps que plusieurs véhicules de pompiers. Ils tournaient tous sur Vesey, en direction de l'Hudson. Elle reconnut le chef Pfeifer en train d'enfiler sur le trottoir une vareuse noire aux bandes fluo par-dessus sa chemise blanche et sa cravate, et un pantalon de pompier par-dessus son pantalon de ville. Jules le filmait toujours comme s'il eût été la vedette de ce matin d'automne ensoleillé. Tous étaient pris de court, ça se sentait.

C'était autre chose que la décontraction habituelle du pompier américain. Il y avait comme un flottement, même Pièra pouvait le sentir. Ça changerait sans doute bientôt, mais pour l'instant rien n'était encore verrouillé.

Elle en profita.

Jusqu'ici elle n'avait pas pensé à la mort ni à quoi que ce soit qui en approchât. Même au moment où la peur rétrospective d'un plongeon l'avait effleurée, elle avait pensé en termes de réaction. Qu'est-ce que j'aurais fait en ce cas-là? était la question qui venait toujours opportunément chez Loïse faire obstacle à l'impuissance et à la panique qui, elle n'en doutait pas, s'ensuivrait. Toujours en avance sur la peur, telle était la clé de la survie croyait-elle, mais aujourd'hui, dans ce 106ᵉ étage enfumé, la clé lui semblait soudain sortie d'un jeu d'enfant.

Car, précisément oui, l'enfant. Elle était enceinte. La clé des filles ne marchait pas pour les mères, elle le découvrait.

Et tandis qu'elle assistait à la conversation que Christine avait avec un certain Steve Maggett qui avait répondu au 911, elle sentit monter en elle une subite envie très puissante et intempestive de pleurer.

« La situation de l'étage 106 empire », disait Christine.

Elle n'entendait pas les réponses, mais elles ne devaient pas être satisfaisantes car Christine insistait.

« Mais où... où voulez-vous que... pouvez-vous au moins... pouvez-vous au moins nous diriger vers un endroit du building qui soit sûr? »

Ses longs doigts tordaient nerveusement une serviette.

« Dans quelle partie... vers où... dans quel coin du building pouvons-nous aller pour échapper à toute cette fumée ? »
Elle attendit encore un peu, puis son visage se ferma.
« D'accord, je vous rappelle dans deux minutes. Merci. »
Elle raccrocha, haussa les épaules :
« Deux minutes! *Deux* minutes! »
Puis, avec un éclair de colère :
« Ils ne savent rien. Mais rien *du tout.* »

Elle fut la première à s'étonner que personne ne l'interpelle ou ne songe à l'arrêter quand elle pénétra, mêlée aux pompiers, sous l'auvent de la tour nord. Tous l'ignoraient comme si elle était invisible et qu'elle circulait dans un rêve, c'en était presque inquiétant à ce point d'invisibilité. Mais les hommes qui entraient dans l'immense hall étaient saisis, décontenancés. Ils arrivaient pour un incendie dans les sommets, qui était déjà une situation inédite, problématique, et ils trouvaient toutes les baies soufflées au rez-de-chaussée. Des corps brûlaient, des débris de verre et de métal jonchaient le sol, des plaques de marbre s'étaient détachées des murs, des tourniquets étaient sortis de leur axe, des gens couraient au petit bonheur, on voyait des fragments d'objets hétéroclites tomber des tours à l'extérieur, des paperoles tourbillonner comme des confettis en une pluie inégale et continue. Pièra pensa brièvement : seules les plantes vertes semblent triompher de ce désordre. Elle-même ne savait pas vers où se diriger. Les portes des ascenseurs avaient été soufflées par le même vent de tempête qui avait ravagé le hall. Elle se dit qu'il suffisait d'attendre que les pompiers se décident à grimper par les escaliers, qu'elle leur emboîterait le pas. Elle entendit dire par un homme en costume clair que l'avion était entré quelque part au-dessus du 78ᵉ étage. Elle pria pour que Loïse ait eu le temps d'arriver au Windows avant le choc. Si c'était le cas, et elle ne voulait pas envisager autre chose, elle était à l'abri bien au-dessus. Elle ne se demanda pas un seul instant comment elle allait en redescendre. Ni si l'incendie ne finirait pas par l'atteindre. Ni surtout n'entreprit de faire le calcul du temps que prendrait la montée à pied d'une centaine d'étages. Elle n'en avait jamais monté qu'une dizaine dans sa vie. Dix fois plus ne lui apparaissait pas inconcevable. Sauf qu'il y avait ce foutu engin qui s'était planté entre elle et Loïse avec son kérosène et ses passagers. Elle balaya l'obstacle. Les pompiers dégageraient tout ça. Il fallait continuer à être invisible. Avec un seul mot d'ordre : suivre les soldats du feu !

Christine, Doris, les garçons d'étage se demandent s'il faut casser les fenêtres pour pouvoir respirer et évacuer la fumée. Il y a deux clans qui s'affrontent. Ceux qui disent que cela fera un appel d'air pour l'incendie, ceux qui disent qu'ils vont mourir brûlés ou gazés de toute façon s'ils ne font rien. Loïse en conclut que dans les deux cas, ils vont mourir. Si les secours n'arrivent pas, et les secours n'ont pas l'air d'arriver. Réprimant ses larmes, elle se mêle de la conversation. Pourquoi ne pas évacuer l'immeuble par le toit ? Être hélitreuillé, c'est impossible ? Les visages se ferment. On lui répond que la plate-forme est fermée, inaccessible. Pourtant, lorsqu'elle était montée à la tour sud, elle était sortie à l'extérieur. On ne sort pas sur la tour nord. Peut-être vont-ils faire une exception ?

Au rez-de-chaussée, les pompiers ont installé un pupitre de commandement en contreplaqué. Tous les chefs sont là. Ils sont plus vieux, ils ont des casques blancs. Les hommes sont inquiets mais déterminés. Ils se reconnaissent d'une compagnie à l'autre, ils se regardent sans rien dire. Aucun des ascenseurs n'est en état de marche, il faut monter à pied. On calcule en poids de matériel, en volée de marches par étage et en temps total de montée jusqu'à l'incendie. Avec 30 à 40 kg de matériel sur le dos et à raison d'une minute par étage, ça fait 1 h 20 avant d'atteindre l'incendie. Chaque homme, selon la nature du matériel que l'autre porte, connaît le poids qu'il va avoir à soulever en sus des 13 kg de l'équipement ordinaire – bouteille d'oxygène 12 kg, 16 mètres de tuyau 13,5 kg, corde de secours de 50 mètres 10 kg, extincteur et crochet 17 kg, hache et halligan 11,3 kg...

Les premiers commencent à partir vers les escaliers. Pièra en choisit deux. Des bien costauds. Des solidement muets. Elle les suit.

C'est à ce moment que Jules l'aperçoit. Il a enfilé une tenue de pompier, il a un casque. Il la hèle. Pas question que tu montes là-haut. Le chef Pfeifer l'a vue aussi. Il lui fait le geste de rester sur place avec l'index. Ça ne prête pas à commentaire.

Pour les étages, c'est fichu.

Ils ont trouvé la solution pour la fumée. Ils se sont réfugiés dans la partie nord-ouest de la pièce, là où la fumée est le moins dense et, à l'aide d'un extincteur, ils ont brisé une fenêtre dans la pièce d'à côté. La fumée a suivi le chemin, mais ils craignent que ça n'ait aussi attisé les flammes. Ils seront bientôt fixés.

Pour contourner le 911, ils ont trouvé également. Ceux qui ont réussi à contacter quelqu'un par téléphone se font décrire l'état de la situation en direct par leur correspondant posté devant CNN. Ils apprennent ainsi qu'ils sont du bon côté de la tour. D'autres utilisent leur ordinateur portable. Tous savent qu'ils sont tributaires de la charge de la batterie.

Pièra a mis un certain temps à comprendre, mais maintenant elle sait. Un corps humain qui s'écrase après une chute de 300 mètres fait le bruit d'un sac de ciment qu'on a lâché du haut d'un camion et qui explose. Amplifié par le volume du hall, ça fait sursauter tous les hommes. À chaque arrivée au sol, ces hommes qui en ont vu d'autres, rentrent imperceptiblement la tête dans leurs épaules. C'est de l'humain qui s'écrase et qui explose son enveloppe. Ils savent, eux, la différence avec l'arrivée de n'importe quel autre objet. Ils savent que des hommes et des femmes sautent. S'ils le font c'est pour échapper à l'enfer. Encore un. Encore. Leurs visages se ferment. L'épithète d'humain, on ne s'y fait pas.

Puis il y a un grand bruit. La pluie de détritus, qui s'était calmée venant du haut, reprend de plus belle du côté est. Des gens qui marchaient lentement sur la mezzanine, regardant avec une horreur fascinée les corps tombés sur la plaza, les membres arrachés, les bustes détachés, les crânes explosés comme des citrouilles, voient soudain arriver des projectiles. Ils s'enfuient en courant de l'autre côté.

Personne n'a encore compris qu'un second avion vient de se jeter sur la tour sud.

Ils sont plus de soixante-dix à présent à s'entasser dans ce coin de pièce épargné. Loïse s'est appuyée à la fenêtre. Elle ne peut regarder que vers l'ouest. Les ouvertures ont été conçues par un architecte qui, c'est ce qu'on raconte, était sujet au vertige. De sorte qu'elles n'excèdent pas 55 cm de large, soit la dimension d'un gros livre d'art ouvert. Le prix de la sérénité est que l'angle de vision est extrêmement rétréci. On ne peut voir ni vers le nord ni vers le sud.

Tournant le dos, elle laisse couler les larmes. Depuis quelques minutes déjà, depuis qu'elle a pensé au bébé en elle, l'espoir de survivre l'a quittée. Non pas qu'elle n'ait plus envie de vivre. Elle l'a pour deux, ce serait trop bête. Mais que le poids qu'elle a à soulever pour s'envoler de là avec son ange est trop lourd. D'ailleurs, elle se sent lourde. Lourde et liquide. Le liquide s'en va d'elle mais la lourdeur reste.

Elle regarde un peu en dessous. De temps en temps, quand le vent tourne, la fumée noire et épaisse se déchire ou elle s'écarte vers le sud, assez pour lui laisser entrevoir le sol et l'horizon. C'est le même panorama que le jour où elle est montée à la tour sud. Des automobiles, des bateaux lilliputiens. Des êtres humains comme des fourmis. Quand elle était gosse, elle imaginait que c'était comme ça quand on montait au ciel après la mort. Qu'on avait ce point de vue. Devant, les reflets du soleil irisent la surface grisâtre de l'Hudson River. La vue porte très loin à cette heure de la journée. Il paraît que certains jours on peut voir la rotondité de la Terre depuis là-haut. Il faut croire qu'aujourd'hui elle n'est pas montée assez haut.

Pièra assiste à ce spectacle ahurissant. Les chefs de compagnie, qui ont tous des radios à la main, tentent désespérément d'entrer en contact. Avec qui, elle ne saurait dire. Leurs hommes, la police, les hélicoptères? Ils n'y parviennent pas. Ils parlent, puis ils écoutent. Rien. Ils redisent dix fois la même phrase. Ils s'éloignent les uns des autres pour éviter la cacophonie, les interférences. La déconvenue se lit sur leurs traits. L'un d'eux tient la radio à bout de bras au-dessus de sa tête pour essayer de capter quelque signal. Un autre déambule en gueulant dans la sienne des ordres qui ne sont manifestement pas entendus ou exécutés. « Je veux la police, les autorités portuaires et les militaires. *Now!* »

Depuis que les hommes sont partis dans les escaliers, le hall est presque vide. Des compagnies de pompiers envoyées à la tour sud se trompent de tour. Leurs chefs ne connaissent pas bien cette partie de Manhattan. Pfeifer demande qu'on écrive le nom de la tour quelque part. D'une écriture penchée à droite quelqu'un écrit Tower 1 avec un feutre sur le comptoir de l'accueil. C'est mal écrit.

Pièra s'est réfugiée dans le carré de commande des ascenseurs. Là, des agents en chemisettes bleu ciel interrogent sans relâche les téléphones intérieurs des cabines de chacun des 99 ascenseurs. Ils n'espèrent plus joindre quiconque mais ils recommencent.

Et tout à coup, l'un d'eux annonce son arrivée. Dans ce hall dévasté où chacun s'est fait à l'idée que le désastre est sans remède, cette arrivée est un miracle. Pièra bondit. Les portes s'ouvrent. En sort une dizaine de personnes, hagardes. Elles sont restées bloquées depuis le début, délivrées par on ne sait quoi.

Loïse n'est pas parmi elles.

LE 11, SUITE

Quand la tour sud a été frappée, Bélard était dans la salle de bains. La compagne du luthier a crié si fort en invoquant Dieu qu'il a cru que le Vosgien s'était blessé profondément dans la cuisine ou à l'atelier. Il est sorti le torse nu avec du savon à barbe sous les oreilles. La télévision était allumée dans le salon et le Vosgien, qui la regardait, était intact.

Voyant arriver Bélard, elle a mis la main devant sa bouche. Il a compris qu'elle essayait vainement de s'interdire de prononcer les noms de Loïse et de Pièra. Tous trois savaient que les deux filles avaient été invitées par Christine à une collation aux Twin Towers. Ils ignoraient que seule Loïse s'y était rendue.

Sans le sortir de la poche du gilet en jean qu'elle a passé sur la chemise country achetée hier à Soho, Pièra tripote son portable. Si seulement Loïse... Mais Loïse, depuis qu'elle a oublié le sien dans les toilettes du Guggenheim, utilise celui de Pièra. Ça ne dérange pas Pièra quand elles sont ensemble et elles le sont presque toujours. Mais ce matin, Pièra s'est levée avant elle. Et comme elle pensait en avoir plus d'utilité avec Jules et ses pompiers que Loïse avec ces messieurs dames du Windows, elle l'a pris sans rien dire ni laisser de mot.

Si seulement Christine…

Mais Christine n'avait pas donné son numéro.

Et celui depuis lequel elle avait appelé était masqué.

Bélard a failli prendre le métro de la ligne E à la station de 116th Street. Puis il pensé que le trafic avait peut-être été interrompu et il a sauté dans le premier bus qui passait sur Nicholas Avenue.

Après Central Park, le bus a tourné sur la 58e, et il est descendu au premier arrêt. Il a remonté la rue jusqu'à ce qu'il trouve un taxi. Quand il lui a annoncé son intention d'aller au sud, le conducteur a tiqué. Pas plus bas que Houston a-t-il dit. Bélard a négocié quelques centaines de mètres de plus et obtenu qu'il pousse jusqu'à Franklin. S'ils ne se faisaient pas stopper avant, a ricané le chauffeur.

Elle l'a vu arriver sur le visage du chef Pfeifer. Dès le début du grondement, il a dressé la tête avec cet air de chasseur tranquille et concentré qu'il a toujours. Puis, il a lâché le téléphone et a crié de ficher le camp d'ici. Le nuage est arrivé par la droite. Ils ont couru vers l'escalier pour essayer de lui échapper en grimpant au niveau de la plaza. Mais il a rattrapé d'abord Pièra et Jules, puis Pfiefer et son second, à la moitié de l'escalier. Il les a recouverts et avalés.

Il court d'une petite foulée d'intellectuel sexagénaire. Il court sur Church Street depuis Canal Street, où le taxi a décidé, sans autre raison que sa frousse intime, de le déposer là et de filer vers le pont de Manhattan.

Il y a bien longtemps que Bélard n'a pas couru. Il s'étonne d'avoir gardé assez de souffle à son âge pour ne pas s'être effondré dès les premiers cinq cents mètres de course qui l'ont conduit jusqu'à Worth Street.

Au début, il ne voit que des dos. Et puis soudain, sans prévenir, comme s'ils obéissaient à un ordre qu'on aurait gueulé au mégaphone depuis le ciel et qu'ils auraient tous entendu sauf lui, ils font tous volte-face en même temps. Il a le sang qui bourdonne dans ses oreilles, il se dit que c'est peut-être pour ça. Il arrête de courir. Mais c'est aussi parce que c'est devenu d'un coup impossible à cause de la marée humaine qui déferle.

Bélard marche en grimaçant. Il a un début de point de côté.

Il ne comprend toujours pas pourquoi ces gens de toutes couleurs et de tous âges galopent sur Church Street dans la même direction, plein nord, comme dans un de ces films catastrophe que ses étudiants apprécient tant. On dirait qu'ils fuient. Mais ils fuient quoi ?

Il n'a pas encore levé les yeux.

Il cesse de marcher.

Au lieu de continuer à regarder autour de lui tel un badaud, il relève enfin la tête et il regarde droit devant.

Bélard alors comprend.

Pièra est sortie la première à l'extérieur sans attendre le retour de Pfeifer, de son second et de Jules, partis chercher une issue qui permette de quitter la tour sans danger. Tous ont cru à une explosion, ou à un effondrement d'une partie de l'immeuble, et Pfeifer a immédiatement donné l'ordre à ses hommes de redescendre et d'évacuer la tour sans délai.

Dehors, on dirait qu'il a neigé. Une poudre fine recouvre les êtres et les choses. Elle-même doit être blanche de poussière. Elle enlève le plus gros, se lave le visage avec le reste d'eau d'une bouteille qu'un homme qui la dépassait en trottinant lui a donnée.

Puis elle se retourne et se tord le cou pour apercevoir le sommet.

La tour brûle et fume toujours par la blessure des derniers étages. Rien de changé. Ça la rassure presque.

Comme elle se trouve sans savoir dans l'ombre de la tour nord, elle n'imagine pas une seconde que la tour sud vient de s'effondrer.

Elle a vu les larmes sur les joues de Loïse. La bouche de Loïse pourtant lui sourit. Elle avance la main, touche son bras. Elle a cru entendre une des managers, la plus jolie, l'appeler Lohi's ou quelque chose d'approchant, sans doute Louise, oui c'est probablement une Française, en tout cas elle avait un accent de là-bas quand elle a pris la parole tout à l'heure. « Luisa », l'appelle-t-elle doucement (elle, elle est d'origine espagnole, c'est plus fort qu'elle, dans les registres de la tendresse la langue maternelle revient) « ¿Qué pasa Luisa? No hay que llorar Luisa[1]... »

Loïse dit : « Je voudrais parler à mon amie... qui est dehors (elle fait le geste vers l'est)... avec les pompiers...

---

1. « Que se passe-t-il Louise? Il ne faut pas pleurer Louise.. »

Elle : On ba té en doné uno. (Soudain autoritaire :) Got a cell-phone, anyone here [1]?

Loïse : Muchas gracias señora… señora…?

Elle : No importa Luisa… Please call! Ton ami ba étré contan dé oïrté… »

Loïse voit que la batterie est faible. Elle compose quand même le numéro. Elle attend. Ça ne passe pas.

« Try again! Try again [2]! »

Mais elle n'y croit plus. Elle secoue la tête. Elle va rendre le téléphone quand :

« Loïse? C'est toi Loïse? »

Il voit le nuage arriver dans Church Street en roulant sur lui-même, gonflant et moutonnant comme une avalanche qui, ayant trouvé son couloir, se renforce sans cesse par la contrainte de sa puissance et se pousse elle-même vers l'avant. Il en reçoit d'abord le souffle. Puis, aussitôt après, le contact piquant au visage et aux mains d'une myriade de particules. Il se retourne, fait le dos rond. La pluie de débris qui tombe dru ne dure pas. Bélard en déduit qu'il devait être suffisamment éloigné de l'origine du phénomène pour que le nuage soit en bout de course.

Ce n'est qu'à ce moment-là qu'il y pense.

Toute cette poussière, elle vient d'où?

Loïse ne peut pas parler.

La bouche collée au combiné, elle sanglote.

Pièra l'entend. Elle lui parle lent et doux, comme à un

---

1. « Quelqu'un a un téléphone ici ? »
2. « Essaie encore! Essaie encore! »

bébé. Elle ne dit rien de ce qu'elle voudrait dire, elle ne parle pas de ce qui la préoccupe, elle ne demande pas, ne brusque pas. Elle fait seulement un bruit d'amour. Elle pousse hors de sa bouche des blocs de tendresse élémentaire qui sont les mêmes pour les bébés en détresse, les mêmes pour les amants qui se quittent, les mêmes pour les accidentés, pour les retenus en otage, pour les délivrés, pour les sauvés, pour les perdus, pour les condamnés, pour les mourants.

« Loïse ma chérie, mon cœur, je suis là. »

« Je suis là mon amour, je suis en bas, je suis venue. »

« N'aie pas peur, mon chaton, je reste là, je vais pas partir, je te quitte pas. »

Elle les dit sans hâte, elle les murmure plus qu'elle ne les dit. Ce sont des mots qu'elle n'a jamais dits à quiconque, qui étaient là en elle attendant le moment de se dire, qu'elle aurait aimé dire à un homme, à Bélard certainement, mais à d'autres hommes aussi que Bélard.

« Loïse, amour, mon bébé, c'est moi, je suis Pièra. »

Ce sont des mots de réserve, des mots de fond de puits, des mots qu'on ne sait pas être en soi avant de les dire, dont on ne choisit pas le moment ni la circonstance où ils seront dits parce que ce sont eux qui décident, ils jaillissent ou ils sourdent à leur heure, ils ont leur propre chronologie qui n'est pas la nôtre, leur mode propre d'expression qu'ils nous imposent, et c'est pourquoi il arrive qu'ils fassent pleurer à l'unisson ceux qui les disent et ceux qui les entendent.

C'est le cas pour Loïse et pour Pièra.

Elles pleurent ensemble.

Mais cela, seule Pièra le sait.

Il a dû attendre un peu que le brouillard qui a remplacé le nuage soit dissipé : il n'y a plus qu'une seule tour. Celle où se dresse l'antenne, c'est la tour nord. C'est là que les filles sont allées ce matin. Il se rassérène. Celle-là tiendra. Il le faut. Il veut le croire. Il recommence à avancer. Pourquoi avance-t-il ? Il se le demande. Il avance au cas où. Au cas où quoi ? Au cas où Loïse ou Pièra auraient besoin de lui. Ça veut dire quoi besoin de lui ? Il est pompier ? alpiniste ? sauveteur ? Il n'est rien de cela. Il est leur vieux prof à toutes les deux. Il a été l'amant de l'une d'elles. Il n'avance pas parce qu'il est utile. Il avance parce qu'il est intéressé à la vie de ces deux-là. Parce que la vie de ces deux-là importe plus que la sienne propre.

Il a trouvé. Il avance au cas où l'une d'elles aurait besoin de sa vie à lui pour survivre à ce matin de septembre ensoleillé.

Et puis le moment vient pour Loïse de bercer celle qui berce. De consoler la consolante.

Elle dit et tous écoutent. La plupart ne comprennent pas le français, mais ils comprennent la litanie de l'amour, ils savent sa musique, chacun la voudrait pour soi en cet instant. Ils n'ont pas besoin de la comprendre, l'entendre suffit. Ils ne savent pas si elle parle à un homme ou à une femme, ni qui est cet homme ou qui est cette femme, entendre les modulations amoureuses que produit l'appareil phonatoire de la petite Française leur suffit.

« Pièra chérie tu es là. C'est bon. Je t'aime fort. »

« J'ai peur Pièra, j'ai très peur. J'ai peur pour l'enfant. J'ai peur. »

« Dis-moi que je ne dois pas avoir peur, dis-moi, amour. »

« Dis-moi que tu es là avec moi, Pièra j'ai besoin de toi. »

« Tu te souviens, on riait de ça, je voulais t'épouser toi. »

« Pièra, prends-nous, moi et le bébé, épouse-moi. »

« Je veux partir d'ici, je ne veux pas rester, je veux être avec toi. »

« Je veux être avec toi tout de suite, Pièra viens me chercher. »

Au bas de la tour nord, les pieds dans la poussière de la tour sud qui n'existe plus que comme neige, et bien qu'elle ne sache encore rien de son effondrement, Pièra comprend que Loïse et elle sont en train de se séparer.

Que cela, Loïse le sait mieux qu'elle : elles se disent Adieu pour toujours.

Alors, elle trouve en elle la ressource de mentir.

Elle ne ment pas, elle dit ce qu'elle veut faire, ce qu'elle veut faire depuis le début, c'est elle qui a amené Loïse à cet endroit et à cette heure, elle le lui doit, elle est la seule qui en ait envie et qui le puisse, et toutefois elle sait qu'elle ment.

« J'arrive, ma chérie, je viens te chercher. »

Là-haut, quatre cents mètres au-dessus de la promesse, tandis que les poutrelles treillis, les planchers, les consoles supportant les planchers et les colonnes porteuses de métal auxquelles sont fixées les consoles commencent à se tordre sous l'effet de la chaleur, tandis que le haut de la tour se déforme à son extrémité sud-ouest, tandis qu'il devient manifeste depuis l'hélicoptère de la police que 15 étages au-dessous du sommet l'immeuble s'embrase, que le feu est maintenant descendu et atteint le 92ᵉ étage, tandis que le pilote d'Aviation 14 sent bien qu'on a du mal à le croire parce qu'il a du mal à le croire aussi quand il dit que la tour penche, tandis que le dispatcher incrédule demande bêtement « C'est quelle tour, 1 ou 2 ? » et que le pilote atterré répond « La tour qui reste ! », tandis que dans les étages il y a encore des pompiers qui montent d'autres qui descendent d'autres qui sont assis épuisés, tandis que les talkies-walkies de la police, du port et des pompiers hurlent à présent le même ordre qui est d'évacuer au plus vite, tandis que des gens sautent du 92ᵉ étage pour échapper à la fumée et aux flammes qui les avaient jusque-là épargnés, Loïse rend le téléphone qu'on lui a prêté.

Elle dit à l'hispanique :

« Llega mi amiga. »

Puis elle traduit pour Christine et pour les autres.

« My friend is coming. »

Enfin, elle se le dit à elle-même.

Elle sourit en le disant, elle dit :

« Pièra vient. »

98

DON'T LITTER

À l'angle de Church Street et de Barclay, sur le trottoir, un débris d'avion attire les regards. Un morceau de turbine de réacteur en aluminium, gros comme deux jantes de poids lourd, qui a dû sauter plusieurs immeubles avant d'atterrir là sous la violence du choc. Le choc a décroché une pancarte. Elle est tombée à côté du réacteur. Dessus, en lettres rouges, on peut lire l'inscription « Don't litter [1] ».

Au moment où il la découvre, avec quelques autres curieux, Bélard entend le grondement du tonnerre.

Cette fois, il n'est pas surpris. Il sait où regarder. Il sait avant même de voir.

Quand il lève les yeux l'antenne du sommet est juste en train de basculer légèrement. Elle vacille, avant de s'enfoncer dans le corps de l'immeuble qui s'effondre sur lui-même, et de disparaître.

Pièra aussi a entendu avant de voir. Mais elle a d'abord vu Jules avec sa caméra et le chef Pfeifer, et c'est Pfeifer qui a compris le premier. Il s'est mis d'un coup à courir vers Jules

---

1. « Ne pas déposer d'ordures. »

avec son barda plein de poussière blanche, il l'a rattrapé en quelques enjambées et il l'a poussé dans le dos.

Quand il l'a aperçue, elle, qui venait dans sa direction comme si elle retournait à la tour, ce qu'elle était en train de faire en effet, il a eu un regard noir de colère et il a crié « Shove off! Clear off[1] ! ». On aurait dit qu'il avait le diable sur ses talons, elle a détalé sans vérifier.

Plus légère qu'eux, elle les a semés très vite. La frousse de Pfeifer lui donnait des ailes. Elle courait comme si elle avait une avalanche à ses trousses, et elle l'avait. C'était une avalanche horizontale qui progressait derrière et au-dessus d'elle à la vitesse d'un cheval au galop dans un roulement ininterrompu de tonnerre. Sa neige grise se débondait dans toutes les directions, utilisant le quadrillage orthogonal des rues. Elle montait plus haut que la hauteur des buildings et, à chaque croisement, elle jaillissait, envahissant le vide qui s'ouvrait à elle à l'est et à l'ouest sans s'arrêter de progresser vers le nord et vers le sud.

Pièra a senti l'air que poussait l'avalanche bien avant que celle-ci ne la rattrape et, pour lui échapper, elle a tourné à angle droit sans réfléchir dans la première rue qui s'est offerte. C'était Barclay.

Dans Barclay, il y a Bélard.

---

1. « Fiche le camp! Dégage! »

MORT DE LOÏSE HESSE

Le sol a semblé rejoindre le plafond, mais c'est le plafond qui venait plus vite à la rencontre du plancher, lequel s'effondrait en même temps.

Elle a entendu son cri s'augmenter de vingt autres cris de terreur et elle a été aspirée vers le bas comme par un gouffre à une vitesse exponentielle. D'abord deux puis trois puis cinq puis dix étages à la seconde. En s'effondrant sur elle-même, la tour est devenue une presse mécanique compactant des milliers puis des millions de mètres cubes d'air, derrière lesquels, libérées de leur fonction de soutènement, se sont engouffrées aussitôt les structures de métal des planchers, des poutrelles, des colonnes, tel un gigantesque mikado d'acier lâché du ciel et chutant dans l'espace d'une cage d'escalier.

La poussière compactée par la presse est montée en geyser vers le haut, pénétrant les corps par la bouche et les sinus. Cette invasion violente, douloureuse, Loïse l'a ressentie. Elle a pu l'associer à celle de l'eau quand elle sautait enfant du plongeoir des cinq mètres en oubliant de se pincer le nez. Puis elle s'est étouffée rapidement et elle n'a plus associé du tout. Elle tombait, cela elle le percevait encore, ç'aurait presque pu être un plaisir de centrifugeuse de fête foraine n'eût été l'écrasement du thorax, la brisure répétée des membres et la lacération du corps par des dizaines de lames d'acier œuvrant comme autant de couteaux de boucher affûtés pour un découpage d'être humain.

Le corps de Loïse s'est rendu très vite, son âme a attendu encore un peu. Elle voulait sans doute survivre au corps mais le corps, lui, ne voulait plus rien savoir de ce supplice et, pendant la poignée de secondes qu'a duré la chute, l'esprit de Loïse l'a déserté.

Elle n'a rien senti quand la plaque de verre d'une vitre descellée au 92e étage a guillotiné son bras à l'épaule. Ni quand le plateau de fer d'un bureau du 76e contre lequel l'écrasaient des tonnes de gravats lui a brisé les vertèbres lombaires. Ni quand une tige de métal arrachée au plancher du 45e l'a empalée en évitant le fœtus mais pas le tronc de la veine cave inférieure.

(Elle avait basculé en arrière et tombait sur le dos, puis la tête en bas, puis à nouveau sur le dos, bousculée comme une pauvre quille par les chocs d'une multitude de boules de bowling, dont chacun aurait pu être mortel si elle n'avait déjà été un cadavre avant d'atteindre le bas.)

Le fœtus s'est endormi un peu plus tard dans sa mère.

C'était une fille.

100

PREMIÈRE ÉTREINTE

« Vous… vous…? » a dit Bélard.

C'est tout ce qu'il a pu dire.

Car la montagne de poussière était sur les talons de Pièra, et Pièra est venue buter contre lui, et elle a été recouverte avec lui sur-le-champ.

La seconde précédant le heurt du corps de Pièra, il était prêt. Peut-être pas à mourir (ça ne signifie pas grand-chose de dire « mourir », dormir est plus proche de la sorte d'abandon que mourir recouvre), mais à rejoindre Pièra et Loïse dans le brasier, tel un martyre des premiers temps.

Et soudain Pièra.

Ça changeait tout.

Il n'a pas pensé à se demander où était Loïse. La vie de Pièra suffisait pour désirer vouloir vivre encore un peu, à peine un peu plus loin lui est apparu suffisant pour abriter ce vouloir-vivre. Et pour abriter ce vouloir-vivre ne serait-ce qu'une minute supplémentaire, car il ne doutait pas qu'ils allaient mourir broyés ou étouffés, il fallait trouver un abri.

Il a tourné le dos au vent et, dans le brouillard épais, il a repéré un pick-up en stationnement sous lequel il a poussé Pièra.

Pièra n'a pas compris tout de suite ce que voulait Bélard quand il l'a forcée à se mettre à genoux en lui tordant le bras gauche vers la chaussée.

Le sol était sale, il y avait de l'huile sous le pick-up, mais elle s'est allongée quand même, malgré son dégoût et bien qu'elle ne comprît pas où il voulait en venir. Mais il y avait la volonté de Bélard, le corps puissant de Bélard, et surtout le fait que Bélard se glissait sur ce macadam souillé avec elle.

Elle a perçu la proximité puante de la tôle graisseuse au-dessus d'elle, elle a vu des papiers s'agglomérer sous les pneus avant du véhicule, elle a inspiré par le nez et elle s'est emplie aussitôt de ce brouillard qui avait une odeur de métal fondu.

Elle a toussé et elle a senti un bras la ceinturer, puis le corps de Bélard se serrer contre le sien.

Elle ne sait pas si elle a continué à tousser parce qu'elle en avait besoin ou pour que Bélard se rapproche encore, le fait est qu'il s'est allongé sur elle de tout son long comme s'il s'apprêtait à la saillir. (Elle n'a pas pensé « baiser » mais « saillir ».)

Elle avait son poids qui l'étouffait, mais c'était bon.

La surprise passée, elle a senti le plaisir poindre dans son ventre. Le ventre de Bélard pesait sur ses fesses, elle sentait son souffle sur sa nuque, il avait une main contre son sein droit sous l'aisselle, un genou glissé entre les siens…

Elle a pensé Bélard sur moi, moi sous Bélard. Puis elle s'est dit que ce n'était vraiment pas le moment d'avoir ce genre de pensées, puis qu'ils allaient mourir ensemble et qu'elle avait bien le droit à cette première étreinte qui était aussi la dernière, à ces noces de l'extrémité. Puis elle s'est demandé si Bélard bandait. Puis elle a souhaité que cela se produisît. Puis elle s'est dit Je mouille, c'est un comble. Puis elle s'est abandonnée dans sa culotte.

Quand elle a pris conscience que le corps si agréablement lourd de Bélard ne bougeait plus, elle a eu peur soudain qu'il ne soit mort.

REQUIEM

La chute s'est arrêtée. Le pantin désarticulé qu'est Loïse se retrouve juché à la hauteur approximative d'un 5e étage sous des mètres de détritus enchevêtrés.

Son corps martyrisé repose au-dessus d'un immense brasero invisible dont le feu, étouffé par les gravats, poursuit à bas bruit l'entreprise de destruction commencée près de deux heures plus tôt en altitude avec panache.

Petit à petit le buste se détache de l'abdomen. Le ventre que Bélard aimait tant se déchire, ses tissus lâchent peu à peu, les boursouflures de l'intestin apparaissent, elles crèvent la surface, à présent le dedans de Loïse est hors.

Le travail de la presse se poursuit lentement à mesure que les corps se délitent ou se laissent broyer par le poids de la masse de matériaux qui les compriment – ils sont un millier empilés dans ce sarcophage de cinq étages. Ça comble les interstices. Les corps prennent des poses grotesques, impossibles à tenir pour un vivant.

Loïse a la tête en déflexion maximale. Le menton levé, l'occiput collé contre le plan du dos, sa tête et son buste s'enfoncent seuls, laissant le tronc et les membres à la traîne, vers la fournaise encore active. Dans quelques minutes elle sera réduite en cendres en commençant par son visage tourné plein sud, la bouche ouverte. Le visage est intact. La bouche rouge, pleine, la lèvre inférieure à peine fendue par un éclat de verre.

Ce que l'on pourrait prendre pour un dernier soupir d'elle est en réalité celui d'un pompier de la brigade 33 qui agonise.

102

LOÏSE EST MORTE

Pièra s'est dégagée. Elle a cherché Jules et Pfeifer. Ils s'étaient glissés sous un autre véhicule et sont venus l'aider à tirer Bélard de dessous le pick-up. Il respirait, le pouls était normal, sans doute avait-il fait un malaise à cause du manque d'oxygène. Ils l'ont porté plus loin sur la voie rapide de West Side, jusqu'à une antenne de secours. Ils l'ont allongé, lui ont mis un masque et sont restés à ses côtés jusqu'à ce qu'il reprenne ses esprits. Alors que Jules croyait que Gédéon était dans la tour nord et que Pfeifer savait avec certitude que son frère Kevin s'y trouvait et qu'il était resté sous les décombres, ils se sont occupés de Bélard.

Il n'était pas encore 11 heures et il faisait nuit. La moustache de Pfeifer était blanche. On n'entendait plus de bruits que lointains et étouffés. Des gens sortis de la nuit passaient en silence, couverts de poussière et de cendres, la chemise et le pantalon maculés, les bras et les jambes lacérés par les tôles qui avaient volé et les gravats. Ils tournaient vers vous leur tête enfarinée de clown triste, cherchant à lire dans vos yeux le genre d'horreur qu'ils inspiraient. Ils ne demandaient rien, ils continuaient à marcher sans se plaindre, comme s'ils s'excusaient d'être vivants, et ils disparaissaient dans le brouillard.

Pièra regardait autour d'elle sans y croire tout à fait. Elle ne croyait pas non plus tout à fait être elle-même. Dans cette atmosphère de fin de monde, les yeux, le nez, la bouche emplis de la sorte de pâte blanche visqueuse et salée qui recouvrait tout et brûlait les muqueuses, le fait de sentir sa culotte trempée du plaisir qu'elle avait pris sous Bélard, la perturbait.

Tout au long de ce mardi 11, elle y pensa : au moment de la mort de Loïse, j'ai joui. C'était un reproche et c'était, en même temps, un constat. Elle n'avait pas joui aussi fort avant ce jour.

À peine revenu à lui, Bélard a réclamé Loïse.

C'est là que Pièra s'est réveillée. L'impression de jaillir d'un coup hors d'une parenthèse. « Loïse est morte. » Elle se l'est entendue dire d'une voix blanche, en regardant Bélard dans les yeux pour y lire l'effet de la nouvelle.

Les yeux de Bélard étaient injectés de sang comme les yeux de la plupart de ceux qui avaient été rattrapés par le nuage lors de l'effondrement de la tour et qui y avaient séjourné. Elle n'a rien vu se troubler dans le bleu des yeux de Bélard. Seul un affaissement des épaules a trahi son désappointement.

Elle s'est demandé si l'annonce de la mort de Pièra par Loïse aurait produit un autre effet. Elle s'est répondu que non.

Puis elle s'est dit Ma jalousie n'est pas finie pour autant.
Elle va me servir, elle me sert déjà à garder Loïse vivante

Mais *Loïse est morte*

Et là, la seconde fois où elle l'a dit, elle l'a entendu.

Le marbre

103

BODY PARTS

Chaque jour pendant vingt jours, ils revinrent à Ground Zero.

Ils s'approchaient du grillage qu'on avait dressé pour tenir les badauds et les parents des victimes éloignés des fouilles, et ils y accrochaient leurs doigts durant des heures. Avant que les bulldozers ne déblaient le site, les sauveteurs exploraient chaque mètre carré avec méthode.

Aux pompiers s'étaient adjoints des professionnels du bâtiment, maçons, métallos, charpentiers, soudeurs, reconnaissables à leurs chasubles orange. Des dizaines d'hommes alignés se passaient les déchets de main en main. D'autres œuvraient dans la carcasse éventrée ou sur ses bords. On n'entendait que des bruits de meuleuses, de grues, de scies électriques. Les crissements aigus d'aciers que les palans déplacent tordaient le ventre. Ici et là des gerbes d'étincelles d'arcs à souder.

De temps en temps, un « Quiet ! » sonore arrêtait tout. De part et d'autre du grillage, tous tendaient l'oreille. Puis le travail et l'attente reprenaient en silence. Un silence étrange dans une ville aussi bruyante, comme s'il était entendu tacitement que cet espace était un *camposanto*, un champ saint.

Vingt jours durant, ils espérèrent contre toute raison. Ils ne se parlaient pas mais ils savaient, à leur patience, qu'ils attendaient le même miracle : que l'on retrouvât le corps de Loïse.

Pièra avait apporté deux photos d'elle au pc des sauveteurs. À chaque corps ou fragment de corps assez gros pour qu'on puisse tenter une identification, Pièra ne tenait plus en place. Pourtant, aussitôt, c'est même à cela qu'on savait qu'un corps avait été retrouvé, les sauveteurs tendaient un drap pour opérer loin des regards. Mais c'était plus fort qu'elle. Qu'une main dépasse et, à cette distance du fond d'une excavation profonde comme le trou des Halles (qu'avait connu Bélard à l'époque), elle avait la conviction que si la main appartenait à Loïse, elle la reconnaîtrait sans coup férir.

À mesure que les fouilles se rapprochaient du centre du site, l'espoir s'amenuisait, et avec lui l'émotion intense du début. Le deuil de Loïse se faisait contre leur gré.

Ils se prirent à regretter la tension éprouvante des premiers jours quand, sur le périmètre extérieur des recherches, les sauveteurs avaient fléché les zones à explorer, utilisant dans l'entrelacs de dalles, de plaques de fer tordues par la chaleur et de panneaux de bois réchappés des flammes, les surfaces qui se prêtaient à recevoir des indications.

Bombés en lettres rouges majuscules, accompagnés d'une flèche, on pouvait lire de très loin les trois mots « Body », « Parts » et « Body parts ».

Sur les rétines de Bélard, ils s'imprégnèrent à jamais.

Du corps adoré de Loïse, de la surface de sa peau et des plis plus intimes qu'elle lui avait laissé explorer, il restait le fléchage brut, générique et public.

Lui, à la différence de Pièra, tournait la tête vers l'Hudson quand un drap se déployait.

Le corps de sa jeune amante ne serait jamais, jamais, un de ces « Body », encore moins un « Body part ».

Un soir, pensant à lui, dans le chagrin et la rage de nier que cette beauté eût disparu, il se masturba.

HERBE FOLLE

Ils mangeaient peu. Lorsqu'il arrivait qu'ils déjeunent ensemble, ils le faisaient en silence sans se regarder. Pièra s'en désolait, mais pour rien au monde elle n'eût tenté de forcer la porte derrière laquelle Bélard se claquemurait. Elle voyait dans ce silence le contrecoup de son apparente absence de réaction à l'annonce de la mort de Loïse. Parfois leurs regards se croisaient. Elle esquissait un sourire sur ses lèvres pâles. Bélard n'y répondait pas.

Un soir, pourtant, il l'invita à dîner. Comme elle s'étonnait, il dit :

« Je ne crois pas que Loïse aurait été en deuil aussi longtemps pour aucun de nous deux ! »

Puis aussitôt, il corrigea : « Du moins en deuil gastronomique...

— Sans aucun doute ! » dit Pièra. Et elle rit.

Il rit de l'avoir fait rire.

Ils n'avaient pas ri ainsi depuis le 11.

Il l'emmena au Café des Artistes, près de Central Park. Dans un décor de vitraux roses et de nymphes nues peintes par Howard Chandler Christy, ils mangèrent et burent français. Ils burent surtout, Bélard plus que Pièra.

Vers la fin, sans qu'elle demandât rien, il parla pour la première fois à Pièra de sa relation avec Loïse.

« Je me souviens de ses doigts, si petits, si fins, qu'elle donnait comme ça (il joignait le geste à la parole) en tournant la paume vers les lèvres ... »

Il a trop bu, pensa Pièra. Gênée, elle leva ostensiblement les yeux vers les femmes nues auxquelles Bélard tournait le dos. Le peintre avait masqué d'une verdure l'entrejambe de celle qui, batifolant au centre du tableau dans un décor de sous-bois et se renversant en arrière eût, sans cette précaution, révélé l'ouverture du sexe.

« Il y a, dans le don des mains, toute la façon d'aimer de la personne », poursuivait-il. Il ne la voyait pas. Il avait la tête tournée vers le bac de plantes exotiques qui se trouvait sous la fenêtre. « Elle varie d'une femme à l'autre, et Loïse... »

Soudain, il la vit.

Pièra avait les yeux pleins de larmes.

Sans transition, il bifurqua :

« Vous avez vu, celle de gauche, la blonde moche qui lève les deux mains, extasiée, en regardant vers le haut, celle-là on voit sa motte, et le début de la fente du sexe. C'est ça l'Amérique, ils se lâchent, mais dans les coins. »

Alors elle pleura.

Bélard dit :

« Les femmes pleurent les corps perdus. Les hommes les peignent ou se masturbent. Mais c'est pareil, ça coule... »

À travers la table, il prit sa main.

« Pardon, dit-il, je suis brutal, je suis… Je suis aussi malheureux que vous… »

Il allait retirer sa main. Pièra la retint en serrant ses doigts. Elle dit :

« C'est avec cette main-là…? »

Il eut un moment d'hésitation. Puis :

« Oui », dit-il interloqué.

Approchant la main de Bélard de ses lèvres, elle l'embrassa dans la paume.

Puis elle dit :

« Vous savez, j'ai bien regardé : ce n'est pas la fente de son sexe, c'est une herbe folle. »

105

REMPLACER VOTRE MAIN

Le lendemain, ils allèrent au Club 21. Tandis qu'ils marchaient dans la 52ᵉ, il lui apprit que de tous les clubs qui avaient fleuri dans cette rue à l'époque de la prohibition, celui-là, connu alors sous le nom de Jack and Charlie's Place, était le seul à avoir survécu.

Tout n'était pas du meilleur goût. Il y avait un poteau à chevaux à l'extérieur. À l'intérieur, suspendus au plafond, des centaines d'objets, casques, masques, cornes, micros, ballons ovales, gants de boxe, battes de base-ball, reproductions d'avions et de voitures de toutes sortes.

Pendant le dîner, elle parla d'elle, de ses parents, de son enfance, de sa rencontre avec Loïse, de ses études.

Bélard l'écoutait. La questionnait.

Il dit – ce fut la seule chose qu'il dit de lui-même ce soir-là – combien il l'appréciait comme étudiante et, « si vous permettez, ajouta-t-il, comme amie ».

Elle pensa Vous devriez savoir depuis hier soir que ce que je désire n'est pas d'être votre amie mais de remplacer votre main.

106

LE LUTÈCE

Le troisième soir, quand il annonça qu'ils dîneraient au Lutèce, Pièra s'enhardit : « Vous comptez me les faire connaître tous ? Vous pensez que c'est comme ça que vous me séduirez ?

— Non, ce sera le dernier. Je pars après-demain. »

Elle ne s'y attendait pas, elle fut soufflée. En outre elle en était pour ses frais concernant la suite de sa question.

« Alors, Le Lutèce, c'est symbolique, reprit-elle d'une voix blanche.

— Oui, je vais rester à Paris quelque temps. Et vous ? »

Elle ? Elle n'y avait pas pensé avant ce soir. Elle serait bien restée ici avec lui. Ici ou ailleurs, quelle importance, du moment que c'était avec lui ?

Elle improvisa :

« Moi j'ai encore à faire. Ne serait-ce qu'attendre la liste officielle des corps. J'ai eu la mère et le frère de Loïse au téléphone. Je les ai dissuadés de venir tant que le bilan des victimes ne serait pas définitif.

— Ils ont conscience que tout ce qui reste d'elle, ce sont les affaires que vous avez ?

— Je ne sais pas. Sa mère croit qu'on aura besoin d'elle pour la reconnaître. Elle a pourtant regardé la télévision, elle a entendu les commentaires. Je n'ai pas eu le courage d'enfoncer le clou. »

Aux regards que leur jeta le couple assis à la table d'à côté, ils comprirent qu'ils avaient des voisins francophones auxquels ils étaient en train de couper l'appétit.

Installé sur la 50ᵉ rue dans un immeuble en grès du XIXᵉ siècle, Le Lutèce avait un charme désuet. Gros dallage rustique inégal, plantes vertes en pots juchées sur des colonnes carrées, espaliers en croisillons blancs sur toute la largeur des murs, chaises en rotin et plafond en voûte lattée dans la longueur, ils auraient déjà pu se croire au cœur d'une province française un peu froide et guindée.

Pièra se dit que c'était peut-être le lieu et certainement le moment de mettre Bélard au courant de l'état de Loïse. Mais comment le dire? Et surtout quoi dire? Fallait-il trancher la question du père que Loïse avait laissée en suspens? Elle se lança :

« Loïse était enceinte, dit-elle doucement.

— Ah bon, dit Bélard, et il continua à manger.

— Enceinte de presque *cinq* mois », reprit-elle après un silence en appuyant sur le cinq.

Cette fois, Bélard avait entendu.

Elle le vit se troubler, compter à rebours mentalement.

« Enceinte de... qui? demanda-t-il, se reprenant.

— C'est le problème, dit Pièra.

— Comment ça, le problème?

371

— Loïse disait ne pas savoir lequel de… vous… ou de Roman…

— Ce sont des choses qui s'apprennent aujourd'hui, non?

— Disons que, jusque-là, Loïse s'y était refusée.

— Pourquoi ne pas m'en avoir parlé?

— Elle ne voulait pas que vous le sachiez.

— Mais nom de Dieu, explosa-t-il, que je sois le père ou pas, nous étions amants!

— Oui. Je n'ai pas manqué de le lui dire.

— C'est fou…, mais pourquoi?

— Je ne sais pas pourquoi. Je suis désolée. »

Il secouait la tête en silence. Il avait l'air tellement perdu que, pour la seconde fois en deux jours, elle lui prit la main. Il la laissa faire.

Elle la tourna vers la paume mais, au lieu d'embrasser celle-ci comme l'avant-veille, elle la posa contre sa joue, la gardant plaquée avec la sienne.

Elle ferma les yeux.

Quand elle les rouvrit, elle tenait toujours sa main. Elle ne sentait pas, ce qu'on sent très bien dans ces cas-là, qu'il avait envie de la retirer.

« J'ai pitié de ce fœtus, dit-il, j'ai pitié de Loïse, et j'ai grand-pitié de moi d'être un homme auquel on n'ose pas dire… tout simplement dire… »

Elle lui rendit sa main.

Pensa : Et j'ai grand-pitié de moi de ne pas avoir osé vous dire que j'avais usurpé l'identité de Loïse pour pouvoir vous parler d'amour.

DÉPART DE BÉLARD

Elle a tenu à l'accompagner à l'aéroport. Dans le taxi, elle a posé sa tête sur son épaule. C'était bon. Elle s'est dit Je pars avec lui S'il y a une place je pars avec lui Pas de bagage je laisse tout Je verrai bien s'il me veut ou pas.

Aux guichets, sur le vol de Bélard, il y avait déjà pléthore de passagers. Elle est restée tristement près de lui, il a pensé Comme une enfant, Je ne devrais pas la laisser ici toute seule.

Elle a dû le sentir parce qu'elle a dit « Vous partez », sur le même ton où elle l'y aurait invité.

Il a dit « Oui. Mais vous, vous n'allez pas rester ici trop longtemps ? »

Elle a fait non avec la tête.

« Venez vite. Dites-moi dès que vous savez. Je vous attendrai. »

Elle a fait oui.

Il était en salle d'embarquement quand elle s'est décidée.

Il y avait deux épaisseurs de vitres entre eux et une chicane. On ne pouvait se voir encore de part et d'autre que dans un espace restreint. Elle est venue se coller à la vitre à cet endroit. Ce que voyant, il y est venu aussi sans se presser. Il le prenait pour une tendresse d'enfant. Il savait qu'ils n'entendraient pas s'ils se parlaient.

Pourtant, elle a prononcé une phrase en articulant en silence comme pour un sourd.

C'était court. Quatre syllabes. La dernière était manifestement un e.

Elle les a répétées, en exagérant encore l'articulation. L'avant-dernière était un è ou un a.

Et puis soudain, elle a disparu.

Faisant fi de l'interdiction, elle s'était élancée dans la chicane en bousculant un passager.

Bélard l'a reçue dans ses bras avant de comprendre ce qui arrivait.

Elle lui a pris le visage à deux mains, elle a mis la bouche dans son oreille et elle a dit Je vous aime Antoine Bélard, Vous êtes un crétin et je vous aime, Je vous aime comme une folle depuis toujours.

Le « toujours » s'est perdu contre les lèvres de Bélard sur lesquelles elle a collé les siennes, espérant qu'il les ouvrirait mais il ne l'a pas fait, et elle s'est enfuie.

Passé la chicane, elle s'est mise à courir sans se retourner.

Elle a couru jusqu'à la file d'attente des taxis en pleurant et en parlant à voix haute au sein de ses pleurs.

Elle disait Je suis folle de vous aimer comme ça, Je vais mourir si vous ne m'aimez pas, Je vais mourir aussi si vous m'aimez.

Elle ne croyait pas dire si vrai.

108

LA CHAUSSURE

New York sans Loïse. New York sans Bélard.
New York.

Paris sans Loïse. Paris.

Paris bruissait encore d'un attentat dont elle se fût prêtée
volontiers à être la cible à la place de la Grosse Pomme, d'un
martyre dont elle se sentait dépossédée.

À l'inverse la Pomme avait repris ses marques au plus vite.
Il fallait aller de l'avant, c'était sa myopie et son credo. Il
fallait survivre, et pour cela laisser le travail du deuil aux
veuves et aux pompiers. Parler de la catastrophe était mal vu,
on vous fuyait comme un malade qui se gratte.

Bélard s'irritait de cette vocation au martyre dont le refou-
lement alimentait les conversations, celles des bistrots comme
celles des salons huppés. Il lui arriva de détonner avec
humeur. Dans un troquet des Gobelins, il ricana. « Vous
imaginez la tour Eiffel tombant sur les bateaux-mouches ? Ça
aurait fait plouf-plouf ! » Chez l'éditeur, qui lui avait réservé

une place en bout de table pour la raison qu'il en revenait, il développa. «Question spectacle, c'est le même rapport de proportion qu'entre la statue de Bartholdi du pont de Grenelle et celle de Long Island..., vous voyez?» Ça jetait un froid.

Pièra enrageait de devoir se taire. Même la compagne du luthier, chez qui elle avait emménagé, dans la chambre de Bélard (comment refuser l'invitation de coucher dans la chambre de Bélard?), changeait de sujet quand elle évoquait les derniers instants de Loïse. Elle en parlait en cachette quand elle était seule avec le Vosgien. C'était souvent à l'atelier. Il l'invitait à y venir quand il sculptait une coquille, qu'il creusait à la gouge une coulisse. Elle aimait le voir faire ces gestes patients et sensuels. Encore le soupçonnait-elle de l'écouter parce qu'il était amoureux d'elle, et avec une plus grande attention les fois où ses seins pigeonnaient.

Elle ne s'en formalisait pas. C'était donnant-donnant.

Un jour, il finissait au ciseau un chevillier, il lui apprit que des habitants de Manhattan collectionnaient les objets – circulaires, factures, cartes de visite, éphémérides, dessins d'enfants, photos de vacances, etc. – qui avaient été projetés par le nuage de poussière dans leurs lofts ou leurs appartements quand les tours s'étaient effondrées.

Vraie ou fausse, l'anecdote circulait qu'une femme, de retour dans les lieux dévastés, aurait découvert la chose en constatant avec une stupeur effrayée que la chaussure que lui tendait une amie ne provenait pas de sa garde-robe.

Depuis, la police réclamait que ces objets fussent rapportés pour permettre une éventuelle reconnaissance des familles. Mais tous n'avaient pas de ces scrupules. Il en circulait sous le manteau. On en vendait à prix d'or. Moins cher cependant que les boulons ou des pièces d'acier tordues de la charpente qui, du fait de leur petitesse, étaient entrés par les fenêtres alentour.

Il lui montra des clichés de lunettes, de bracelets, de bagues, de portables, de rouges à lèvres, tous, bien sûr, portant des traces de leur traversée de l'enfer.

Elle s'offusqua de ce commerce de charognards.

Toutefois, devant un cliché de haut talon, elle crut que son cœur allait s'arrêter de battre.

Une chaussure de Loïse!

Impossible, dit le Vosgien. Pourquoi impossible? Parce que le cliché venait d'un loft de Cedar Street. De sorte que la chaussure en question ne pouvait provenir que de la chute de la tour sud. Vous en êtes sûr? Non, pas du tout. N'avait-on pas retrouvé une partie du train d'atterrissage de l'avion qui avait percuté la tour nord cinq rues plus au sud? Oui, et même plus loin encore les restes du corps d'un homme qui travaillait chez Marsh & McLennan...

Soudain, elle revivait. Elle décida d'en avoir le cœur net.

Mais, reprit-il, comment reconnaître une chaussure de Loïse? Il y avait des centaines de femmes dans les deux tours et... Elle le coupa. Elle avait les moyens de le savoir.

Il revint à la charge, croyant tenir l'argument définitif. Ce n'était pas comme au début. La police avait bouclé tout le bas de Manhattan. Personne ne passait sans autorisation.

« Même les pompiers? s'enquit Pièra.

377

— Euh, non, les pompiers, je ne pense pas, mais...

— J'ai quelques arguments à faire valoir, dit-elle avec un sourire entendu.

— Vous n'allez pas oser...

— On parie? »

109

LA CHAUSSURE, SUITE

Fabuleux pouvoir des mamelles. Universel, immémorial. Partout, dans le monde, une femme était chez elle du moment qu'elle avait un corsage bien rempli. Pour les autres, c'était plus coton – le mot est juste, le rembourrage pouvait suffire. Moins aisé l'été que l'hiver et juste pour commencer. Précisément, pour Pièra il s'agissait d'introduction, et elle n'avait nul besoin de rembourrage.

Deuzio. Que l'homme dont vous avez besoin soit un ministre ou un pompier, la tactique était la même. Promettre sans formuler la promesse. Laisser les yeux imaginer le contrat. Montrer juste ce qu'il faut. Faire attendre, afin que la promesse prenne corps. Ne jamais donner à goûter avant l'heure. Que ne devriez-vous pas accorder par la suite?

Tertio. Préférez un homme jeune dans les métiers manuels, un vieux dans ceux du pouvoir. Le goût de la chair s'augmente avec la frustration des hauts sommets.

Elle chercha un jeune pompier à la sortie de Ground Zero. Un « nuage blanc » qui avait vu le noir de près. Un fatigué. Elle le ralentit assez pour que le groupe l'abandonne en plaisantant. Ils s'assirent sur une murette. Elle déroula une biographie de journaliste franco-canadienne dépêchée à la fois par Toronto et par Paris. Toronto et Paris avaient chacun une tour, ça comptait. Il eût pu se demander en quoi, et elle avait prévu la réponse. Mais elle avait une jupe courte, les seins libres, il ne se demanda rien d'autre que Pourvu qu'elle s'adresse à moi et pas aux autres, qui étaient infiniment plus compétents que lui. Elle avait si peu envie de voir les autres qu'elle fixa un rendez-vous le jour où il serait de repos. Là, le ton changea. Devint brusquement conspirateur. Elle lui révéla l'existence du commerce des affaires des morts, lui dit qu'elle voulait le dénoncer. Il était d'accord. Pour cela il fallait des preuves. Il devait la faire entrer dans le périmètre. Impossible. Impossible n'est pas américain. Il risquait son boulot, pire encore. Elle lui demanda, l'œil de velours, ce qui pourrait lui arriver de pire pour qu'il entende ce qui pourrait lui arriver de meilleur. Il entendit. Elle suggéra de la déguiser en pompier. Ah non, pas ça. Elle dit Je pourrai toujours dire que je l'ai volé, vous serez couvert. Il suffira que je passe le barrage des cops[1] avec vous. Ils ne sortent jamais de leur voiture. Après, je monte, vous arrivez sur mes talons et vous cherchez une fuite de gaz. J'aurai négocié en moins de cinq minutes. Dès que j'ai trouvé on disparaît. Il avait peur, mais plus encore de la perdre. Le soir même elle appelait le receleur.

_____

1. Flics.

110

LA CHAUSSURE, FIN

Le policier qui gardait l'entrée de Cedar ne leva pas les yeux au-dessus de la bande fluo de son blouson. Au 125, elle grimpa au 5ᵉ étage. L'homme qui lui ouvrit avait fumé. Elle parla d'emblée des chaussures de femmes. Il dit qu'il n'en avait que deux. Elle ne toucha même pas à la première. L'autre? C'est à ce moment-là que le pompier s'annonça. Il lui tendit l'autre et alla ouvrir.

Tandis qu'ils discutaient sur le pas de la porte, elle retourna la chaussure. Le talon était cassé, la lanière qui tenait les orteils avait brûlé en surface, la couleur rouge avait cloqué sur le cuir, mais le dessous était intact. Et dans la courbe accentuée de la semelle, tout près du départ du talon, elle lut le mot qu'elle cherchait. C'était « conclu ».

Une bouffée d'émotion l'envahit. Elle se revit en train de l'écrire au pyrograveur juste avant de les lui offrir. C'était huit jours avant le départ. Loïse n'avait pas l'argent pour acheter les hauts talons légers qu'elles avaient admirés ensemble. Comme Pièra se proposait à les payer, Loïse avait dit Si tu me les offres tu seras la marraine du polichinelle. Elle avait gravé sur l'une « marché », sur l'autre « conclu ». Souvent, quand elles arpentaient Manhattan et qu'ils claquaient plus fort sur certains dallages, c'était devenu un jeu que Loïse, ou elle, parfois les deux ensemble, s'écrient « Marché conclu ! ».

Et là, brusquement, elle décida que le séjour à New York était terminé. Terminée la négociation, terminé le pompier. Elle récupérait son bien. Sans même se donner la peine de cacher la chaussure qu'elle embarquait, elle arriva près du receleur par-derrière, le poussa violemment dans les bras du pompier et, le temps qu'il se reprenne, cavala dans l'escalier.

Une fois dans la rue, elle se sentit à l'abri. Le bonhomme ne lui courrait certainement pas après dans Cedar Street.

Elle aurait pu partir sans revoir le jeune homme qui l'avait aidée, elle y songea un instant, mais une fois passé le barrage elle l'attendit.

Quand il la rejoignit, elle l'attira dans un coin. Elle lui prit la main, le déganta et, ouvrant sa chemise, elle lui mit un sein nu dans la paume. Elle le vit respirer un grand coup comme s'il allait sauter dans une eau froide.

Il n'essaya pas de la palper. Il garda la main posée, immobile, jusqu'à ce que Pièra décide que la récompense était consommée.

Elle le trouva si gentil qu'elle eut envie de l'embrasser.

Mais elle pensa à Bélard et elle ne le fit pas.

LE PIGEON DU WORLD TRADE CENTER

À présent qu'elle avait la chaussure de Loïse, il fallait qu'elle parte au plus vite. Une peur irrationnelle la tenaillait. Elle craignait que le receleur ne la retrouve, qu'on ne la lui vole ou que la police ne l'oblige à la restituer. Elle n'avait pas dit la vérité au Vosgien. Elle avait menti à propos de son équipée à Cedar, lui disant qu'à la dernière minute elle avait renoncé. « J'aurais dû parier ! » avait-il regretté.

Chaque nuit jusqu'au départ, elle dormit avec ce morceau de Loïse serré contre elle comme un doudou. Depuis, quand un bruit de talons claquait haut et clair dans Park Avenue ou dans Broadway, elle entendait aussitôt la voix de Loïse clamant « Marché conclu ! » et elle pleurait.

Bélard n'avait pas donné de ses nouvelles. Le jour où elle eut son billet, elle annonça son retour dans la semaine sans préciser.

Elle reçut de Bélard la réponse dans les minutes qui suivirent :

« Je suis resté à Paris exprès pour être là quand vous rentreriez. Je commençais à m'ennuyer sérieusement dans cette ville. Je pense d'ailleurs la quitter bientôt et partir quelque part dans les Pyrénées, l'Ariège me plairait assez. Mais bon, trêve de projets. D'abord vous. Vous pensez que je vais planter la tente à Roissy toute la semaine? Ne riez pas, je le ferai si vous m'obligez à le faire en gardant secrets le jour et l'heure de votre arrivée. »

Pièra se dit Il m'attend, Bélard m'attend, Je partirais tout de suite à la nage si je pouvais. .

Quand l'avion s'arracha du sol, elle ne regarda pas par le hublot. Elle voulait oublier cette ville où était Loïse, où étaient les cendres de Loïse, où était l'autre chaussure de Loïse où était gravé « Marché ».

Et tandis que l'avion grimpait au-dessus de l'Atlantique, lui revint ce souvenir du 11 septembre qu'elle avait oublié. Un pigeon banal, picorant dans la couche de poussière amiantée du World Trade Center. Tout était blanc, les êtres, les arbres, les voitures. Il était le seul à avoir gardé la couleur de son plumage. Du gris, du marron. Et ces couleurs communes, que d'habitude elle n'aurait pas vues, elles ressortaient intensément telle une tache chromatique qui apparaît soudain dans un film noir et blanc, cette banalité dodelinante était la vie.

112

LE TAXI

Il l'attendait.

Elle se serra contre lui sans l'embrasser.

Il dit : « Ça a été long sans vous. Je me suis ennuyé de vous. »

Elle ne disait rien, elle se serrait.

« Qu'avez-vous fait tout ce temps ? »

Silence. Trop heureuse qu'il la laissât se serrer.

« Vous ne dites rien ? »

Elle fit Non de la tête, fouissant avec le nez dans le cou de Bélard. Il finit par rire. Elle aussi.

« C'est si bon », dit-elle enfin.

(Il comprit Bon de rentrer, alors qu'elle disait Bon de me serrer contre vous.)

Dans le taxi, elle le regardait sans rien dire.

Bélard dit : « Je vous emmène chez moi, vous n'allez pas aller à l'hôtel… n'est-ce pas ? »

Elle fit Oui d'un air de dire Si vous voulez, je veux bien aussi.

« J'ai souvent pensé à vous depuis... depuis le départ de JFK... »

Elle se cacha les yeux.

Il lui prit les mains, les écarta.

« Vous pensiez ce que vous disiez ce jour-là ? Vous le pensez toujours ? »

Elle fit Oui, puis elle ajouta :

« Toujours. »

Il lâcha ses mains, tourna la tête du côté de la route et dit, c'était à haute et intelligible voix, de sorte que le chauffeur l'entendît :

« J'ai envie de vous. »

Elle vit le regard interrogatif du chauffeur dans le rétroviseur. Lui aussi attendait sa réponse. Alors elle dit d'une voix claire :

« Prenez-moi ! »

Bélard, la regardant à nouveau :

« Je le ferai. »

Pièra, sachant que le conducteur l'écoutait :

« Vous le pouvez... partout... tout de suite. »

Elle lui prit une main, la plaça entre ses cuisses.

Bélard, étonné :

« Ici ?

— Si vous le voulez. Partout où vous le voudrez, je serai à vous. »

Elle vit l'œil effaré du conducteur.

« J'ai mes règles depuis hier soir...

— C'est un empêchement ?

— Pas du tout, c'est que vous deviez le savoir.

— Je dois le savoir ?

— Bien sûr. Vous devez tout savoir. Vous devez tout savoir pour pouvoir tout demander.

— Vous êtes un peu folle, dit Bélard.

— Seulement un peu? »

MAINTENANT JE N'AI PLUS À CROIRE

Il lui fit l'amour si violemment, empoignant ses seins avec rage et la heurtant, que ses yeux s'emplirent de larmes.

Il dit : « Je ne sais pas ce que j'ai. Je vous demande pardon. Il ne faut plus recommencer cela.

— Non, je le veux aussi fort que vous, ça me plaît si ça vous plaît. »

Il dit : « Non, ça ne marche pas comme ça. Il faut que ça vous plaise, vous.

— Ça me plaît, dit-elle.

— Je ne le crois pas, dit-il. Vous pleurez.

— Je sais ce que j'aime, je sais qui j'aime et je sais ce qu'il me plaît d'être pour qui j'aime. »

Plus tard, il la reprit.

Il se surprit à être violent comme la première fois. Ça lui déplut et, à la fois, ça lui plut qu'elle s'y prêtât.

Elle ne pleura pas cette fois.

Dans la nuit, il sentit qu'elle se glissait entre ses jambes. Il la laissa faire jusqu'au terme. Quand elle sortit de dessous les draps, elle était rouge d'anoxie et d'excitation mêlées. Elle se calma. Se coucha le long du flanc de l'amant, une main sur son bedon. Son haleine sentait le foutre de Bélard, elle dit :

« Je croyais que j'allais mourir d'attendre. Je croyais que ça allait me faire mourir d'être heureuse. Je croyais beaucoup. Maintenant je n'ai plus à croire. Je sais. »

Elle dit qu'elle rentrait avec une chaussure de Loïse.

Elle relata l'histoire de sa conquête. Elle pensait que le récit l'amuserait. Ce ne fut pas le cas.

« Qu'allez-vous en faire? demanda-t-il.

— Lui donner une sépulture », dit-elle, comme si la chose allait de soi.

Il prit un air incrédule.

« Une chaussure… », ronchonna-t-il.

Elle dit : « Nous n'aurons jamais rien d'autre d'elle. C'est le seul objet qui était avec elle dans cette tour, le seul qui nous ait été rendu de sa passion. Le reste, ses vêtements, ses dessous, je les rendrai à ses parents. Mais pas ce qui a touché son pied, pas ce sur quoi elle est allée au martyre ce matin-là. »

Un long silence. Elle se demanda si elle l'avait convaincu.

« Je vois que l'idée ne vous plaît pas…

— Surtout, se moqua-t-il, vous aurez du mal à obtenir un permis d'inhumer au nom de Loïse!

— Alors je la garderai avec moi. Je demanderai qu'on la mette dans mon cercueil. On nous brûlera ensemble.

— Ainsi on l'aura brûlée deux fois. »

Et moi une seule, pensa-t-elle. Ça la ramena brutalement dans cette chambre. Loïse y avait fait l'amour avec Bélard bien avant elle. Elle se demanda s'il n'aurait pas préféré que ce fût Loïse qui fût là, nue, à sa place. Pensée douloureuse, car elle contenait la part de doute de la réponse, et qu'il n'y aurait pas de réponse pour la supprimer.

« J'aurais dû être avec elle dans la tour nord, reprit-elle.

(Elle espéra un bref instant qu'il volerait à son secours avec les mots de la passion. Même menteurs, elle les eût pris.)

— Le destin n'a pas voulu de vous.

(Elle attendait qu'il dise Le destin vous a gardée pour moi.)

« Mais le destin n'existe pas, c'est pur hasard…

— Ah oui, dit-elle, les séries causales indépendantes !

— Et c'est vous qui êtes là, pas Loïse. »

(Elle se demanda comment elle devait l'entendre. Elle eut un moment de panique. Se trouva soudainement très nue. Trop. Elle ramena le drap sur ses seins et sur son ventre.)

Avançant le buste vers elle, Bélard tenta de le lui retirer. Elle résista.

« J'ai envie de vous, dit-il.

(Elle, n'avait pas envie. Il y avait Loïse entre elle et lui.)

« De *vous* », insista-t-il comme s'il avait lu sa pensée.

(Ou plutôt elle avait envie de lui, mais pas qu'il la prenne tant que Loïse était entre elle et lui.)

Il dit :

« Je vais vous prendre, que vous le vouliez ou pas. Et si vous ne le voulez pas, ce sera meilleur… »

(Il s'étonna de cette salace autorité. Cette fille le mettait hors de lui. En même temps il craignait que l'abandon de Pièra ne lui autorisât des excès inquiétants. Il s'était dit cette nuit qu'il aurait presque pu la tuer. Il ne comprenait pas cette rage. Il se demanda si elle ne venait pas de ce qu'il cherchait à atteindre Loïse à travers elle. Il ne lui vint pas à l'idée un instant que Pièra le sût et s'y prêtât.)

Elle dit :

« Ce sera meilleur pour moi aussi. »

Alors il la baisa comme s'il la soumettait à la question. À aucun moment, il ne croisa son regard. Il ne la regardait pas, ou peu, seulement les parties d'elle dont il usait, les seins, les fesses, la bouche, l'entrée du sexe. Comme si jouir de contempler ce corps qu'elle lui donnait eût été une trahison de Loïse. Il se priva de ce plaisir, infiniment plus vaste que l'autre. Il ne voulait pas la voir, ni même l'avoir car il l'avait, mais la réduire.

Il l'ouvrit, la rouvrit, il lui fit mal. Il l'emplit, il l'étouffa. Il lui demanda de se vider, elle le fit. Il la fit jouir, la fit crier.

Et toutefois, il ne rejoignait pas Loïse.

C'était une autre. C'était Pièra.

Il ne voulait pas une autre.

C'est pourquoi il eût pu tuer Pièra.

LE MUR DE LOÏSE

Et, bien qu'il ne puisse plus ignorer cela désormais, il y eut d'autres jours et d'autres nuits avec Pièra.

Et quoique la chair qui l'accueillait fût délicieuse à pénétrer, il la forçait. Et quoiqu'il fût délicieux d'y séjourner, il s'en extirpait aussitôt joui. Et quoiqu'elle fût délicieusement accordée à sa fantaisie, il inventait des torsions douloureuses afin que, se rebellant, elle pliât.

Il se confrontait à ce mur.

Il croyait que ce mur était Pièra, et que, trouant Pièra il retrouverait le goût de prune et d'abricot du verger de Loïse.

(Un jour qu'ils évoquaient par courriel le plaisir de manger le sexe et l'anus, Loïse, sommée par lui de trouver un nom de fruit auquel on pût comparer la succulence particulière de chacun, elle avait dit l'abricot et la prune. Ces mots-là lui revenaient dans Pièra.)

Parfois il l'appelait Lo, du diminutif de Loïse qui n'était que pour le lit.

Elle eût pu le corriger, dire « Je suis Pièra », mais non. Elle ne le reprenait pas. Elle l'étreignait seulement un peu plus fort parce qu'elle éprouvait sa solitude. Elle entendait Lo comme le rappel de sa souffrance à elle aussi.

Ça ne la gênait pas d'être Loïse. Au contraire.

Être la chair d'une autre et la sienne propre, et qu'un homme, aimé des deux, fouaille cette chair tel un chien à la recherche de l'une dans l'autre, l'une et l'autre si bien confondues – c'était bien cela : cons fondus – qu'il ne savait pas les séparer, quel bonheur!

Fallait vraiment ne pas aimer la chair pour se vexer d'être la chienne de ce chien.

Ça valait aussi pour Bélard.

Elle y avait déjà pensé. Le jour où Bélard serait mort, elle saurait le retrouver dans la chair des hommes qui viendraient après lui. (Elle y songeait au pluriel.) Elle apprendrait à jouir de Bélard en eux, et d'eux recelant Bélard. Ce serait son tour de heurter ce mur.

Mais pour l'heure, elle jouissait d'être Lo.

Elle n'aurait laissé sa place à personne sous Bélard.

116

L'ÉTERNITÉ

Il décida de rentrer.

Elle dit qu'elle partait aussi.

Il dit qu'il ne désirait pas vivre avec elle, mais pas loin d'elle non plus.

Elle dit Ça me convient.

Il dit Je vais vendre ici et acheter une maison à la montagne.

Elle dit Je chercherai du travail dans le coin. Quand vous aurez besoin de moi vous me le ferez savoir.

Il dit On pourrait décider d'un jour.

Elle sentit la restriction. Elle dit Si j'ai envie plus souvent...

Il ne répondit pas sur son envie. Il dit Vous serez plus libre d'avoir des amants, vous devez vivre!

Elle comprit. Elle dit Vous m'avez donné le goût du sexe. Je n'aurai d'amant que si vous ne m'honorez plus, ou pas assez.

Il dit Je n'ai pas parlé de sexe. Mais j'apprécie le « pas assez ».

Pardon, dit-elle, je suis confuse.

Il dit Ne le soyez pas.

Plus tard, il y revint. N'aurait-elle pas mieux à faire qu'à s'enterrer à la montagne avec un vieux prof cacochyme?

Cacochyme mon cul! C'est pas demain la veille, mes reins le savent.

Bon, alors je dirai valétudinaire, ou si vous préférez égrotant.

Vous m'avez posé une question, je crois? À cette question la réponse est Non, je n'ai pas mieux à faire que d'être avec vous... Pour l'instant... C'est-à-dire pour les années à venir...

Lui : Les siècles...

Elle : Si le premier siècle se passe bien...

Lui : Alors?...

Elle : On a des chances d'être ensemble pour l'éternité.

Lui : Pfuuu... C'est bien un truc de femme, ça, l'éternité!

Elle : Vous y viendrez avant d'être égrotant.

Lui : Et par gros temps!

En riant, et en trois mots, ils venaient de brosser leur fin.

117

FRAGMENTS

271 jours après le 11 septembre, le chantier de Ground Zero ferma officiellement.

Le 30 mai était un jeudi clair et ensoleillé comme le mardi de l'attentat.

Devant un public d'hommes en uniformes et de familles, on fit sortir du chantier un cercueil vide et une poutre métallique. Sur les 2 843 victimes recensées, seul un tiers avait été retrouvé. 15 000 restes humains attendaient encore d'être identifiés. Parmi ces restes se trouvaient un morceau du crâne de Loïse, un fragment de mâchoire et le fémur gauche qui avaient échappé au brasier.

Dans les six mois qui suivirent, un légiste classa le fragment de crâne comme un pariétal droit appartenant à une femme. Un autre en écrivit un peu plus sur le fémur de Loïse, et il ne se trompa que sur l'âge « fémur gauche, femme adulte, taille environ 1,80 mètre, âge approximatif 30 ans ». Un troisième lui donna son âge exact sur la foi de l'état de la dentition. Il enregistra la mâchoire parmi les restes susceptibles d'identification ultérieure, si la famille se manifestait en apportant des radios par exemple.

Aucun ne fut en mesure de faire le rapprochement entre les trois morceaux de Loïse Hesse.

Ni la mère ni le frère de Loïse n'accomplirent le voyage aux États-Unis qu'ils avaient projeté de faire au moment où elle avait disparu. Le fragment de mâchoire de Loïse est toujours dans le New Jersey, sous sachet plastique, classé sous le code FD 1477. Il sera, comme tous les autres restes non réclamés, conservé sans limitation de temps.

La chaussure que Loïse portait au pied gauche est toujours en possession de Pièra.

Bélard ayant moqué son « fétichisme nécrophile », elle la conserve dans une boîte en compagnie d'un carnet de dessins que Pièra ne s'est pas résolue à rendre à ses parents parce qu'elle s'y trouve croquée ici ou là par Loïse, et surtout parce qu'il contient des notes concernant sa relation avec Bélard.

Bélard non plus ne le sait pas. Elle n'a pas jugé bon de le lui dire.

Elle-même, quand elle a compris la nature de ces notes, n'a pas continué la lecture.

118

USTOU

Il y a bientôt trois ans que Bélard vit dans ce coin reculé de l'Ariège.

Quand un de ses anciens collègues lui demande où il se trouve, il répond dans un hameau qui a nom Ustou. Il ne ment pas, mais il n'en dit pas suffisamment pour qu'on le trouve. Certains croient qu'il plaisante avec la contraction de Où es-tu?, d'autres qu'il confond avec Oust, qui est plus bas, et qui est une invite à déguerpir, ce serait bien dans son style… Quand il désire les perdre tout à fait, il dit la vérité : il ne vit pas très loin de Seix. À l'oreille, le malentendu est fécond.

Il ne fait pourtant qu'utiliser ce qui l'a d'abord égaré lorsqu'il cherchait à s'installer dans la région. En fait, Ustou n'existe pas, ou plutôt il se décline. C'est un groupe de quatre hameaux, répartis deux par deux dans deux vallées décalées en altitude.

Le premier hameau traversé était trop urbain à son goût. Il a continué la route vers un col, et trouvé le suivant au débouché d'un petit pont de pierre. Trop banal, trop plat. Il a fait demi-tour et c'est en revenant qu'il a vu, à sa gauche, l'embranchement qui virait si serré vers le haut et vers l'arrière qu'il ne l'avait même pas aperçu à l'aller.

Là, on s'élevait d'un coup. La route grimpait à l'ombre d'une montagne touffue et Bélard a prédit qu'en hiver ce serait une patinoire, en quoi il ne s'est pas trompé, mais que la patinoire pouvait être aussi une chance d'avoir la paix. (Quand il le lui a dit au téléphone, elle a pensé tout de suite à *L'Hiver de force*, et la perspective d'être coupée du monde avec Bélard, si rétif soit-il à une vie commune, l'a visitée et lui a plu.)

En haut de la pente, il y avait une chapelle avec un petit cimetière sur la droite. Il s'y est arrêté. La chapelle était à l'abandon, les tombes en voie de remembrement. Il a eu la pensée fugace qu'il y aurait bientôt des places et cette pensée, qu'il aurait repoussée d'ordinaire, inexplicablement lui a convenu.

La route continuait à s'élever en serpentant. Et soudain, au virage suivant, une révélation. Sous un ciel immense, bariolé de nuages rosés au couchant, la vallée se déployait en largeur et en profondeur jusqu'à un cirque, adossé au versant espagnol.

C'est là, après avoir traversé le troisième des quatre hameaux sans presque s'en apercevoir qu'il est tombé, dans le dernier, sur la maison qu'il cherchait.

Pièra a trouvé à dix kilomètres de là un travail dans une boutique qui commercialise les productions des artistes locaux, elle est logée à l'étage. Ses compétences l'ont vite rendue indispensable. Elle a agrandi le domaine des créations, et le périmètre de recherche s'est élargi aux départements voisins et à la région Midi-Pyrénées tout entière.

Malgré les propositions dont elle est l'objet, elle n'envisage pas d'aller s'installer en ville.

Bélard ne dit rien. Il regrette seulement à voix haute qu'elle n'ait pas fini la thèse qui lui aurait ouvert la carrière universitaire quand tant d'autres, qui ne la valent pas et qui le sollicitent toujours par Internet, envisagent déjà une soutenance. Pièra se moque doucement. Elle taquine Bélard. Elle dit que si la fac est une carrière, c'est plutôt au sens propre du chercheur de pépites et que, de ce point de vue, l'Ariège est étymologiquement un filon plus sérieux.

Lui, passe ses journées à lire et à écrire.

Si on lui demandait à quoi il les passe, il dirait qu'il les occupe à attendre les venues de Pièra.

Et bien qu'on ne le lui demande pas, et qu'il n'en dise mot, Pièra le sait.

Ce que lui sait, et qu'elle ne lui cache pas, est qu'on la courtise. Que parmi les hommes qui l'approchent elle en préfère certains. Qu'elle a fini par en élire un, ce qui a éloigné les autres. Que celui-là s'appelle Léo.

Elle dit qu'il est amoureux. Qu'il connaît leur relation. Qu'il attend.

(Que je meure, a-t-il ricané. C'est son problème, a dit Pièra.)

Une autre fois, elle a dit qu'il était gentil, respectueux. Qu'il n'avait pas cherché à l'embrasser.

« Il y viendra, a dit Bélard.

— Sans aucun doute. Je vous le dirai. »

Elle n'a pas voulu le rassurer davantage.

Ils ne parlent jamais de Loïse. Pourtant entre eux, elle est là. Ce n'est plus un mur, c'est une lande. Ils pensent à elle quand ils marchent, quand ils se taisent au bord des lacs de montagne, quand ils s'arrêtent sur les sommets et que leur esprit vole sur les reliefs de vieux Titans et se caresse à eux en planant tel un rapace. Elle est là. Loïse est là. Ils le savent sans avoir besoin de le dire. Bélard le sait en voyant les yeux de Pièra se mouiller soudain sans raison. Pièra le sait quand Bélard s'avance seul au bord des ravins et qu'il en revient avec cet œil bleu d'où la passion de vivre s'est retirée.

Le jour où Léo l'a embrassée, il l'a su. Il le lui a dit sur le ton affirmatif. Léo vous a embrassée. Elle a dit oui. Après, de peur d'avoir encore raison, il a opté pour le mode interrogatif. Il a touché vos seins? Oui. Vous avez fait l'amour? Pas encore. Vous avez envie de le faire? Pas tout de suite. Et tout de suite, pas avec lui.

Ils n'avaient pas été nus ensemble depuis longtemps.

Et puis, il y a eu cette proposition d'ouvrir un centre d'art artisanal à l'échelle de la Région. Pièra avait plu à un conseiller régional de passage. En bon serviteur de la chose publique il avait vu dans la concrétisation de ce qui n'était jusque-là qu'un vague projet électoral, le moyen de rapprocher de lui cette belle fille intelligente aux seins généreux. Elle n'était pas dupe. Mais la proposition était alléchante. Elle en parla à Bélard. Il le reçut comme une décharge de chevrotines en plein thorax. Il s'y était préparé pourtant, comme à la vieillesse, aussi inutilement.

Il dit Allez-y! Vous ne pouvez pas laisser passer ça! C'est

parfait pour vous! et d'autres exclamatives encore pour la convaincre.

Elle dit Vous vous fichez de moi? Vous avez rencontré quelqu'un et vous désirez m'éloigner, c'est ça?

Il dit Presque ça.

Elle pleura.

Puis elle dit Je reviendrai le samedi. Il dit Oui, oui, vous reviendrez. Mais vous aussi, vous viendrez me voir. Vous viendrez avec Léo. (C'est ainsi qu'il apprit qu'elle n'emmenait pas Léo dans ses bagages.) Il dit Oui, oui, je viendrai avec Léo. Elle dit Non, je veux vous voir seul aussi. Il dit Oui, je viendrai seul, parfois.

Elle devait partir dès que possible.

Elle dit Je ne partirai pas sans que nous ayons fait ensemble le mont Rouch. (C'était un projet de l'an passé que Bélard avait eu pour eux deux. Mais il l'oubliait régulièrement parce qu'il préférait garder Pièra chez lui quand elle venait. Pour le décider, elle le piqua :) Léo dit que la vue depuis là-haut est unique, il voulait le faire avec moi.

Bélard sourit. Va pour le mont Rouch! Quand?

Elle dit L'hiver est quasiment fini. Léo pense que c'est la bonne période avant les vacances scolaires. La météo, je ne sais pas. Ça n'a pas l'air d'être mauvais. Après-demain, on y va?

Bélard : Avec Léo? Pièra : Vous êtes vraiment un... comment déjà? égrotant, c'est ça. Un égrotant jaloux et stupide. Mais je veux bien m'encombrer d'un égrotant le temps de faire le mont Rouch!

403

Il étudia l'itinéraire.

Le livre d'un certain Bourneton mettait le sommet à quatre heures. Il en ajouta deux.

LE MONT ROUCH

Ils sont partis à six heures, un jeudi.

Ils connaissaient le trajet jusqu'à un lac auquel ils étaient déjà montés en été. Ils l'ont atteint dans le temps prévu. Ils étaient bien. Sur la rive du lac, elle a enlacé Bélard. Elle a dit « Merci d'être venu. Je suis heureuse. » Elle a inspiré très fort en levant les bras au ciel. Il a eu envie de toucher ses seins. Elle l'a lu dans l'élan de vie soudain dans ses yeux. Elle a dit « Vous voulez? Ici? » (Il a cru entendre Loïse.) Il s'est dérobé en plaisantant. « Vous ne pensez qu'à ça! » Elle a dit : « Mais oui. J'y pense tout le temps. Depuis nous. »

Ils se sont engagés vers le cirque. Ont pris une cheminée, qui montait à gauche, contre la falaise. Quand ils ont atteint la ligne de crête, ils avaient du retard sur le calcul de Bourneton.

À plus de 2 000 mètres, Bélard peinait un peu.

Ils ont atteint un premier sommet.

Pièra a proposé de s'arrêter là, mais Bélard savait que le vrai sommet se trouvait plus loin et plus haut, et il voulait atteindre le vrai sommet. Ils ont traversé une combe assez raide et remonté le versant orienté au nord jusqu'en haut du mont.

Bélard a annoncé l'altitude avec orgueil : 2 379 mètres.

« Virgule 35 », a dit Pièra en grimpant sur un rocher.

Du belvédère, la vue était vraiment ce que Léo avait dit. Elle s'est demandé fugacement ce qu'elle aurait éprouvé si elle s'était trouvée ici avec Léo et non avec Bélard. (Elle aurait pensé si fort, si constamment à Bélard que ça lui aurait gâché son escapade avec Léo.)

Il y avait du vent, il faisait froid.

Ils ont mangé et, tandis qu'ils mangeaient, le ciel a changé de couleur. Pièra l'a vu, elle l'a dit à Bélard, Le ciel vire à la neige. Mais Bélard, d'habitude plus inquiet qu'elle, l'a ignoré. Il se sentait mieux. Il avait envie de rentrer par un autre chemin. Il avait lu dans Bourneton qu'en suivant la ligne de crête pendant environ une heure, on atteignait un col, après lequel s'ouvrait une vallée qui ramenait un peu plus bas que le point de départ. Ça lui avait plu. Il a eu cette envie et Pièra l'a adoptée.

Ils se trouvaient à peu près au milieu de la ligne de crête quand la neige a commencé à tomber. Très vite de gros flocons et en abondance.

Ils ont forcé l'allure. C'est à ce moment-là que Pièra a tordu sa cheville et glissé sur quelques mètres de pente avant de s'arrêter contre un rocher.

Bélard a défait sa chaussure. Elle avait une entorse, et elle a dû s'appuyer sur lui en même temps que sur son bâton pour continuer.

Quand ils ont atteint le col, la neige tombait si dru que la visibilité était nulle. Bélard ne savait plus où aller.

Il l'a dit à Pièra. Dans ces conditions, mieux valait chercher à s'abriter et attendre que la tempête passe. Pièra a accepté.

Mais ils n'ont pas trouvé d'autre abri qu'un rocher en léger surplomb et la neige n'a pas cessé de tomber.

Deux heures plus tard, ils étaient devenus une infime bosse du sol sur le mont Rouch, invisibles et blancs comme lui.

Pièra avait froid. Elle avait mal. Elle avait peur.

Bélard aussi a commencé à avoir peur. Il l'a serrée plus étroitement en l'appelant Mon Petit, ce qu'il n'avait jamais fait.

Elle a demandé s'ils allaient rester là toute la nuit. Il a dit qu'il serait pire de chercher à avancer en aveugle, qu'ils risquaient de se perdre et de chuter dans un ravin. Il a dit aussi que les secours seraient bientôt alertés par les gens de la boutique, et elle a dit que oui Léo savait.

Ils ont été dans la nuit sans trop savoir quand la nuit était tombée.

Pièra claquait des dents. Elle a pleuré contre le cou de Bélard. Elle a couvert sa joue et sa bouche de baisers, et pour chaque baiser elle ajoutait un Mon amour qui entraînait le baiser suivant. Ils ont mangé les biscuits qui leur restaient.

Plus tard, c'était le milieu de la nuit, la neige s'est arrêtée. Le froid est tombé, plus intense.

Bélard lui a demandé de se mettre à genoux en lui tournant le dos, elle a dit Non, pourquoi ? je veux te voir, On se dit tu maintenant? a eu le courage de plaisanter Bélard, mais Pièra s'est tournée tout de suite et il l'a entourée de ses bras en pesant sur elle pour qu'elle se mette en boule et qu'il puisse mieux la tenir dans sa chaleur. Il a ouvert son anorak et, comprenant ce qu'il voulait faire et pourquoi, elle a dit Non, chéri, je ne veux pas, tu vas mourir, et lui Chut, mon ange, la dernière fois que je t'ai recouverte c'est toi qui m'as sauvé, tu te souviens?

Elle a pensé Il me tutoie, puis elle s'est souvenue de Barclay Street, qu'elle avait joui sous lui, et que jamais elle ne le lui dirait.

Plus tard encore, elle pouvait à peine bouger les lèvres, Pièra a dit Je dois te dire... je dois te dire... c'est moi qui ai écrit les messages de Loïse... à la fac... tu sais?... *Ne me parlez pas ainsi cher rusé amant...* et c'est à moi que tu répondais, Antoine... c'est à moi...

Elle a cru qu'il n'avait pas entendu, ou qu'il dormait, parce qu'il n'a rien dit, ni bougé, ni grogné, rien.

Ce n'est qu'au bout d'un long moment qu'elle l'a entendu dans son dos, d'une voix rauque parce qu'il avait les mâchoires crispées de froid, dire Alors c'est vous... depuis le début...

Elle a eu le temps d'avoir ces trois bouts de pensée : Il sait, Il me vouvoie, La vie va être une merveille désormais, et elle a sombré dans un sommeil étal et clair comme un lac.

Elle se reprochait toujours le sommeil, trouvant triste de devoir oublier l'amant quand elle dormait.

Mais cette fois, soit que l'étreinte fût étroite, soit que l'eau fût très attirante et très profonde, elle oublia Bélard.

120

LES AMANTS DU MONT ROUCH

Léo donna l'alerte le soir même.

La météo était mauvaise le lendemain, et l'équipe de sauveteurs qui entreprit malgré tout les recherches ne les trouva pas.

Le deuxième jour, l'hélicoptère de la gendarmerie les survola sans les voir.

On ne les trouva qu'avec les chiens trois jours plus tard.

Ils étaient si étroitement encastrés l'un dans l'autre, Pièra le dos collé à la poitrine de Bélard, tenant ses mains dans les siennes, les bras de Bélard passant sous les bras de Pièra et se croisant sur sa poitrine comme celles d'un gisant de pierre à quatre mains, qu'ils n'osèrent pas briser des membres et les transportèrent ensemble. Ceux qui les virent pensèrent à une statue de Vishnou, grotesque et sacrée à la fois.

C'est de leur témoignage, répété avec des déformations et des variantes dans la vallée et au-delà, qu'est sortie l'appellation « les amants du mont Rouch » qui leur est restée.

Léo connaissait l'existence d'un testament de Pièra.

Elle disait vouloir être incinérée avec la chaussure de Loïse si elle mourait jeune, avant Bélard. Si Bélard mourait avant elle, elle renonçait à l'incinération pour être inhumée à ses côtés.

Elle avait omis de préciser ce qu'il convenait de faire, en ce cas, de la chaussure de Loïse.

Le petit cimetière de la chapelle du tournant reçut les deux corps.

Bélard n'avait plus de famille. Les parents de Pièra respectèrent sa volonté.

On les mit dans deux cercueils côte à côte.

La chaussure de Loïse dans le cercueil de Pièra.

Dans la poche du blouson de Bélard, il y avait une boucle d'oreille. On pensa qu'elle était à Pièra. On la donna à ses parents. Les parents de Pièra la prirent sans dire mot.

« Elle ne s'est jamais fait percer les oreilles, que je sache », dit la mère dès qu'ils furent seuls.

« Qu'est-ce qu'on savait vraiment de notre fille ? » reprit le père un peu plus tard.

121

THE LOVER'S SHOE

L'histoire des amants du mont Rouch toucha une cinéaste australienne qui séjournait dans le sud de la France et lut l'information dans le journal.

Elle découpa l'entrefilet et le conserva des années en y pensant de temps à autre. Elle crut l'avoir perdu. Le retrouva beaucoup plus tard. Elle était prête.

Elle revint se documenter sur place. On lui conta plusieurs histoires. Elle les oublia. Ne retint qu'une question et deux détails, l'un qui l'émouvait, l'autre qui la tourmentait. *Un.* Les amants étaient-ils amants? *Deux.* Ils étaient morts de froid étroitement enlacés. Les cadavres étaient si rigides qu'on les avait transportés sans les détacher l'un de l'autre. *Trois.* Dans le cercueil de la femme se trouvait la chaussure d'une autre femme.

L'histoire qu'elle inventa n'était pas si éloignée de la vérité.

Elle lui donna le titre *The Lover's Shoe,* bizarrement transformé en français en *L'autre qu'elle aimait.*

Écarté de la sélection de Cannes, le film n'eut quelque succès dans les salles qu'en Australie, en Argentine et au

Japon. Suffisant toutefois dans l'Hexagone pour amener sur les lieux mêmes, où quelques scènes avaient été tournées, des cohortes d'empêchés de jouir sauf par procuration.

C'en fut fini de la paix des hameaux d'Ustou.

On venait en famille. On vit des couples venir deux fois, accompagnés différemment.

122

RENDEZ-NOUS PIÈRA

Après son passage sur Arte – interview du maire, de Léo, d'un sauveteur, d'un berger –, l'université vit dans la célébration posthume de Bélard l'occasion de s'attribuer le mérite d'avoir couvé l'amour des deux amants.

(Loïse ? Qui ça, Loïse ?)

Le conseil de l'université vota à l'unanimité moins une voix l'attribution du nom d'Antoine Bélard à l'amphithéâtre n° 2.

Et, à une courte majorité seulement, l'apposition d'une plaque de marbre qui rappellerait son nom dans le hall H.

La cérémonie fut perturbée par diverses manifestations d'étudiants. On siffla le discours du président. On vit fleurir une banderole. « C'est vous qui les avez tués. » Longtemps après que les invités eurent réintégré leurs labos, on entendait encore dans les couloirs ce slogan, martelé sur le rythme 2-3-6 bien connu des monômes : « Ren-dez / nous-Piè-ra / De-Bélard-on-s'en-fout ! »

Dans la nuit qui suivit, une main anonyme gratta le prénom d'Antoine et peignit en lettres noires celui de Pièra.

Les services de l'université l'effacèrent. Il reparut.

On y vit, avec raison, la main d'un étudiant en arts plastiques.

La petite guerre de l'effaçage et des réapparitions continue.
Mais la main anonyme a gagné.
On ne dit plus l'amphi 2, ni même l'amphi Bélard.
On dit avoir cours à « Pièra Bélard ».

Ça fait enrager les médiévistes.
On se demande bien pourquoi.

AGATHE

Le petit cimetière ariégeois où reposent les amants est protégé de ces querelles onomastiques.

On déplore seulement les repas sauvages entre les tombes et la noria des touristes qui, comme Bélard la première fois, s'égare entre les hameaux.

Il faut s'y rendre après la rentrée des classes.

Un jour de septembre, une mère et sa petite fille.

La voiture vient d'Ille-et-Vilaine.

La mère : « Tu vois, Agathe, c'est le monsieur et la dame qui s'aimaient si fort qu'on aurait pu les mettre dans une seule boîte tellement le froid les avait collés. »

La petite a des lunettes rondes, des dents en bataille appareillées, un air parfaitement déluré. Elle dit :

« C'est peut-être que la boîte était pas assez grosse ? »

La mère, amusée, sourit.

« Non, reprend-elle, ils auraient pu en trouver une qui soit suffisamment grande pour deux.

— Pourquoi ils les ont pas mis ensemble alors ? »

La fillette, menton levé, attend la réponse en mordillant sa lèvre inférieure et en clignant des yeux dans le soleil.

La mère la regarde d'un air las.

Elle pense Qu'est-ce que ça va être long avant que tu sois une femme !

Elle dit :

« Parce que ce n'est pas permis. »

Antoine Bélard a tenu un Journal de sa relation avec Loïse. Il l'a confié avant sa mort à un ami, l'assortissant de la condition que, s'il méritait un jour d'être rendu public, il ne le soit pas du vivant des parents de Loïse. Il avait toutefois autorisé cet ami à utiliser son Journal dans le cas où celui-ci lui inspirerait une fiction. C'est cette fiction « vraie » qui est ici publiée.

PREMIÈRE PARTIE
Les corps

DEUXIÈME PARTIE
La chair

TROISIÈME PARTIE
L'acier